Vishal Sharma



# SPANISH FIRST YEAR

# WORKBOOK IN SPANISH FIRST YEAR

**Second Edition**

ROBERT J. NASSI

BERNARD BERNSTEIN

*Dedicated to serving*

*our nation's youth*

When ordering this book, please specify:

*either*

**R 44 W**

*or*

SPANISH FIRST YEAR WORKBOOK

**AMSCO SCHOOL PUBLICATIONS, Inc.**

**315 Hudson Street** **New York, N.Y. 10013**

ISBN 0-87720-519-1



**REVISED 1993**

PRINTED IN THE UNITED STATES OF AMERICA

## PREFACE

This Second Edition of *Workbook in Spanish First Year* is offered with a twofold purpose: (1) to present in concise form, for review, an explanation of the topics usually studied in Level I; (2) to provide a variety of effective, workable exercises to supplement those in the basic textbook, and to help the student attain mastery of the specific point being reviewed.

The book is divided into units that are arranged logically for easy reference: Verbs, Grammatical Structures, Idioms, Word Study, and Civilization. Each unit, in turn, is divided into lessons each of which focuses on a specific topic. The teacher is thus permitted to assign any lesson for review, without regard to its position in the normal sequence of instruction. Many exercises permit either oral or written treatment, as desired.

The following additional features should be mentioned:

1. A group of exercises providing a medial summary after every fifth lesson, to provide a review of the preceding five lessons. These may be used for testing: either for self-testing by pupils, or as a class activity.

2. Special sections that provide copious practice in auditory and reading comprehension.

3. A chart of irregular verbs, classified according to the type of irregularity.

4. Two vocabulary lists. The Spanish-English list contains all the words used in the exercises; the English-Spanish list contains all the words needed for completing the English-Spanish exercises.

To maintain student interest and increase knowledge of the life and ways of the foreign peoples, there have been interspersed throughout the book numerous illustrations on matters relating to Spain and Spanish America.

It is hoped that teachers and students alike will find this book a useful supplement to the regular textbook.

—The Authors

## CONTENTS

### Part I—*Verbs*

Page



**Part II—*Grammatical Structures***

## Part III—*Idioms*



## Part IV—*Word Study*

Page



**Part V—*Hispanic Civilization***

# *Part I—Verbs*

## 1. PRESENT TENSE OF *-AR* VERBS; NEGATIVE AND INTERROGATIVE VERB FORMS

**hablar**, to speak

**I speak, I am speaking, I do speak**

| *Singular* | | *Plural* | |
|---|---|---|---|
| yo | habl***o*** | nosotros, -as | habl***amos*** |
| tú | habl***as*** | vosotros, -as | habl***áis*** |
| usted (Vd.) | | ustedes (Vds.) | |
| él | habl***a*** | ellos | habl***an*** |
| ella | | ellas | |

*Note*

A. The present tense of regular **-ar** verbs is formed by dropping the ending **-ar** of the infinitive and adding the personal endings **-o, -as, -a, -amos, -áis, -an.**

B. The subject pronouns **Vd.** and **Vds.** are usually expressed in Spanish. The other subject pronouns (**yo, tú, él, ella, nosotros, vosotros, ellos, ellas**) are usually omitted, unless they are needed for clearness or emphasis.

| | |
|---|---|
| **Hablo** inglés. | I speak English. |
| **Hablan** español. | They speak Spanish. |
| *but* | |
| **Vd.** habla bien. | You speak well. |
| **Ella** habla francés pero **él** habla alemán. | She speaks French but he speaks German. |
| **Ella** y **yo** hablamos portugués. | She and I speak Portuguese. |

C. The feminine forms of **nosotros** and **vosotros** are **nosotr*a*s** and **vosotr*a*s**.

D. **Tú** and **vosotros** (the familiar forms) are used when addressing close relatives, intimate friends, or small children. In Spanish America, the **ustedes** form is used instead of **vosotros.**

### NEGATIVE VERB FORMS

A verb is made negative by placing **no** before it.

| | |
|---|---|
| María **no** habla español. | Mary doesn't speak Spanish. |
| Yo **no** bailo el tango. | I do not dance the tango. |

## INTERROGATIVE VERB FORMS

In a statement, the subject usually comes before the verb. In a question (interrogative), the subject usually comes after the verb.

| | |
|---|---|
| **Vd. contesta** correctamente. | You answer correctly. |
| ¿**Contesta Vd.** correctamente? | Do you answer correctly? |
| **Juan habla** inglés. | John speaks English. |
| ¿**Habla Juan** inglés? | Does John speak English? |

## COMMON -*AR* VERBS

**ayudar,** to help, to aid
**bailar,** to dance
**bajar,** to go down, to descend
**caminar,** to walk
**cantar,** to sing
**comprar,** to buy
**contestar,** to answer
**cortar,** to cut
**desear,** to wish
**enseñar,** to teach, to show
**entrar (en),** to enter
**escuchar,** to listen (to)
**estudiar,** to study
**explicar,** to explain
**hablar,** to speak
**llegar,** to arrive, to reach
**llevar,** to carry, to take, to wear
**mirar,** to look (at)
**necesitar,** to need
**pagar,** to pay (for)
**preguntar,** to ask
**preparar,** to prepare
**regresar,** to return
**terminar,** to finish, to end
**tomar,** to take; to have (food or drink)
**trabajar,** to work
**viajar,** to travel
**visitar,** to visit

## *EXERCISES*

**A.** Change the infinitive to agree with the indicated subjects.

EXAMPLE: *Cantar* una canción. (*a*) yo (*b*) María (*c*) tú (*d*) Vds.

(*a*) *Yo canto* una canción.
(*b*) *María canta* una canción.
(*c*) *Tú cantas* una canción.
(*d*) *Vds. cantan* una canción.

**1.** *Llevar* zapatos. (*a*) nosotros (*b*) Vd. (*c*) vosotros (*d*) ella

(*a*) Llevamos zapatos
(*b*) Llevan zapatos
(*c*) Lleváis zapatos
(*d*) Lleva zapatos

**2.** *Hablar* portugués. (*a*) mi primo (*b*) Vds. (*c*) yo (*d*) ellos

(*a*) Hablo portugués
(*b*) Hablan portugués
(*c*) Hablo portugués
(*d*) Hablan portugúes

**3.** *Comprar* una bicicleta. (*a*) yo (*b*) Vd. (*c*) tú (*d*) el muchacho

(*a*) Compro una bicicleta
(*b*) Compran unabicicleta
(*c*) Compras una bicicleta
(*d*) Compra una bicicleta

**4.** *Explicar* la lección. (*a*) el maestro (*b*) ella (*c*) nosotros (*d*) tú

(*a*) Explica la lección
(*b*) Explica la lección
(*c*) Explicamos la lección
(*d*) Explicas la lección

5. *Mirar* el reloj. (*a*) vosotros (*b*) ellos (*c*) la gente (*d*) el abogado
   (*a*) mirāis el reloj (*c*) Mira el reloj
   (*b*) Miran el reloj (*d*) Mira el abogado
6. *Bailar* bien. (*a*) la muchacha (*b*) yo (*c*) Vds. (*d*) ella
   (*a*) Baila bien (*c*) Bailan bien
   (*b*) Bailo bien (*d*) Baila bien
7. ¿*Necesitar* mucho dinero? (*a*) tú (*b*) Vd. y yo (*c*) mis padres (*d*) Vd.
   (*a*) Necesitas mucho dinero (*c*) Necesito mucho dinero
   (*b*) Necesitan mucho dinero (*d*) Necesita mucho dinero
8. *Entrar* en la sala. (*a*) la clase (*b*) ellas (*c*) tú (*d*) yo
   (*a*) la clase entra en la sala (*c*) tú entras en la sala
   (*b*) Entra en la sala (*d*) Yo entro en la sala
9. No *escuchar* la música. (*a*) ella (*b*) tú (*c*) nosotras (*d*) ellos
   (*a*) No escucha la música (*c*) No escuchamos la música
   (*b*) No escuchas la música (*d*) No escucha la música
10. *Cortar* el pan. (*a*) mi mamá (*b*) yo (*c*) vosotros (*d*) el panadero
   (*a*) Mi mamá Corta el pan (*c*) Cortáis el pan
   (*b*) Corto el pan (*d*) Corta el pan

**B.** Change the subject and verb to the plural.

1. *La señora compra* carne. Las señoras compran carne.
2. *Yo camino* rápidamente. Vds. caminan rapidamente.
3. *Tú llegas* temprano. Vds. llegan temprano.
4. *Él entra* en la casa. Vosotros entráis en la casa.
5. *Vd. baila* muy bien. Vds. bailan muy bien.
6. *Tú contestas* en voz baja. Vds. contestan en roz baja.
7. *Vd. toma* el ascensor. Vds. toman el ascensor.
8. *Ella explica* las frases difíciles. Ellas explican las frases difíciles.
9. *El campesino visita* la ciudad. Los campesinan visitas la ciudad.
10. *La taquígrafa necesita* papel. Las taquigrafan necesitas papel.

**C.** Change the subject and verb to the singular.

1. *Vds. terminan* su trabajo. Tú terminas su trabajas.
2. *Ellos cortan* los árboles. Ella corta los árboles.
3. *Ellas estudian* en la biblioteca. Ella estudia en la bibliotecо.
4. *Nosotros deseamos* leer. Yo deseo leer.
5. *Las enfermeras ayudan* a los médicos. Ella enfermera ayuda a los médicos
6. *Vds. llevan* zapatos. Tú llevas zapatos.

7. *Nosotras regresamos* del viaje. Yo regreso de viaje.
8. *Vosotras cantáis* demasiado. Vd. canta demasiado.
9. *Los alumnos escuchan* con atención. El alumno escucha con attención.
10. *Los criados bajan* al sótano. El criados baja al sótano.

**D.** Make the following sentences negative.

1. Mi hermana prepara la comida. ____________
2. Hoy deseo trabajar. No deseo
3. El comerciante toma el desayuno en casa. No toma
4. Los soldados viajan mucho. No viajan
5. Yo regreso a las tres. No regreso
6. El niño pregunta qué hora es. No pregunta
7. Vds. contestan en voz alta. No contestan
8. Su madre paga a la criada cada semana. No paga
9. Mi amigo llega tarde a menudo. No llega
10. Ese hombre trabaja por su familia. No trabaja

**E.** Change the following statements to questions.

1. Vd. ayuda a su sobrino. ____________
2. El profesor estudia todos los días. ____________
3. Juan mira a las muchachas bonitas. ____________
4. María visita a sus parientes. ____________
5. Vosotros termináis el trabajo. ____________
6. La señorita canta bien. ____________
7. Vd. habla francés. ____________
8. El chófer baja del coche. ____________
9. Ellos caminan a la escuela. ____________
10. Ella enseña a la clase. ____________

**F.** Change the following questions to statements.

1. ¿Paga Vd. al sastre? ____________
2. ¿Explica la maestra la regla? ____________
3. ¿Compran ellos chocolate? ____________
4. ¿Preparan Vds. la lección? ____________
5. ¿Baila Vd. con su prima? ____________
6. ¿Necesito yo un sombrero nuevo? ____________
7. ¿Enseña ella a su hijo? ____________
8. ¿Viaja él por ferrocarril? ____________

**9.** ¿Trabajas tú en aquel edificio? ______________________

**10.** ¿Entra la niña en la sala de clase? ______________________

**G.** Complete each sentence with the correct form of the verb in italics.

**1.** Yo *llevo* abrigo en el invierno. Mi vecino no ______________ sombrero. ¿______________ tú guantes?

**2.** Ellos *llegan* tarde a la clase. ¿______________ Vds. a la escuela a las ocho? El director ______________ a la escuela a las nueve.

**3.** La mujer *regresa* del supermercado a las diez. ¿A qué hora ______________ Vd. de la escuela? Yo no ______________ hasta las cuatro.

**4.** Yo *viajo* en automóvil. Esas mujeres no ______________ mucho. ¿______________ Vd. por avión?

**5.** Los alumnos *toman* el almuerzo. ¿______________ Vd. un refresco? Yo no ______________ café.

**6.** Vd. no *escucha* la radio. Él y yo ______________ las noticias. ¿______________ ella la música?

**7.** Nosotros *deseamos* aprender mucho. Los alumnos perezosos no ______________ aprender. ¿______________ Vds. estudiar?

**8.** Mi madre *corta* la carne. ¿______________ tú el pan con un cuchillo? Yo no ______________ el pan.

**9.** Ellas *miran* la televisión. Yo no ______________ la televisión. ¿______________ Pedro la televisión?

**10.** ¿*Contesta* Vd. al profesor? Carlos y Alberto no ______________ bien. Yo siempre ______________ en voz alta.

**H.** Answer the following questions *affirmatively* in Spanish. ("Sí, . . .")

**1.** ¿Visita Vd. a sus parientes a menudo? Sí, visito asus parientes a menudo

**2.** ¿Pregunta Vd. muchas cosas al maestro? Sí, pregunto muchas cosas al maestro

**3.** ¿Habla Vd. inglés? Sí, hablo inglés

**4.** ¿Ayuda Vd. a su mamá? Sí, ayudo a su mamá

**5.** ¿Trabaja Vd. mucho en la escuela? Sí, trabajo mucho en la escuela

**6.** ¿Estudia Vd. para los exámenes? Sí, estudio para los exámenes

**7.** ¿Termina Vd. su trabajo todas las noches? Sí, termino su trabajo todas las noches

**8.** ¿Necesita Vd. estudiar mucho para aprender? Sí, necesito estudiar mucho para aprender

9. ¿Enseña bien el maestro? ______________________________

10. ¿Camina Vd. a la escuela por la mañana? Sí, camino a la escuela por la mañana

**I.** Answer the following questions *negatively* in Spanish. ("No, . . .")

1. ¿Explica Vd. la lección a la clase? No, no explico la lección a la clase.
2. ¿Prepara Vd. las comidas? No, no preparo las comidas.
3. ¿Escucha Vd. cuando su madre habla? No, no escucho cuando su madre habla.
4. ¿Bajan los comerciantes los precios? ______________________________
5. ¿Viaja Vd. mucho por vapor? No, no viajo mucho por vapor.
6. ¿Entra Vd. tarde en la clase? No, no entro tarde en la clase.
7. ¿Paga su padre mucho dinero al médico? ______________________________
8. ¿Canta Vd. bien? No, no canto bien.
9. ¿Compra Vd. mucho en las tiendas? No, no compro mucho en las tiendas.
10. ¿Baila Vd. bien? No, no bailo bien.

**J.** Complete the Spanish sentences.

| | | |
|---|---|---|
| 1. | We arrive on time. | ______________________ a tiempo. |
| 2. | I am watching an interesting movie. | ______________ una película interesante. |
| 3. | They take the medicine. | ______________________ la medicina. |
| 4. | I answer correctly. | ______________________ correctamente. |
| 5. | Do you visit the museum? | ¿______________ vosotros el museo? |
| 6. | Does he return in the afternoon? | ¿______________________ por la tarde? |
| 7. | We don't study the vocabulary. | ______________________ el vocabulario. |
| 8. | The tailor cuts the cloth. | El sastre ______________________ la tela. |
| 9. | They want to go to the movies. | ______________________ ir al cine. |
| 10. | Louise is wearing a red dress. | Luisa ______________ un vestido rojo. |

## 2. PRESENT TENSE OF *-ER* AND *-IR* VERBS

| | **comer,** to eat | **vivir,** to live |
|---|---|---|
| | *I eat,*<br>*I am eating,*<br>*I do eat* | *I live,*<br>*I am living,*<br>*I do live* |
| | *Singular* | |
| yo | com*o* | viv*o* |
| tú | com*es* | viv*es* |
| usted (Vd.), él, ella | com*e* | viv*e* |
| | *Plural* | |
| nosotros, -as | com*emos* | viv*imos* |
| vosotros, -as | com*éis* | viv*ís* |
| ustedes (Vds.), ellos, ellas | com*en* | viv*en* |

*Note*

A. The present tense of regular **-er** verbs is formed by dropping the ending **-er** of the infinitive and adding the personal endings **-o, -es, -e, -emos, -éis, -en.**

B. The present tense of regular **-ir** verbs is formed by dropping the ending **-ir** of the infinitive and adding the personal endings **-o, -es, -e, -imos, -ís, -en.**

C. The endings of **-er** and **-ir** verbs are the same except for the endings of the **nosotros** and **vosotros** forms.

COMMON *-ER* VERBS

**aprender,** to learn
**beber,** to drink
**comer,** to eat
**comprender,** to understand
**correr,** to run
**coser,** to sew
**creer,** to believe
**deber,** should, ought to; to owe
**esconder,** to hide
**leer,** to read
**poseer,** to possess
**prometer,** to promise
**responder,** to answer
**romper,** to break, to tear
**vender,** to sell

## COMMON *-IR* VERBS

**abrir,** to open
**asistir (a),** to attend
**cubrir,** to cover
**decidir,** to decide
**describir,** to describe
**descubrir,** to discover
**dividir,** to divide
**escribir,** to write
**omitir,** to omit
**partir,** to leave, to depart
**recibir,** to receive
**subir,** to go up, to raise
**vivir,** to live

### *EXERCISES*

**A.** Express the following sentences in English, translating each verb in two ways.

EXAMPLE: *Hablan* con el maestro.
*They speak* with the teacher. *They are speaking* with the teacher.

1. ¿*Comprendes* tú el alemán? ______
2. Todos los alumnos *aprenden* el español. ______
______
3. El tren *parte* en seguida. ______
4. El camarero *cubre* la mesa. ______
5. Nosotros *escribimos* muchas cartas. ______
______
6. *Abro* la puerta con llave. ______
7. Mi abuela *lee* un libro. ______
8. Los carniceros no *venden* frutas. ______
______
9. El agua *corre* abajo. ______
10. No *omito* los ejercicios fáciles. ______
______

**B.** Change the infinitive to agree with the indicated subjects. (*Caution.* Exercises B–J also include some **-ar** verbs.)

1. *Responder* con pocas palabras. (*a*) nuestro tío (*b*) nosotras (*c*) ellos (*d*) la maestra
(*a*) Respondemos (*c*) Responden
(*b*) Respondemos (*d*) Responde
2. ¿Por qué *esconder* los billetes? (*a*) tú (*b*) Vd. (*c*) María (*d*) ellas
(*a*) escondes (*c*) esconde
(*b*) escondéis (*d*) esconden
3. *Asistir* a la iglesia. (*a*) nosotros (*b*) Vds. (*c*) vosotros (*d*) tú
(*a*) Asistimos (*c*) Asistís
(*b*) Asistís (*d*) Asistes

**4.** *Ayudar* al enfermo. (*a*) el doctor (*b*) tú (*c*) Vd. (*d*) varias enfermeras

(*a*) Ayuda (*c*) Ayudan

(*b*) Aydas (*d*) Ayuda

**5.** *Prometer* ir el domingo. (*a*) yo (*b*) él (*c*) vosotras (*d*) Vd. y yo

(*a*) Prometo (*c*) prometeis

(*b*) Promete (*d*) Prometemos

**6.** *Beber* leche. (*a*) las niñas (*b*) yo (*c*) Vd. (*d*) el gato

(*a*) Bebe (*c*) Bebe

(*b*) Bebo (*d*) Bebe

**7.** No *bailar* el tango. (*a*) nosotras (*b*) yo (*c*) Alfredo (*d*) Vds.

(*a*) bailamos (*c*) baila

(*b*) bailo (*d*) bailan

**8.** ¿No *recibir* muchos regalos? (*a*) el niño (*b*) ellos (*c*) yo (*d*) nosotros

(*a*) recibe (*c*) recibo

(*b*) reciben (*d*) recibimos

**9.** *Decidir* salir. (*a*) su nieto (*b*) vosotros (*c*) Juan (*d*) él y yo

(*a*) Decide (*c*) Decide

(*b*) Deidís (*d*) Decidimos

**10.** ¿En qué calle *vivir*? (*a*) Vd. (*b*) ella (*c*) tú (*d*) Marta y Pablo

(*a*) Vivis (*c*) Vives

(*b*) Vive (*d*) Viven

**C.** Replace the verbs in italics with the corresponding forms of the verbs in parentheses.

**1.** *Comemos* en el comedor.

(cantar) ______________ (escribir) ______________

**2.** ¿*Crees* a tu abuelo?

(responder) ______________ (hablar) ______________

**3.** ¿*Desea* Vd. decir la verdad?

(deber) ______________ (prometer) ______________

**4.** El autobús *parte* a mediodía.

(llegar) ______________ (regresar) ______________

**5.** Aquellos niños *dividen* el pastel.

(mirar) ______________ (vender) ______________

**6.** Los turistas *describen* el país.

(visitar) ______________ (descubrir) ______________

**7.** El autor *omite* un párrafo.

(leer) ______________ (escribir) ______________

8. *Subo* a mi cuarto.
   (correr) ________________ (llegar) ________________
9. Su hija *cose* una falda.
   (romper) ________________ (recibir) ________________
10. Ese hombre *posee* mucho.
   (sufrir) ________________ (comprender) ________________

**D.** Change the subject and verb to the plural.

1. *Vd. come* la ensalada. ________________
2. ¿Por qué *escondes tú* la cartera? ________________
3. *Yo viajo* a Francia. ________________
4. *El muchacho sube* la escalera. ________________
5. *Ella sufre* en silencio. ________________
6. *La profesora describe* la catedral. ________________
7. *Mi vecino promete* venir la semana que viene. ________________
8. *El mozo trabaja* en un restaurante. ________________
9. *Yo debo* cerrar la boca. ________________
10. *Yo* no *vivo* en Francia. ________________

**E.** Change the subject and verb to the singular.

1. *Los ingleses* no *beben* té con limón. ________________
2. *Nosotros cubrimos* las manos con guantes. ________________
3. *Vosotros aprendéis* los verbos. ________________
4. *Ellas deciden* comprar discos. ________________
5. *Las señoras asisten* al concierto. ________________
6. *Nosotras cosemos* blusas de nilón. ________________
7. *Los alumnos abren* las ventanas. ________________
8. ¿*Creéis vosotros* al presidente? ________________
9. *Vds. dividen* las tareas. ________________
10. *Los científicos descubren* otra medicina. ________________

**F.** Complete each sentence with the correct form of the verb in italics.

1. Mi hermana *cubre* la mesa con un mantel. ¿Con qué ________________ vosotras el suelo? Nosotras ________________ el suelo con una alfombra.
2. Mi amigo *vive* en el campo. Yo ________________ en una ciudad grande. ¿Dónde ________________ tú?
3. *Escucho* el ruido de la calle. ¿Qué ________________ Vds.? Ella y yo ________________ un programa de radio.

**4.** Él no *comprende* el español. Tú y yo ______________________ el italiano y el francés. ¿Qué lengua ______________________ ellas?

**5.** ¿*Recibes* muchos regalos? Pablo y Alfredo no ______________ regalos. Yo ______________ regalos en mi cumpleaños.

**6.** *Responde* Vd. bien? Sí, yo siempre ______________________ bien. Alberto no ______________ en voz alta.

**7.** Yo *llevo* calcetines en los pies. María no ______________________ sombrero en la cabeza. ¿______________________ Vd. algo en las manos?

**8.** Tú no *asistes* a la iglesia. Carlos y yo ______________________ todos los domingos. ¿______________________ vosotros al teatro?

**9.** Mi madre *lee* el periódico en casa. Yo no ______________________ el periódico en la escuela. ¿______________________ tú el periódico los domingos?

**10.** Yo *poseo* un lápiz de oro. ¿______________________ tú una pluma? Ella no ______________ un lápiz bueno.

**G.** Answer the following questions affirmatively in Spanish. ("Sí, . . .")

**1.** ¿Debe Vd. mucho a sus padres? ______________________________________________

**2.** ¿Escribe Vd. bien los ejercicios de dictado? ______________________________________________

______________________________________________

**3.** ¿Sube Vd. a su apartamiento por la escalera? ______________________________________________

______________________________________________

**4.** ¿Sufre Vd. muchos exámenes? ______________________________________________

**5.** ¿Posee Vd. una camisa amarilla? ______________________________________________

**6.** ¿Bebe Vd. café con leche? ______________________________________________

**7.** ¿Abre Vd. los labios para hablar? ______________________________________________

**8.** ¿Rompe Vd. muchos papeles? ______________________________________________

**9.** ¿Come Vd. tres veces cada día? ______________________________________________

**10.** ¿Corren mucho los caballos? ______________________________________________

**H.** Answer the following questions negatively in Spanish. ("No, . . .")

**1.** ¿Vende legumbres el panadero? ______________________________________________

**2.** ¿Vive Vd. lejos de la escuela? ______________________________________________

**3.** ¿Aprenden mucho los alumnos perezosos? ______________________________________________

______________________________________________

**4.** ¿Esconde Vd. su dinero debajo de la cama? ______________________________________________

______________________________________________

**5.** ¿Decide Vd. cuándo asistir a las clases? ______________________________________________

______________________________________________

6. ¿Divide Vd. su dinero entre sus amigos? ______________________________

7. ¿Descubre Vd. muchos errores en su trabajo? ______________________________

8. ¿Sufre Vd. una enfermedad? ______________________________
9. ¿Cose Vd. su propia ropa? ______________________________
10. ¿Omite Vd. los ejercicios difíciles? ______________________________

**I.** Answer the following questions in Spanish.

1. ¿Cuántas cartas escribe Vd. cada semana? ______________________________

2. ¿Qué periódico lee Vd.? ______________________________
3. ¿En qué país vive Vd.? ______________________________
4. ¿Cuántas lenguas comprende Vd.? ______________________________
5. ¿En qué tienda venden pan y queso? ______________________________

6. ¿Dónde come Vd. todos los días? ______________________________
7. ¿En qué días asisten Vds. a la escuela? ______________________________

8. ¿Bebe Vd. café o leche? ______________________________
9. ¿Responde Vd. a estas preguntas en inglés o en español? ______________________________

10. ¿Qué lengua aprenden Vds. en esta clase? ______________________________

**J.** Complete the Spanish sentences.

1. The plane is leaving now.
   El avión ____________ ahora.
2. He and I decide to enter the room.
   Él y yo ____________ entrar en la habitación.
3. My nieces receive many Christmas presents.
   Mis sobrinas ____________ muchos regalos de Navidad.
4. The pupil doesn't cover her notebook.
   La alumna ____________ su cuaderno.
5. Are you reading an interesting book?
   ¿ ____________ tú un libro interesante?
6. They always tear their stockings.
   Ellas siempre ____________ las medias.

**7.** Don't they understand the question?

¿____________________________ la pregunta?

**8.** Do they run quickly?

¿________________________ rápidamente?

**9.** Whom do you believe?

¿A quién ____________________ Vd.?

**10.** She doesn't describe her house to her friend.

______________________________ su casa a su amiga.

**Benito Juárez (1806–1872) was an Indian who rose from humble surroundings to become president of Mexico. During his presidency, in 1864, Napoleon III of France tried to establish an empire in Mexico by sending an Austrian prince, Maximilian, to rule the country. Juárez resisted stubbornly, and the French troops supporting Maximilian were forced to withdraw. The Mexicans consider Juárez one of their national heroes. He has been called the "Abraham Lincoln of Mexico" because of his friendship with Lincoln, and because of his efforts to free the downtrodden people of his country.**

## 3. PRESENT TENSE OF STEM-CHANGING VERBS (*O* TO *UE*)

| | -ar | -er | -ir |
|---|---|---|---|
| | **mostrar,** to show | **volver,** to return | **dormir,** to sleep |
| yo | m***ue***stro | v***ue***lvo | d***ue***rmo |
| tú | m***ue***stras | v***ue***lves | d***ue***rmes |
| Vd., él, ella | m***ue***stra | v***ue***lve | d***ue***rme |
| nosotros, -as | mostramos | volvemos | dormimos |
| vosotros, -as | mostráis | volvéis | dormís |
| Vds., ellos, -as | m***ue***stran | v***ue***lven | d***ue***rmen |

*Note*

A. Many verbs that contain an **o** in the stem change the **o** to **ue,** except in the forms for **nosotros** and **vosotros.**

B. This change occurs in the syllable directly before the verb ending.

C. All stem-changing verbs that change **o** to **ue** are identified in the vocabulary lists by (**ue**) after the verb.

### COMMON STEM-CHANGING VERBS (*O* TO *UE*)

**-ar** VERBS

**almorzar,** to eat lunch
**contar,** to count
**costar,** to cost
**encontrar,** to find, to meet
**jugar** (**u** to **ue**), to play
**mostrar,** to show
**recordar,** to remember
**sonar,** to sound, to ring
**volar,** to fly

**-er** VERBS

**devolver,** to return, to give back
**poder,** to be able, can
**resolver,** to solve, to resolve
**volver,** to return, to come (go) back

**-ir** VERBS

**morir,** to die
**dormir,** to sleep

### *EXERCISES*

**A.** Change the infinitive to agree with the indicated subjects. (*Caution.* Some of the verbs in the following exercises are not stem-changing verbs.)

**1.** *Almorzar* en la cocina. (*a*) yo (*b*) nosotros (*c*) Vds. (*d*) tú

(*a*) ---------------------------------- (*c*) ----------------------------------

(*b*) ---------------------------------- (*d*) ----------------------------------

**2.** No *devolver* el libro a la biblioteca. (*a*) el hombre (*b*) tú (*c*) yo (*d*) Vd. y yo

(*a*) ------------------------------------ (*c*) ------------------------------------

(*b*) ------------------------------------ (*d*) ------------------------------------

**3.** ¿*Encontrar* un hotel barato? (*a*) tú (*b*) los turistas (*c*) yo (*d*) nosotros

(*a*) ------------------------------------ (*c*) ------------------------------------

(*b*) ------------------------------------ (*d*) ------------------------------------

**4.** ¿Cuántas horas *dormir*? (*a*) nosotros (*b*) ellos (*c*) vosotros (*d*) Vd.

(*a*) ------------------------------------ (*c*) ------------------------------------

(*b*) ------------------------------------ (*d*) ------------------------------------

**5.** *Comprar* flores. (*a*) yo (*b*) ellas (*c*) nosotras (*d*) Vd.

(*a*) ------------------------------------ (*c*) ------------------------------------

(*b*) ------------------------------------ (*d*) ------------------------------------

**6.** No *recordar* las fechas importantes. (*a*) él (*b*) yo (*c*) vosotras (*d*) Vds.

(*a*) ------------------------------------ (*c*) ------------------------------------

(*b*) ------------------------------------ (*d*) ------------------------------------

**7.** *Volver* a casa a las dos en punto. (*a*) ella (*b*) yo (*c*) ellas (*d*) tú

(*a*) ------------------------------------ (*c*) ------------------------------------

(*b*) ------------------------------------ (*d*) ------------------------------------

**8.** *Cortar* el pastel. (*a*) nosotros (*b*) mi mamá (*c*) Vds. (*d*) yo

(*a*) ------------------------------------ (*c*) ------------------------------------

(*b*) ------------------------------------ (*d*) ------------------------------------

**9.** *Contar* los platos. (*a*) el camarero (*b*) vosotros (*c*) Vds. y yo (*d*) yo

(*a*) ------------------------------------ (*c*) ------------------------------------

(*b*) ------------------------------------ (*d*) ------------------------------------

**10.** ¿No *esconder* el dinero? (*a*) nosotras (*b*) el comerciante (*c*) vosotros (*d*) tú

(*a*) ------------------------------------ (*c*) ------------------------------------

(*b*) ------------------------------------ (*d*) ------------------------------------

**B.** Replace the verbs in italics with the corresponding forms of the verbs in parentheses.

**1.** ¿*Tomas* el camino correcto?

(encontrar) ------------------------------ (recordar) ------------------------------

**2.** *Logran* salir bien en el examen.

(poder) ------------------------------ (resolver) ------------------------------

**3.** El estudiante *rompe* el mapa.

(devolver) ------------------------------ (recordar) ------------------------------

**4.** *Encuentran* la plata.

(tomar) ------------------------------ (robar) ------------------------------

5. *Recuerda* mucho.
   (costar) ______________________________ (jugar) ______________________________

6. Algunos pájaros *duermen* en el invierno.
   (morir) ______________________________ (volar) ______________________________

7. *Tocamos* el violín.
   (mostrar) ______________________________ (comprar) ______________________________

8. El niño *cuenta* las peras.
   (esconder) ______________________________ (devolver) ______________________________

9. *Volvéis* a la una de la tarde.
   (jugar) ______________________________ (almorzar) ______________________________

10. *Compro* la tela de seda.
    (encontrar) ______________________________ (devolver) ______________________________

**C.** Change the subject and verb to the plural.

1. *El pájaro vuela* al aire libre. ______________________________
2. *Yo* no *puedo* ir. ______________________________
3. *La planta muere* en el otoño. ______________________________
4. *La campana suena.* ______________________________
5. ¿Por qué *tomas tú* azúcar con el café? ______________________________
6. ¿*Recuerda Vd.* la canción? ______________________________
7. *El chico muestra* su corbata nueva. ______________________________
8. *El maestro resuelve* el problema. ______________________________
9. *La lámpara cuesta* mucho. ______________________________
10. *El niño juega* en la playa. ______________________________

**D.** Change the subject and verb to the singular.

1. *Los animales vuelven* al bosque. ______________________________
2. *Vosotros jugáis* todo el tiempo. ______________________________
3. *Nosotras borramos* la pizarra. ______________________________
4. ¿*Encuentran ellos* rosas en el jardín? ______________________________
5. ¿*Tocáis vosotros* el piano? ______________________________
6. *Nosotros almorzamos* en el patio. ______________________________
7. ¿No *devuelven Vds.* la mitad del dinero? ______________________________
8. *Nosotros dormimos* por la noche. ______________________________
9. *Las manzanas cuestan* mucho. ______________________________
10. *Vosotras contáis* los asientos en la sala. ______________________________

**E.** Complete the Spanish sentences.

1. I cannot wait any longer. ______________ esperar más.
2. The birds fly to the south. Los pájaros ______________ al sur.
3. He meets his wife at the station. ______________ a su esposa en la estación.
4. We sleep in this bedroom. ______________ en esta alcoba.
5. The carnations die without water. Los claveles ______________ sin agua.
6. The doorbell is ringing. El timbre ______________.
7. The traveler resolves to go on foot. El viajero ______________ ir a pie.
8. I show my gifts to my friends. ______________ mis regalos a mis amigos.
9. I don't remember her address. ______________ su dirección.
10. We play in the park. ______________ en el parque.

**F.** Complete each sentence with the correct form of the verb in italics.

1. Ellos no *pueden* pronunciar bien. ¿Quién ______________ pronunciar bien? Pedro y yo ______________ pronunciar muy bien las palabras.
2. Tú *cuentas* los números hasta diez. Yo ______________ hasta ciento. Nadie ______________ hasta mil.
3. Los elefantes *recuerdan* todo. ¿Quién no ______________ nada? La nieta del señor Álvarez no ______________ nada.
4. ¿*Dormís* vosotros en las clases? Nosotros ______________ en cama. Mi tía no ______________ bastante.
5. No *almorzamos* en casa. Yo ______________ en una cafetería. Mi hermano ______________ cerca del hospital.
6. Los pájaros *vuelan* fácilmente. Nosotros no podemos ______________ como ellos. Nosotros ______________ en aviones grandes.
7. Ellos *juegan* al tenis. Nosotros no ______________ bien. ¿______________ tú durante las vacaciones?
8. Yo *vuelvo* del cine a las once de la noche. ¿A qué hora ______________ tú? Nadie ______________ por la mañana.
9. ¿*Encuentra* Vd. chaquetas en una bodega? No, yo ______________ chaquetas en una tienda de ropa. En una bodega nosotros ______________ carne y legumbres.
10. Las cerezas *cuestan* mucho. Una docena de huevos ______________ menos. ¿Cuánto ______________ una naranja?

**G.** Answer the following questions affirmatively in Spanish. ("Sí, . . .")

1. ¿Suenan las campanas los domingos? ______________

2. ¿Cuestan mucho los cuadros del museo? ______________________

3. ¿Vuelve Vd. a casa temprano? ______________________
4. ¿Resuelve Vd. ayudar a los pobres? ______________________
5. ¿Juega Vd. al béisbol? ______________________
6. ¿Recuerda Vd. los nombres de todos sus parientes? ______________________

7. ¿Encuentra Vd. a sus amigos en la escuela? ______________________

8. ¿Devuelve Vd. los libros de sus amigos? ______________________
9. ¿Mueren las flores en el invierno? ______________________
10. ¿Muestra Vd. sus fotografías a sus compañeros de clase? ______________________

**H.** Answer the following questions negatively in Spanish. ("No, . . .")

1. ¿Puede Vd. existir sin aire? ______________________
2. ¿Suenan las campanas mientras Vd. duerme? ______________________

3. ¿Resuelve Vd. estudiar menos? ______________________
4. ¿Devuelve Vd. cosas al supermercado? ______________________
5. ¿Duerme Vd. en la cocina? ______________________
6. ¿Cuenta Vd. el dinero de sus amigos? ______________________
7. ¿Almuerza Vd. a medianoche? ______________________
8. ¿Mueren las plantas en la primavera? ______________________
9. ¿Vuela Vd. como los pájaros? ______________________
10. ¿Muestra Vd. películas en su casa? ______________________

**I.** Answer the following questions in Spanish.

1. ¿Cuántas horas duerme Vd.? ______________________
2. ¿Dónde juega Vd. con sus amigos? ______________________
3. ¿A qué hora vuelve Vd. a casa? ______________________
4. ¿En qué cuarto duerme Vd.? ______________________
5. ¿Cuánto cuesta su cuaderno? ______________________
6. ¿Dónde encuentra Vd. a sus amigos? ______________________

7. ¿A quién muestra Vd. sus buenas notas? ______________________

8. ¿Dónde almuerzan los alumnos? ______________________________

9. ¿En qué estación vuelan los pájaros al sur? ______________________________

______________________________

10. ¿Cuándo almuerza Vd.? ______________________________

**J.** Translate into Spanish.

1. The flowers are dying without water. ______________________________
2. We are returning home. ______________________________
3. I want to fly. ______________________________
4. They cost a lot of (much) money. ______________________________
5. Do you (*tú*) eat lunch every day? ______________________________
6. He is showing the house to his neighbor. ______________________________
7. She cannot wait any longer (*más*). ______________________________
8. Do they remember the song? ______________________________
9. Don't you* count your money? ______________________________
10. You (*vosotros*) solve the problem. ______________________________

---

* In all the exercises of this book, *you* as subject pronoun is to be translated by **Vd.** and *you* (*pl.*) by **Vds.** unless otherwise indicated.

**El Patio de los Leones (Courtyard of the Lions) is one of the beautiful patios of the Alhambra, a Moorish palace in Granada. This palace, built in the 13th century, is an outstanding example in Spain of the delicacy and strength of Moorish architecture. It served as a fortress and residence of Moorish kings. The magnificence of the Alhambra is described by the American writer Washington Irving in *The Alhambra*, a collection of tales about life in Granada during the Moorish period (before 1492).**

## 4. PRESENT TENSE OF STEM-CHANGING VERBS (*E* TO *IE*)

| | -ar | -er | -ir |
|---|---|---|---|
| | **cerrar,** to close | **perder,** to lose | **sentir,** to regret |
| yo | c*ie*rro | p*ie*rdo | s*ie*nto |
| tú | c*ie*rras | p*ie*rdes | s*ie*ntes |
| Vd., él, ella | c*ie*rra | p*ie*rde | s*ie*nte |
| nosotros, -as | cerramos | perdemos | sentimos |
| vosotros, -as | cerráis | perdéis | sentís |
| Vds., ellos, -as | c*ie*rran | p*ie*rden | s*ie*nten |

*Note*

A. Many verbs that contain an **e** in the stem change the **e** to **ie,** except in the forms for **nosotros** and **vosotros.**

B. The change occurs in the syllable directly before the verb ending.

C. All stem-changing verbs that change **e** to **ie** are identified in the vocabulary lists by (**ie**) after the verb.

### COMMON STEM-CHANGING VERBS (*E* TO *IE*)

**-ar** VERBS

**cerrar,** to close
**comenzar,** to begin
**confesar,** to confess
**empezar,** to begin
**gobernar,** to govern
**pensar,** to think, to intend

**-er** VERBS

**defender,** to defend
**entender,** to understand
**perder,** to lose
**querer,** to want, to wish; **querer a,** to love

**-ir** VERBS

**preferir,** to prefer
**referir,** to tell, to narrate
**sentir,** to regret, to be sorry; to feel

### *EXERCISES*

(*Caution.* Some of the verbs in the following exercises are not stem-changing verbs.)

**A.** Change the infinitive to agree with the indicated subjects.

**1.** *Preferir* viajar en abril. (*a*) yo (*b*) él (*c*) nosotros (*d*) vosotros

(*a*) ---------------------------------- (*c*) ----------------------------------

(*b*) ---------------------------------- (*d*) ----------------------------------

2. *Confesar* la verdad. (*a*) ellos (*b*) Vd. (*c*) el niño (*d*) nosotras

(*a*) ________________ (*c*) ________________

(*b*) ________________ (*d*) ________________

3. ¿*Cerrar* el armario? (*a*) ella (*b*) ellos (*c*) vosotras (*d*) yo

(*a*) ________________ (*c*) ________________

(*b*) ________________ (*d*) ________________

4. *Referir* un cuento. (*a*) nosotros (*b*) yo (*c*) Vd. (*d*) la maestra

(*a*) ________________ (*c*) ________________

(*b*) ________________ (*d*) ________________

5. No *entender* el castellano. (*a*) vosotros (*b*) Vds. (*c*) ellas (*d*) los alumnos

(*a*) ________________ (*c*) ________________

(*b*) ________________ (*d*) ________________

6. *Gobernar* bien. (*a*) el presidente (*b*) nosotros (*c*) vosotras (*d*) Vds.

(*a*) ________________ (*c*) ________________

(*b*) ________________ (*d*) ________________

7. ¿No *defender* el país? (*a*) los soldados (*b*) él (*c*) nosotros (*d*) yo

(*a*) ________________ (*c*) ________________

(*b*) ________________ (*d*) ________________

8. ¿Qué *pensar* hacer? (*a*) Vd. (*b*) ellas (*c*) tú (*d*) tu abuela

(*a*) ________________ (*c*) ________________

(*b*) ________________ (*d*) ________________

9. *Perder* el baúl. (*a*) tú (*b*) Vd. (*c*) Alfredo (*d*) nosotros

(*a*) ________________ (*c*) ________________

(*b*) ________________ (*d*) ________________

10. *Sentir* mucho el accidente. (*a*) yo (*b*) tú (*c*) su esposo (*d*) vosotros

(*a*) ________________ (*c*) ________________

(*b*) ________________ (*d*) ________________

**B.** Replace the verbs in italics with the corresponding forms of the verbs in parentheses.

1. *Defiende* el país.

(gobernar) ________________ (respetar) ________________

2. Lo *promete*.

(sentir) ________________ (beber) ________________

3. *Besamos* a nuestra mamá.

(querer) ________________ (respetar) ________________

4. Ellos *piensan* patinar.

(querer) ________________ (preferir) ________________

5. *Leemos* el inglés.
(comprender) ____________ (entender) ____________

6. *Debo* mucho dinero.
(perder) ____________ (prestar) ____________

7. ¿*Comenzáis* el libro?
(cerrar) ____________ (aceptar) ____________

8. ¿No *contestas* la verdad?
(confesar) ____________ (referir) ____________

9. *Comienzo* a hablar.
(aprender) ____________ (empezar) ____________

10. *Pierden* las maletas.
(vender) ____________ (cerrar) ____________

**C.** Change the subject and verb to the plural. (If the subject is not expressed, omit it.)

1. *La señora piensa* dar un paseo esta tarde. ____________
2. ¿*Prefiere Vd.* el algodón o la seda? ____________
3. *La enfermera* no *cierra* los ojos. ____________
4. *El alcalde gobierna* bien. ____________
5. *Vd.* no *entiende* la lección de español. ____________
6. *Pierdo* los guantes. ____________
7. *La clase comienza* en septiembre. ____________
8. *El soldado defiende* la bandera. ____________
9. *Regreso* en agosto. ____________
10. ¿*Empiezas* a llorar? ____________

**D.** Change the subject and verb to the singular.

1. *Los maestros* no *enseñan* los sábados. ____________
2. ¿*Quieren Vds.* salir? ____________
3. *Debéis* vender los muebles. ____________
4. ¿No *prefieren Vds.* los trajes pardos? ____________
5. *Los comerciantes cierran* el mercado. ____________
6. *Mis padres refieren* cosas interesantes. ____________
7. *Pierden* un botón de la chaqueta. ____________
8. *Ellos* no *confiesan* la verdad. ____________
9. *Sentimos* decirlo. ____________
10. *Bebemos* una copa de vino. ____________

**E.** Complete each sentence with the correct form of the verb in italics.

1. ¿Cuándo *regresan* Vds.? Yo no ________________ hasta el verano. Mi esposa ________________ en mayo.
2. ¿*Prometéis* venir mañana? Nosotros ________________ estar allí a las cuatro. ¿A qué hora ________________ tú llegar?
3. Yo no *pierdo* mucho dinero. ¿Qué ________________ vosotros? Nosotros no ________________ nada.
4. ¿*Quiere* Vd. una taza de café? No, yo ________________ un vaso de agua. Mis padres ________________ té.
5. ¿Quiénes *gobiernan* el país? Nuestro presidente ________________ el país. El alcalde ________________ la ciudad.
6. El maestro *entiende* varias lenguas. ¿________________ Vds. el latín? No, nosotros ________________ el español.
7. Los soldados *defienden* la ciudad. ¿________________ Vds. su país? Sí, yo siempre ________________ a mi patria.
8. ¿Quiénes *prefieren* las camisas grises? Él ________________ las camisas azules. Yo ________________ las camisas blancas.
9. *Pensamos* mirar un programa de televisión. ¿Qué ________________ Vd. hacer? Yo ________________ ir al cine.
10. ¿Cuándo *empiezan* los exámenes? Mi examen de química ________________ el lunes. Yo ________________ a estudiar hoy.

**F.** Answer the following questions affirmatively in Spanish. ("Sí, . . .")

1. ¿Pierde Vd. sus libros a menudo? ________________
2. ¿Besa Vd. a su mamá todos los días? ________________
3. ¿Comienzan las clases en septiembre? ________________
4. ¿Cierra Vd. las ventanas cuando hace frío? ________________
5. ¿Empieza Vd. a estudiar después de la cena? ________________
6. ¿Entiende Vd. siempre las palabras del profesor? ________________
7. ¿Defiende Vd. a los débiles? ________________
8. ¿Prefieren Vds. la democracia a la dictadura? ________________
9. ¿Quiere Vd. defender a su patria? ________________
10. ¿Piensa Vd. trabajar esta tarde? ________________

**G.** Answer the following questions negatively in Spanish. ("No, . . .")

1. ¿Empieza Vd. a estudiar a medianoche? ________________________________________

________________________________________

2. ¿Gobierna Vd. el país? ________________________________________
3. ¿Pierde Vd. sus llaves muchas veces? ________________________________________
4. ¿Piensa Vd. estar ausente mañana? ________________________________________
5. ¿Cierra Vd. la boca para hablar? ________________________________________
6. ¿Contesta Vd. en voz baja? ________________________________________
7. ¿Prefiere Vd. el invierno al verano? ________________________________________
8. ¿Quiere Vd. recibir una nota mala? ________________________________________
9. ¿Entiende Vd. el portugués? ________________________________________
10. ¿Siente Vd. salir bien en los exámenes? ________________________________________

**H.** Answer the following questions in Spanish.

1. ¿Quién gobierna el país? ________________________________________
2. ¿Quién enseña a los alumnos? ________________________________________
3. ¿Cuántas lenguas entiende Vd.? ________________________________________
4. ¿Prefiere Vd. viajar en avión o en coche? ________________________________________
5. ¿Quién cierra la puerta de la clase? ________________________________________
6. ¿Qué color prefiere Vd.? ________________________________________
7. ¿A qué hora comienza la clase de español? ________________________________________

________________________________________

8. ¿Qué piensa Vd. de este libro? ________________________________________
9. ¿En qué mes empiezan las vacaciones de verano? ________________________________________

________________________________________

10. ¿Qué quiere decir la palabra "miércoles"? ________________________________________

**I.** Complete the Spanish sentences.

1. The newspapers narrate the news.

   Los periódicos ______________________ las noticias.

2. Do you want to see her next week?

   ¿__________________ tú verla la semana próxima?

3. Kings do not govern well.

   Los reyes no ______________________ bien.

4. Do you understand the teacher's explanation?

   ¿__________________________ vosotros la explicación del maestro?

5. I don't lose my wallet.

   No _________________ la cartera.

**6.** The thief doesn't confess the crime.

El ladrón no ______________________ el crimen.

**7.** We close the door when we leave.

____________________________ la puerta al salir.

**8.** The three women begin to chat.

Las tres mujeres ____________________________ a charlar.

**9.** Do you prefer to travel in December or June?

¿______________________ Vds. viajar en diciembre o en junio?

**10.** We are very sorry.

Lo ______________________ mucho.

**J.** Translate into Spanish.

**1.** They don't prefer to read. ______________________________________________

**2.** Does the class begin at nine o'clock? ______________________________________

______________________________________________________________________

**3.** The children want to play in the street. ____________________________________

______________________________________________________________________

**4.** They lose all their money. ______________________________________________

**5.** We don't want to wait. ________________________________________________

**6.** The thief confesses the crime. ___________________________________________

**7.** Are you closing the windows? ___________________________________________

**8.** She intends to visit the museum. _________________________________________

**9.** We understand the question. ____________________________________________

**10.** The teacher narrates a story. ___________________________________________

## 5. PRESENT TENSE OF *-IR* STEM-CHANGING VERBS (*E* TO *I*)

**servir,** to serve

| *Singular* | | *Plural* | |
|---|---|---|---|
| yo | s*i*rvo | nosotros, -as | servimos |
| tú | s*i*rves | vosotros, -as | servís |
| Vd. / él / ella | s*i*rve | Vds. / ellos / ellas | s*i*rven |

*Note*

A. A few **-ir** verbs that contain an **e** in the stem change the **e** to **i,** except in the forms for **nosotros** and **vosotros.**

B. The change occurs in the syllable directly before the verb ending.

C. All stem-changing verbs that change **e** to **i** are identified in the vocabulary lists by (**i**) after the verb.

### COMMON *-IR* STEM-CHANGING VERBS (*E* TO *I*)

**pedir,** to ask for, to request; to order (food)
**repetir,** to repeat
**servir,** to serve

### *EXERCISES*

(*Caution.* Some of the verbs in the following exercises are **e** to **ie** stem-changing verbs.)

**A.** Change the infinitive to agree with the indicated subjects.

**1.** *Pedir* pescado en el restaurante. (*a*) nosotros (*b*) tú (*c*) yo (*d*) ellos

(*a*) ________________ (*c*) ________________
(*b*) ________________ (*d*) ________________

**2.** No *perder* el perro en el parque. (*a*) ellas (*b*) Vd. (*c*) ella (*d*) yo

(*a*) ________________ (*c*) ________________
(*b*) ________________ (*d*) ________________

**3.** ¿No *servir* patatas con la comida? (*a*) el camarero (*b*) nosotras (*c*) Vd. (*d*) yo

(*a*) ________________ (*c*) ________________
(*b*) ________________ (*d*) ________________

**4.** *Repetir* cada frase dos veces. (*a*) ellos (*b*) Vd. (*c*) vosotros (*d*) él

(*a*) ________________ (*c*) ________________
(*b*) ________________ (*d*) ________________

5. *Preferir* el vestido amarillo. (*a*) ella (*b*) nosotras (*c*) yo (*d*) vosotros

(*a*) ________________ (*c*) ________________

(*b*) ________________ (*d*) ________________

**B.** Change the subject and verb to the plural. (If the subject is not expressed, omit it.)

1. *Yo pierdo* la salud. ________________
2. *Repite* su nombre al director. ________________
3. *Sirve* a su patria. ________________
4. *El maestro* no *refiere* cosas interesantes. ________________
5. *Yo pido* una revista española. ________________

**C.** Change the subject and verb to the singular.

1. *Repetimos* la respuesta. ________________
2. *Piden* pan en la panadería. ________________
3. ¿No *servís* mantequilla? ________________
4. *Entendemos* dos lenguas. ________________
5. Lo *sentimos* mucho. ________________

**D.** Complete each sentence with the correct form of the verb in italics.

1. ¿*Sirves* tú a tu patria? Los soldados ________________. Yo ________________ también.
2. Nosotros *queremos* salir el viernes. ¿En qué día ________________ Vd. salir? Yo ________________ salir el jueves.
3. Ella no *repite* las palabras del profesor. Yo ________________ sus palabras muchas veces. Para pronunciar bien, es necesario ________________.
4. ¿*Piden* Vds. pan en la carnicería? Nosotras ________________ pan en la panadería. Yo ________________ carne en la carnicería.
5. *Cierro* la puerta con llave. Ellos nunca ________________ la puerta. ¿________________ vosotras la puerta?

**E.** Answer the following questions affirmatively in Spanish. ("Sí, . . .")

1. ¿Pide Vd. dinero a sus padres? ________________
2. ¿Sirven pollo en un restaurante? ________________
3. ¿Pierde Vd. su cuaderno a veces? ________________
4. ¿Repite Vd. todas las palabras de la lección? ________________
________________
5. ¿Quiere Vd. prestar atención al maestro? ________________
________________

**F.** Answer the following questions negatively in Spanish. ("No, . . .")

1. ¿Pide Vd. medicina en una bodega? ________________

2. ¿Repite Vd. sus errores? ____________________

3. ¿Entiende Vd. muchas lenguas? ____________________

4. ¿Sirve Vd. las comidas en su casa? ____________________

5. ¿Prefiere Vd. vestidos largos? ____________________

**G.** Answer the following questions in Spanish.

1. ¿Qué pide Vd. en un restaurante para beber? ____________________
____________________

2. ¿Cuántas lenguas entiende Vd.? ____________________

3. ¿A qué hora sirve su madre el desayuno? ____________________
____________________

4. ¿Cuántas veces repite Vd. las palabras de la lección? ____________________
____________________

5. ¿Qué estación prefiere Vd., la primavera o el otoño? ____________________
____________________

**H.** Translate into Spanish.

1. The pupils repeat the sentences. ____________________

2. John and I order coffee in the restaurant. ____________________
____________________

3. They don't ask for much money. ____________________

4. The waiter serves the meal. ____________________

5. The teacher never repeats the questions. ____________________
____________________

## 6. MASTERY EXERCISES

(LESSONS 1–5)

**A.** Complete the English sentences.

| | |
|---|---|
| **1.** Los pájaros regresan en la primavera. | The birds ________________ in spring. |
| **2.** El tren parte a mediodía. | The train ________________ at noon. |
| **3.** El semestre empieza el martes. | The term ________________ on Tuesday. |
| **4.** Abre la boca para cantar. | ________________ her mouth to sing. |
| **5.** ¿Responden Vds. bien? | ________________ well? |
| **6.** Ella no quiere tomar un helado. | ________________ to eat some ice cream. |
| **7.** Pedro pide una taza de chocolate caliente. | Peter ________________ a cup of hot chocolate. |
| **8.** Yo no comprendo este ejercicio. | ________________ this exercise. |
| **9.** ¿Puede Vd. ayudar a los pobres? | ________________ help the poor? |
| **10.** Ella prefiere el pañuelo verde. | ________________ the green handkerchief. |
| **11.** Deseamos viajar a Italia. | ________________ to travel to Italy. |
| **12.** Yo vuelvo a mi pueblo. | ________________ to my home town. |
| **13.** En la tienda nos muestran un chaleco de lana. | In the store ________________ us a woolen vest. |
| **14.** Arturo lo siente. | Arthur ________________. |
| **15.** María contesta despacio y en voz alta. | Mary ________________ slowly and in a loud voice. |
| **16.** Sus abuelos no entienden el inglés. | His grandparents ________________ English. |
| **17.** El señor Gómez enseña la historia. | Mr. Gómez ________________ history. |
| **18.** ¿No recuerdas su nombre? | ________________ his name? |
| **19.** Las vacaciones comienzan en julio. | The vacation ________________ in July. |
| **20.** ¿Devuelve Vd. los libros a la biblioteca? | ________________ the books to the library? |

**B.** Change the infinitive to agree with the indicated subjects.

**1.** ¿Por qué *llevar* un paraguas? (*a*) Vd. (*b*) tú (*c*) el doctor (*d*) ellas

(*a*) ________________ (*c*) ________________

(*b*) ________________ (*d*) ________________

**2.** *Comenzar* a poner la mesa. (*a*) mis hermanas (*b*) mi madre (*c*) tú (*d*) yo

(*a*) ________________ (*c*) ________________

(*b*) ________________ (*d*) ________________

3. *Subir* la montaña. (*a*) ellos (*b*) tú y yo (*c*) tú (*d*) yo

(*a*) ---------------------------------- (*c*) ----------------------------------

(*b*) ---------------------------------- (*d*) ----------------------------------

4. *Cortar* el pelo. (*a*) el barbero (*b*) yo (*c*) nosotros (*d*) vosotras

(*a*) ---------------------------------- (*c*) ----------------------------------

(*b*) ---------------------------------- (*d*) ----------------------------------

5. *Sufrir* dolor de muelas. (*a*) él (*b*) nosotros (*c*) tus primas (*d*) yo

(*a*) ---------------------------------- (*c*) ----------------------------------

(*b*) ---------------------------------- (*d*) ----------------------------------

6. *Prometer* pagar en enero. (*a*) yo (*b*) vosotros (*c*) ellos (*d*) Vd.

(*a*) ---------------------------------- (*c*) ----------------------------------

(*b*) ---------------------------------- (*d*) ----------------------------------

7. En Carnaval *cubrir* la cara con una máscara. (*a*) nosotras (*b*) ellos (*c*) vosotros (*d*) tú

(*a*) ---------------------------------- (*c*) ----------------------------------

(*b*) ---------------------------------- (*d*) ----------------------------------

8. *Mirar* las nubes negras en el cielo. (*a*) los viajeros (*b*) la criada (*c*) Vd. y yo (*d*) vosotros

(*a*) ---------------------------------- (*c*) ----------------------------------

(*b*) ---------------------------------- (*d*) ----------------------------------

9. *Perder* el burro. (*a*) ellos (*b*) el campesino (*c*) nosotros (*d*) yo

(*a*) ---------------------------------- (*c*) ----------------------------------

(*b*) ---------------------------------- (*d*) ----------------------------------

10. *Dormir* en una cama ancha. (*a*) yo (*b*) ella (*c*) tú (*d*) Vd.

(*a*) ---------------------------------- (*c*) ----------------------------------

(*b*) ---------------------------------- (*d*) ----------------------------------

11. No *resolver* los problemas del mundo. (*a*) nosotros (*b*) yo (*c*) ellos (*d*) Vd.

(*a*) ---------------------------------- (*c*) ----------------------------------

(*b*) ---------------------------------- (*d*) ----------------------------------

12. *Terminar* la carta y *cerrar* el sobre. (*a*) ella (*b*) nosotros (*c*) Vds. (*d*) yo

(*a*) ---------------------------------- (*c*) ----------------------------------

(*b*) ---------------------------------- (*d*) ----------------------------------

13. ¿*Visitar* a México en marzo? (*a*) Vds. (*b*) el turista (*c*) Vd. (*d*) vosotros

(*a*) ---------------------------------- (*c*) ----------------------------------

(*b*) ---------------------------------- (*d*) ----------------------------------

14. No *asistir* a la fiesta este año. (*a*) ellos (*b*) yo (*c*) nosotros (*d*) ella

(*a*) ---------------------------------- (*c*) ----------------------------------

(*b*) ---------------------------------- (*d*) ----------------------------------

**15.** *Recordar* los días hermosos del verano. (*a*) nosotras (*b*) tú (*c*) vosotros (*d*) Vds.

(*a*) ________________ (*c*) ________________

(*b*) ________________ (*d*) ________________

**C.** Replace the verbs in italics with the corresponding forms of the verbs in parentheses.

**1.** *Creemos* que ella es inteligente.

(pensar) ________________ (decidir) ________________

**2.** Carlos y yo *compramos* el tocadiscos nuevo.

(esconder) ________________ (romper) ________________

**3.** Cuando hace calor *bebo* una gaseosa.

(servir) ________________ (pedir) ________________

**4.** ¿*Aprendes* las canciones viejas?

(estudiar) ________________ (cantar) ________________

**5.** El maestro pocas veces *enseña* cosas interesantes.

(referir) ________________ (describir) ________________

**6.** El ladrón *confiesa* su falta.

(sentir) ________________ (repetir) ________________

**7.** Los ciudadanos *respetan* la república.

(defender) ________________ (gobernar) ________________

**8.** Los jóvenes *esperan* media hora.

(bailar) ________________ (jugar) ________________

**9.** ¿Quién *prepara* el postre?

(comer) ________________ (tomar) ________________

**10.** *Entramos* en el dormitorio.

(dormir) ________________ (escribir) ________________

**11.** ¿*Leéis* vosotros todas las páginas del libro?

(contar) ________________ (mirar) ________________

**12.** Alberto *vende* la pluma.

(perder) ________________ (devolver) ________________

**13.** *Acepto* la caja de dulces.

(cerrar) ________________ (encontrar) ________________

**14.** Los pájaros *viajan* al sur cada año.

(volar) ________________ (volver) ________________

**15.** ¿No *viven* los reyes en palacios?

(almorzar) ________________ (morir) ________________

**16.** Aquel abogado *desea* ser rico.

(poder) ________________ (resolver) ________________

17. ¿*Caminan* Vds. a la plaza?

(correr) ________________ (llegar) ________________

18. La niña *recibe* una blusa rosada.

(mostrar) ________________ (poseer) ________________

19. Vd. *debe* vivir en el segundo piso.

(necesitar) ________________ (preferir) ________________

20. ¿*Besas* a tu hermano menor?

(querer) ________________ (escuchar) ________________

**D.** Answer the following questions affirmatively in Spanish. ("Sí, . . .")

1. ¿Existen tigres en el bosque? ________________
2. ¿Escribe Vd. con tiza en la pizarra? ________________
3. ¿Logra Vd. salir bien en las pruebas? ________________
4. ¿Juega Vd. al béisbol? ________________
5. ¿Entiende Vd. el español? ________________
6. ¿Pronuncian Vds. correctamente las palabras? ________________

________________

7. ¿Patina Vd. al aire libre? ________________
8. ¿Toca Vd. un instrumento músico? ________________
9. ¿Trabaja Vd. en el escritorio? ________________
10. ¿Habla Vd. mucho con sus compañeros de clase? ________________

________________

**E.** Answer the following questions negatively in Spanish. ("No, . . .")

1. ¿Explica Vd. la lección a la clase? ________________
2. ¿Piensa Vd. viajar a Rusia alguna vez? ________________
3. ¿Borra Vd. de su cuaderno las cosas importantes? ________________

________________

4. ¿Presta Vd. su llave a otras personas? ________________
5. ¿Llora Vd. ahora? ________________
6. ¿Omite Vd. los ejercicios fáciles? ________________
7. ¿Descubre Vd. algo nuevo cada día? ________________
8. ¿Comprende Vd. el ruso? ________________
9. ¿Roba Vd. frutas de los árboles? ________________
10. ¿Encuentra Vd. estrellas en el cielo cuando hace sol? ________________

________________

**F.** Answer the following questions in Spanish.

1. ¿A qué hora empieza esta clase? ____________________
2. ¿Cuándo suena el timbre para terminar esta clase? ____________________
____________________
3. ¿En qué calle baja Vd. del autobús? ____________________
4. ¿Cuánto cuesta una bicicleta? ____________________
5. ¿En cuántas partes divide su mamá los pasteles? ____________________
____________________
6. ¿Quién cose los botones que Vd. pierde de la chaqueta? ____________________
____________________
7. ¿Cuántos minutos charla Vd. con sus amigos en el teléfono? ____________________
____________________
8. ¿En qué cuarto almuerza Vd.? ____________________
9. ¿En qué lengua habla el maestro? ____________________
10. ¿A qué hora sirve su mamá el almuerzo? ____________________
____________________

**G.** Complete the Spanish sentences.

1. How do you answer in class? ¿Cómo ____________________ en la clase?
2. They return at 1 o'clock sharp. ____________________ a la una en punto.
3. Her family lives in the north. Su familia ____________________ en el norte.
4. We arrive at the theater at 4 o'clock. ____________________ al teatro a las cuatro.
5. They walk along Fifth Avenue. ____________________ por la Quinta Avenida.
6. Does the teacher understand French? ¿____________________ el maestro el francés?
7. He finds some money in his pocket. ____________________ dinero en el bolsillo.
8. They enter through a wooden door. ____________________ por una puerta de madera.
9. We cannot close the trunk. ____________________ cerrar el baúl.
10. How much does your cap cost? ¿Cuánto ____________________ tu gorra?
11. Many animals die in winter. Muchos animales ____________________ en el invierno.
12. They serve butter with lunch. ____________________ mantequilla con el almuerzo.
13. When does Christmas begin? ¿Cuándo ____________________ la Navidad?
14. I hope to visit Germany some day. ____________________ visitar a Alemania algún día.
15. Where do they sell vegetables? ¿Dónde ____________________ legumbres?
16. He prefers to eat in the dining room. ____________________ comer en el comedor.
17. Why are you cutting the grass? ¿Por qué ____________________ Vd. la hierba?
18. She writes with her left hand. ____________________ con la mano izquierda.
19. We don't dance the tango here. No ____________________ el tango aquí.

**20.** Are you drinking hot chocolate? ¿---------------------------- tú chocolate caliente?

**H.** Translate into Spanish.

**1.** Who shows the pictures in the museum? ----------------------------------------

----------------------------------------------------------------------------------------

**2.** Do the flowers die without water? ----------------------------------------

**3.** The bell rings at nine o'clock. ----------------------------------------

**4.** The class understands the lesson. ----------------------------------------

**5.** I can't open the window. ----------------------------------------

**6.** Why don't you (vosotros) read the newspapers? ----------------------------------------

----------------------------------------------------------------------------------------

**7.** She narrates a story to the children. ----------------------------------------

**8.** Are you (tú) returning the books to the library? ----------------------------------------

----------------------------------------------------------------------------------------

**9.** They don't confess the crime. ----------------------------------------

**10.** John and I sing a song in the street. ----------------------------------------

----------------------------------------------------------------------------------------

**11.** We eat and sleep at home. ----------------------------------------

**12.** The pupils don't solve their problems. ----------------------------------------

----------------------------------------------------------------------------------------

**13.** Every day we learn something new. ----------------------------------------

----------------------------------------------------------------------------------------

**14.** Do you (*pl.*) help (a) your neighbors? ----------------------------------------

----------------------------------------------------------------------------------------

**15.** We order a meal in the restaurant. ----------------------------------------

----------------------------------------------------------------------------------------

## 7. PRESENT TENSE OF IRREGULAR VERBS—PART I (*-GO*)

1. The following verbs end in **-go** in the first person singular:

**hacer,** to do, to make

***hago,*** haces, hace, hacemos, hacéis, hacen

**poner,** to put, to set

***pongo,*** pones, pone, ponemos, ponéis, ponen

**salir,** to leave

***salgo,*** sales, sale, salimos, salís, salen

2. The following verbs, which also end in **-go** in the first person singular, have additional irregularities:

**caer,** to fall

***caigo,*** caes, cae, caemos, caéis, caen

**decir,** to say, to tell

***digo, dices, dice,*** decimos, decís, ***dicen***

**oír,** to hear

***oigo, oyes, oye,*** oímos, oís, ***oyen***

**tener,** to have

***tengo, tienes, tiene,*** tenemos, tenéis, ***tienen***

**traer,** to bring

***traigo,*** traes, trae, traemos, traéis, traen

**venir,** to come

***vengo, vienes, viene,*** venimos, venís, ***vienen***

*Note*

A. The verbs **decir, tener,** and **venir** have several stem changes.

B. The verb **oír** has a **y** between the stem and the ending in three forms. Also, in the first person plural, the **í** has a written accent mark.

C. In **caer** and **traer,** an **i** appears between the stem and the ending in the first person singular: ca*i*go, tra*i*go.

D. All irregular verbs that end in **-go** in the first person singular are identified in the vocabulary lists by (**go**) after the verb.

*EXERCISES*

**A.** Complete the English sentences.

**1.** Pone sal y pimienta en la sopa.

She ______________________ salt and pepper in the soup.

**2.** ¿Qué dice ese párrafo?

What ______________ that paragraph ______________?

3. El camarero trae una servilleta.

   The waiter ______________________ a napkin.

4. Tengo una casa particular en la ciudad.

   ______________________ a private house in the city.

5. ¿No traes pan y queso del mercado?

   ___________________________ bread and cheese from the market?

6. Oigo los ruidos de la calle.

   ______________________ the street noises.

7. No hago las cosas difíciles.

   ___________________________ difficult things.

8. El niño no cae de la bicicleta.

   The child ______________________ off the bicycle.

9. Salimos del templo a las cinco.

   ______________________ the temple at 5 o'clock.

10. Sus nietos vienen la semana próxima.

    Her grandchildren ______________________ next week.

**B.** Change the infinitive to agree with the indicated subjects.

1. ¿*Salir* de paseo? (*a*) vosotros (*b*) yo (*c*) Pablo (*d*) ellas

   (*a*) ____________________________________ (*c*) ____________________________________

   (*b*) ____________________________________ (*d*) ____________________________________

2. *Tener* el pelo rubio. (*a*) tú (*b*) nosotras (*c*) yo (*d*) Vds.

   (*a*) ____________________________________ (*c*) ____________________________________

   (*b*) ____________________________________ (*d*) ____________________________________

3. *Decir* "adiós." (*a*) nosotros (*b*) tú (*c*) vosotros (*d*) yo

   (*a*) ____________________________________ (*c*) ____________________________________

   (*b*) ____________________________________ (*d*) ____________________________________

4. *Hacer* ejercicios en el gimnasio. (*a*) nosotros (*b*) ella (*c*) Pedro y Alfredo (*d*) yo

   (*a*) ____________________________________ (*c*) ____________________________________

   (*b*) ____________________________________ (*d*) ____________________________________

5. *Venir* más tarde. (*a*) ellas (*b*) Vd. y yo (*c*) Vd. (*d*) yo

   (*a*) ____________________________________ (*c*) ____________________________________

   (*b*) ____________________________________ (*d*) ____________________________________

6. *Caer* delante del coche. (*a*) él (*b*) vosotros (*c*) yo (*d*) tú

   (*a*) ____________________________________ (*c*) ____________________________________

   (*b*) ____________________________________ (*d*) ____________________________________

**7.** *Venir* a las diez de la mañana. (*a*) Vds. (*b*) yo (*c*) Vd. (*d*) nosotros

(*a*) ________________ (*c*) ________________

(*b*) ________________ (*d*) ________________

**8.** *Poner* el cuadro en la pared. (*a*) vosotros (*b*) yo (*c*) la esposa (*d*) nosotras

(*a*) ________________ (*c*) ________________

(*b*) ________________ (*d*) ________________

**9.** No *traer* medicina de la farmacia. (*a*) ellas (*b*) yo (*c*) él y yo (*d*) el médico

(*a*) ________________ (*c*) ________________

(*b*) ________________ (*d*) ________________

**10.** *Oír* un ruido. (*a*) nosotros (*b*) él y ella (*c*) yo (*d*) tú

(*a*) ________________ (*c*) ________________

(*b*) ________________ (*d*) ________________

C. Change the subject and verb to the plural.

**1.** *Yo* no *traigo* el tocadiscos a la fiesta. ________________
**2.** *Yo digo* "buenos días" a mis vecinos. ________________
**3.** ¿No *pone Vd.* más sillas en la sala? ________________
**4.** *Tú* no *sales* antes de las tres. ________________
**5.** *El borrador cae* al suelo. ________________
**6.** ¿*Viene Vd.* del Canadá? ________________
**7.** *Yo oigo* unos pasos. ________________
**8.** *Aquel sastre hace* pantalones. ________________
**9.** ¿*Oyes tú* con la nariz? ________________
**10.** *Yo tengo* mi cumpleaños en octubre. ________________

**D.** Change the subject and verb to the singular.

**1.** *Nosotros* no *tenemos* dolor de cabeza hoy. ________________
**2.** ¿*Venís vosotros* en febrero? ________________
**3.** *Nosotros oímos* las noticias en la radio. ________________
**4.** ¿Qué *traen Vds.* de la tienda? ________________
**5.** *Ellos caen* en el sillón. ________________
**6.** *Nosotros ponemos* la cuchara en la boca. ________________
**7.** *Nosotros* no *hacemos* mucho los sábados. ________________
**8.** *Las monedas caen* detrás de la cómoda. ________________
**9.** *Nosotras* no *salimos* mal en las pruebas. ________________
**10.** ¿Por qué no *decís vosotros* "gracias"? ________________

**E.** Answer the following questions affirmatively in Spanish. ("Sí, . . .")

1. ¿Sale Vd. sin abrigo en el verano? ____________________
2. ¿Trae Vd. libros de la biblioteca? ____________________
3. ¿Tiene Vd. zapatos nuevos? ____________________
4. ¿Caen las hojas de los árboles en noviembre? ____________________

    ____________________
5. ¿Pone Vd. azúcar en el té? ____________________
6. ¿Viene Vd. a la escuela en autobús? ____________________
7. ¿Dice Vd. "buenas tardes" a sus compañeros de clase? ____________________

    ____________________
8. ¿Tiene Vd. una blusa amarilla? ____________________
9. ¿Oye Vd. las campanas de las iglesias? ____________________
10. ¿Hace Vd. sus tareas correctamente? ____________________

**F.** Answer the following questions negatively in Spanish. ("No, . . .")

1. ¿Hace sol a medianoche? ____________________
2. ¿Sale Vd. de la escuela por la mañana? ____________________

    ____________________
3. ¿Trae Vd. una maleta a la escuela? ____________________
4. ¿Pone Vd. la mesa en su casa? ____________________
5. ¿Cae Vd. enfermo(-a) a menudo? ____________________
6. ¿Tiene Vd. algo en la mano izquierda? ____________________

    ____________________
7. ¿Dice Vd. "buenas noches" por la mañana? ____________________

    ____________________
8. ¿Viene la primavera después del verano? ____________________

    ____________________
9. ¿Pone Vd. limón en el café? ____________________
10. ¿Oye Vd. música ahora? ____________________

**G.** Answer the following questions in Spanish.

1. ¿Qué dice el maestro cuando Vd. contesta bien? ____________________

    ____________________
2. ¿Qué hacen los alumnos en la clase? ____________________

    ____________________
3. ¿Dónde pone Vd. sus libros en casa? ____________________

    ____________________
4. ¿Qué trae Vd. a la escuela? ____________________

5. ¿En qué parte de la casa tienen Vds. el teléfono? ______________________________
______________________________
6. ¿En qué mes cae su cumpleaños? ______________________________
7. ¿A qué hora sale Vd. de casa por la mañana? ______________________________
______________________________
8. ¿Cuándo vienen las vacaciones? ______________________________
9. ¿Qué hace Vd. mañana? ______________________________
10. ¿Quién oye las respuestas de los alumnos? ______________________________
______________________________

**H.** Complete the Spanish sentences.

1. The waitress puts the salad on the table. — La camarera ______________ la ensalada en la mesa.
2. I'm leaving at once. — ______________ en seguida.
3. You always say too much. — Tú siempre ______________ demasiado.
4. I put the ticket in my pocket. — ______________ el billete en el bolsillo.
5. He falls into bed, very tired. — ______________ en la cama, muy cansado.
6. They come to the cafeteria at 11 o'clock. — ______________ a la cafetería a las once.
7. What do you do on Sunday? — ¿Qué ______________ Vds. el domingo?
8. They bring flowers from the garden. — ______________ flores del jardín.
9. Do you have a white shirt? — ¿______________ Vd. una camisa blanca?
10. We hear steps on the stairs. — ______________ pasos en la escalera.

**I.** Translate into Spanish.

1. I put the money in a box. ______________________________
2. The museum has many pictures. ______________________________
3. I don't hear the bells any longer [más]. ______________________________
______________________________
4. They leave every day at 8 o'clock. ______________________________
______________________________
5. I don't do impossible things. ______________________________
6. Why do you (vosotros) say each sentence twice? ______________________________
______________________________
7. Are you (tú) coming home early? ______________________________
______________________________
8. We bring our problems to our parents. ______________________________
______________________________

9. The spoon falls to the floor. ______________________________

10. We have beautiful flowers in our garden. ______________________________

______________________________

**The quetzal is a parrot-like bird found in the tropical jungles of Central America. It has brilliant blue-green feathers and a very long tail. The quetzal is the national emblem of Guatemala. It appears on the country's flag, postage stamps, and coins. The unit of currency is also called a "quetzal." Since it seldom survives in captivity, it symbolizes for the Guatemalans the spirit of freedom.**

## 8. PRESENT TENSE OF IRREGULAR VERBS—PART II (-*ZCO*)

Most verbs whose infinitives end in **-cer** or **-cir** have the ending **-zco** in the first person singular. This change occurs only if a vowel precedes the **c**.

**ofrecer,** to offer

| *Singular* | | *Plural* | |
|---|---|---|---|
| yo | ofre***zco*** | nosotros, -as | ofrecemos |
| tú | ofreces | vosotros, -as | ofrecéis |
| Vd.<br>él, ella | ofrece | Vds.<br>ellos, ellas | ofrecen |

**traducir,** to translate

| | | | |
|---|---|---|---|
| yo | tradu***zco*** | nosotros, -as | traducimos |
| tú | traduces | vosotros, -as | traducís |
| Vd.<br>él, ella | traduce | Vds.<br>ellos, ellas | traducen |

### COMMON -*CER* VERBS

**aparecer,** to appear
**conocer,** to know (a person)
**desaparecer,** to disappear
**obedecer,** to obey
**ofrecer,** to offer
**parecer,** to seem
**reconocer,** to recognize

### COMMON -*CIR* VERBS

**conducir,** to lead, to drive (a vehicle)
**producir,** to produce
**traducir,** to translate

*Note*

A. The verbs **decir** and **hacer** are exceptions. (See Verb Lesson 7.)

B. All verbs that end in **-zco** in the first person singular are identified in the vocabulary lists by (**zco**) after the verb.

### *EXERCISES*

**A.** Complete the English sentences.

**1.** Aquellas muchachas parecen alegres.

Those girls ____________________________ happy.

**2.** Los animales desaparecen en el bosque.

The animals ________________________________ into the forest.

**3.** A veces no obedezco a mis padres.

At times ________________________ my parents.

**4.** Traduzco algunas frases.

________________________ some sentences.

**5.** El sol aparece cuando hace buen tiempo.

The sun ________________________ when the weather is good.

**6.** En esta fábrica producimos alfombras.

In this factory ________________________ rugs.

**7.** ¿Reconoces a aquella alumna?

________________________ that pupil?

**8.** El guía conduce arriba a los turistas.

The guide ________________________ the tourists upstairs.

**9.** Siempre ofrezco ayuda a mis amigos.

I always ________________ help to my friends.

**10.** Conozco muy bien a Arturo.

________________ Arthur very well.

**B.** Change the infinitive to agree with the indicated subjects.

**1.** *Producir* mucho ruido. (*a*) las campanas (*b*) yo (*c*) vosotras (*d*) nosotros

(*a*) ________________________ (*c*) ________________________

(*b*) ________________________ (*d*) ________________________

**2.** *Traducir* las cartas. (*a*) vosotros (*b*) yo (*c*) él (*d*) Vds.

(*a*) ________________________ (*c*) ________________________

(*b*) ________________________ (*d*) ________________________

**3.** *Conducir* el automóvil. (*a*) el chófer (*b*) yo (*c*) tú (*d*) Vds.

(*a*) ________________________ (*c*) ________________________

(*b*) ________________________ (*d*) ________________________

**4.** *Desaparecer* cuando hay trabajo. (*a*) yo (*b*) la criada (*c*) ellas (*d*) tú

(*a*) ________________________ (*c*) ________________________

(*b*) ________________________ (*d*) ________________________

**5.** *Obedecer* a papá. (*a*) nosotros (*b*) vosotros (*c*) tú (*d*) Luisa

(*a*) ________________________ (*c*) ________________________

(*b*) ________________________ (*d*) ________________________

**6.** *Aparecer* cada tarde. (*a*) ellas (*b*) nosotras (*c*) tú (*d*) Vd.

(*a*) ________________________ (*c*) ________________________

(*b*) ________________________ (*d*) ________________________

7. *Parecer* muy cansado(-s). (*a*) yo (*b*) el campesino (*c*) Vds. (*d*) vosotros

(*a*) ________________ (*c*) ________________

(*b*) ________________ (*d*) ________________

8. *Ofrecer* solamente veinte centavos. (*a*) yo (*b*) ellos (*c*) tu hermano (*d*) tú

(*a*) ________________ (*c*) ________________

(*b*) ________________ (*d*) ________________

9. No *reconocer* el cuadro. (*a*) ellos y yo (*b*) ellos (*c*) yo (*d*) vosotros

(*a*) ________________ (*c*) ________________

(*b*) ________________ (*d*) ________________

10. *Conocer* al enfermo. (*a*) la enfermera (*b*) tú (*c*) vosotros (*d*) los doctores

(*a*) ________________ (*c*) ________________

(*b*) ________________ (*d*) ________________

**C.** Change the subject and verb to the plural. (If the subject is not expressed, omit it.)

1. *El tren desaparece* en el oeste. ________________
2. *Ese sastre produce* trajes baratos. ________________
3. *Mi sobrina* no *traduce* bien. ________________
4. *Ofrezco* pan a los pájaros. ________________
5. *Ese verbo aparece* en la página diez. ________________
6. No *conduzco* el coche hasta la plaza. ________________
7. ¿*Conoce Vd.* a una persona diligente? ________________
8. ¿Por qué no *obedeces* al maestro? ________________
9. *Ese vestido parece* muy *caro*. ________________
10. *Reconozco* la voz de la señorita Gómez. ________________

**D.** Change the subject and verb to the singular.

1. *Reconocemos* al muchacho. ________________
2. ¿No *parecemos fuertes*? ________________
3. ¿*Obedecen ellas* a su hermano mayor? ________________
4. *Los pilotos conducen* los aviones al norte. ________________
5. *Los actores desaparecen* detrás de la cortina. ________________
6. *Nosotros traducimos* un párrafo corto. ________________
7. *Ofrecemos* algo al pobre. ________________
8. *Las estrellas aparecen* a medianoche. ________________
9. *Los árboles producen* madera. ________________
10. ¿*Conocéis* a Pablo? ________________

**E.** Answer the following questions affirmatively in Spanish. ("Sí, . . .")

1. ¿Traduce Vd. bien las frases? ______
2. ¿Desaparece el sol cuando hace mal tiempo? ______
3. ¿Obedece Vd. a sus padres? ______
4. ¿Reconoce Vd. las fechas históricas importantes? ______
5. ¿Conoce Vd. a sus vecinos? ______
6. ¿Ofrece Vd. ayuda a su mamá? ______
7. ¿Producen carne las vacas? ______
8. ¿Aparece la luna por la noche? ______
9. ¿Parece hermosa nuestra bandera? ______
10. ¿Conduce su papá el coche de la familia? ______

**F.** Answer the following questions negatively in Spanish. ("No, . . .")

1. ¿Producen naranjas en el Canadá? ______
2. ¿Aparecen las frutas en enero? ______
3. ¿Conoce Vd. a la prima de su amigo? ______
4. ¿Conduce Vd. el automóvil de la familia? ______
5. ¿Desaparece Vd. cuando hay trabajo? ______
6. ¿Parece verde la nieve? ______
7. ¿Ofrece Vd. su abrigo a otra persona cuando llueve? ______
8. ¿Reconoce Vd. las canciones viejas? ______
9. ¿Traducen Vds. estas frases al latín? ______
10. ¿Obedece Vd. a su hermano (hermana) mayor? ______

**G.** Answer the following questions in Spanish.

1. ¿A cuántos alumnos de esta clase conoce Vd.? ______
2. ¿Cuándo es más fácil reconocer a las personas, por la tarde o por la noche? ______
3. ¿En qué mes aparecen las violetas? ______
4. ¿A quién ofrece Vd. flores? ______
5. ¿Cómo traduce Vd., bien o mal? ______
6. ¿A quién (quiénes) obedece Vd.? ______

**7.** ¿Qué animal produce leche? ______________________________

**8.** ¿En qué estación parecen pardas las hojas de los árboles? ______________________________

______________________________

**9.** ¿Quién conduce el automóvil de su familia? ______________________________

______________________________

**10.** ¿Cuándo desaparece la nieve? ______________________________

**H.** Complete the Spanish sentences.

**1.** It is impossible to drive this car.

Es imposible ______________________ este coche.

**2.** The sun disappears behind a cloud.

El sol __________________________ detrás de una nube.

**3.** The house seems very small.

La casa ____________________ muy pequeña.

**4.** I always obey my parents.

Siempre ____________________ a mis padres.

**5.** The children recognize their teacher's voice.

Los niños ______________________ la voz de su maestra.

**6.** I am translating the book into English.

________________________ el libro al inglés.

**7.** The farmer produces many vegetables.

El campesino ______________________ muchas legumbres.

**8.** I am offering you flowers from my garden.

Le ___________________ flores de mi jardín.

**9.** I know many people.

________________________ a muchas personas.

**10.** Everyone appears in class today.

Todo el mundo ____________________ en la clase hoy.

**I.** Translate into Spanish.

**1.** Do you recognize the problem? ______________________________

**2.** They are not translating these sentences. ______________________________

______________________________

**3.** The money disappears quickly. ______________________________

**4.** The guide leads the travelers through the city. ______________________________

______________________________

**5.** Those roses seem beautiful. ______________________________

**6.** We offer some pictures to the museum. ______________________________

7. The notice appears in the newspaper. ______________________________

8. These children don't obey their mother. ______________________________

9. I know all my neighbors. ______________________________

10. My mother can produce a meal in five minutes. ______________________________

______________________________

**In the Cathedral of Seville, there is an impressive tomb containing the remains of Columbus. The four bronze figures carrying the coffin on their shoulders represent the regions of Castile, León, Aragón and Navarra. The remains of Columbus were first buried in the Cathedral of Santo Domingo. They were removed to Havana, Cuba, in 1795. After Cuba gained her independence in 1898, his remains were brought back to Spain and placed in the Cathedral of Seville.**

## 9. PRESENT TENSE OF IRREGULAR VERBS—PART III: *DAR, IR, SABER, VER; SABER-CONOCER*

| | **dar,** to give | **ir,** to go | **saber,** to know | **ver,** to see |
|---|---|---|---|---|
| yo | ***doy*** | ***voy*** | ***sé*** | ***veo*** |
| tú | **das** | **vas** | sabes | ves |
| Vd. / él, ella | **da** | **va** | sabe | ve |
| nosotros, -as | **damos** | **vamos** | sabemos | vemos |
| vosotros, -as | **dais** | **vais** | sabéis | veis |
| Vds. / ellos, ellas | **dan** | **van** | saben | ven |

*Note*

A. The forms **dais** (from **dar**), **vais** (from **ir**), and **veis** (from **ver**) do not need the written accent mark, since they have only one syllable.

B. The first person singular of **ver** has the stem **ve-** instead of **v-**.

*SABER-CONOCER*

1. **Saber** means:

   *a. To know (= have information about) something.*

   Yo **sé** la dirección de la muchacha. — I know the girl's address.

   *b. To know how to.*

   Nosotros **sabemos** escribir. — We know how to write.

2. **Conocer** means *to know (= to be acquainted with) a person.*

   **Conozco** a Juan y María. — I know John and Mary.

Note the following sentences:

Él **sabe** el nombre del alcalde. — He knows the mayor's name.

Él **conoce** al alcalde. — He knows the mayor.

*EXERCISES*

**A.** Change the infinitive to agree with the indicated subjects.

**1.** *Saber* la dirección del autor. (*a*) ella y yo (*b*) yo (*c*) ella (*d*) tú

(*a*) ---------------------------------- (*c*) ----------------------------------

(*b*) ---------------------------------- (*d*) ----------------------------------

2. *Dar* ayuda a la camarera. (*a*) yo (*b*) la señora (*c*) vosotros (*d*) nosotras

(*a*) ________________ (*c*) ________________

(*b*) ________________ (*d*) ________________

3. *Ver* el monte. (*a*) yo (*b*) ellos (*c*) Vd. (*d*) nosotros

(*a*) ________________ (*c*) ________________

(*b*) ________________ (*d*) ________________

4. *Ir* por una calle estrecha. (*a*) vosotros (*b*) tú (*c*) yo (*d*) ella

(*a*) ________________ (*c*) ________________

(*b*) ________________ (*d*) ________________

5. ¿*Conocer* al hombre simpático? (*a*) tú (*b*) Vds. (*c*) yo (*d*) vosotros

(*a*) ________________ (*c*) ________________

(*b*) ________________ (*d*) ________________

**B.** Change the subject and verb to the plural.

1. *Tú vas* a España. ________________
2. *Vd. da* un lápiz a la niña. ________________
3. *Ella ve* las fotografías. ________________
4. ¿*Conoce Vd.* a Marta? ________________
5. *Yo sé* muchas fechas históricas. ________________

**C.** Change the subject and verb to the singular.

1. *Vosotros* no *sabéis* tocar el piano. ________________
2. *Vemos* con los ojos. ________________
3. *Ellas van* hacia el este. ________________
4. *Los abuelos dan* a su nieto un reloj de oro. ________________
5. *Nosotros conocemos* a Carlos y Anita. ________________

**D.** Underline the correct verb.

1. (Sabemos, Conocemos) dónde está la escuela.
2. ¿(Sabe, Conoce) Vd. la fecha de mi cumpleaños?
3. Ellos no (saben, conocen) al ladrón.
4. ¿(Saben, Conocen) Vds. el nombre del director?
5. Él (sabe, conoce) el color de mi cartera.
6. Yo no (sé, conozco) a todos mis parientes.
7. ¿Quién (sabe, conoce) a la mujer del zapatero?
8. ¿Cómo (sabes, conoces) todo eso?
9. Yo no quiero (saber, conocer) a aquel médico.
10. Ellos (saben, conocen) contar hasta ciento.

**E.** Answer the following questions affirmatively in Spanish. ("Sí, . . .")

1. ¿Va Vd. al parque a menudo? ______________
2. ¿Conoce Vd. a un niño pobre? ______________
3. ¿Da Vd. pan a los pájaros en el invierno? ______________
4. ¿Conoce Vd. a muchos de sus compañeros de clase? ______________
5. ¿Da Vd. regalos de Navidad a sus amigos? ______________
6. ¿Ve Vd. las noticias en el periódico? ______________
7. ¿Sabe Vd. muchas lenguas? ______________
8. ¿Sabe Vd. patinar bien? ______________
9. ¿Ve Vd. muchos programas de televisión? ______________
10. ¿Va Vd. a la biblioteca cada semana? ______________

**F.** Answer the following questions negatively in Spanish. ("No, . . .")

1. ¿Va Vd. a la escuela los sábados? ______________
2. ¿Ve Vd. las estrellas a mediodía? ______________
3. ¿Conoce Vd. a todos sus vecinos? ______________
4. ¿Da Vd. medicinas al doctor? ______________
5. ¿Sabe Vd. más que el profesor? ______________
6. ¿Da Vd. dinero a sus padres? ______________
7. ¿Va Vd. a la zapatería para comprar carne? ______________
8. ¿Sabe Vd. hacer una ensalada? ______________
9. ¿Ve Vd. el sol a medianoche? ______________
10. ¿Conoce Vd. a muchos actores famosos? ______________

**G.** Answer the following questions in Spanish.

1. ¿Qué instrumento músico sabe Vd. tocar? ______________
2. ¿Cuándo ve Vd. la luna? ______________
3. ¿Quién da una explicación de la lección? ______________
4. ¿A cuántas alumnas de esta clase conoce Vd.? ______________
5. ¿Qué lenguas sabe Vd. leer? ______________

6. ¿Cuándo va Vd. al cine? ________________________________________

7. ¿A cuántos actores conoce Vd.? ________________________________________

________________________________________

8. ¿En qué estación va Vd. al campo? ________________________________________

9. ¿Qué ve Vd. en un museo? ________________________________________

________________________________________

10. ¿A qué hora da Vd. un paseo? ________________________________________

**H.** Complete the Spanish sentences.

1. I give him a yellow shirt.
   Le ______________ una camisa amarilla.
2. The nurse gives water to the sick man.
   La enfermera ______________ agua al enfermo.
3. We are going to an expensive restaurant.
   ______________________ a un restaurante caro.
4. I know that she isn't lazy.
   ______________ que ella no es perezosa.
5. They all go to the party.
   Todos __________________ a la fiesta.
6. Do you know the president?
   ¿______________________ Vd. al presidente?
7. They see a very interesting movie.
   __________________ una película muy interesante.
8. He doesn't know that pretty girl.
   No ______________________ a aquella muchacha bonita.
9. Do you know how to write with your left hand?
   ¿______________________ Vd. escribir con la mano izquierda?
10. I see many things in the market.
    __________________ muchas cosas en el mercado.

**I.** Translate into Spanish.

1. I don't give gifts to my relatives. ________________________________________
2. I am going home at six o'clock. ________________________________________
3. They know the lesson very well today. ________________________________________
4. Our parents are going to the country tomorrow. ________________________________________

________________________________________

5. I see my neighbors every day. ________________________________________

6. Do you (tú) know the girl with the (del) blonde hair? ______________________________

______________________________________________________________

7. Are you giving candy to the children? ______________________________

8. I know my friend's sister. ______________________________

9. Do you (vosotros) see the roses in the garden? ______________________________

______________________________________________________________

10. Who knows the name of the waiter? ______________________________

**Francisco Miranda (1750–1816), a native of Caracas, Venezuela, led the first important movement for the independence of the South-American colonies from the autocratic rule of Spain. He was largely instrumental in influencing world opinion in favor of the rebellious colonies. Captured by Spanish troops, he was imprisoned in Spain, where he died. His struggle was not in vain: the revolutionary movement was continued by Bolívar, San Martín, and Sucre.**

## 10. *ESTAR* AND *SER*

| | **estar,** to be | **ser,** to be |
|---|---|---|
| yo | ***estoy*** | ***soy*** |
| tú | **estás** | **eres** |
| Vd. / él, ella | **está** | **es** |
| nosotros, -as | **estamos** | **somos** |
| vosotros, -as | **estáis** | **sois** |
| Vds. / ellos, ellas | **están** | **son** |

*Note*

The written accent marks on **estás, está, estáis,** and **están** are not irregularities. They are used to indicate that the stress falls on the last syllable.

### USES OF *ESTAR*

1. To express *location* or *position*.

   Madrid ***está*** en España.
   Madrid is in Spain.

   Mi tío ***está*** en México.
   My uncle is in Mexico.

   El libro ***está*** en la mesa.
   The book is on the table.

   ¿Dónde ***están*** los niños?
   Where are the children?

2. To express a *condition* or *state*.

   La sopa ***está*** caliente.
   The soup is hot.

   María ***está*** sentada (cansada).
   Mary is seated (tired).

   El señor Salas ***está*** triste (ocupado).
   Mr. Salas is sad (busy).

   ¿Cómo ***está*** Vd.? ***Estoy*** muy bien (enfermo).
   How are you? I am very well (ill).

   La ventana ***está*** abierta (cerrada).
   The window is open (closed).

### USES OF *SER*

1. With **de,** to express (*a*) *origin*, (*b*) *possession*, or (*c*) *material*.

   (*a*) El muchacho ***es de* México.**
   The boy is from Mexico.

   (*b*) Ese reloj ***es de* Carmen.**
   That watch is Carmen's.

   (*c*) La casa ***es de* madera.**
   The house is wooden.

2. To express a *characteristic*, *description*, or *identification*.

   La sopa ***es*** buena.
   The soup is good.

   María ***es*** alta (bonita).
   Mary is tall (pretty).

   El señor Salas ***es*** rico (joven).
   Mr. Salas is rich (young).

   ¿Quién ***es*** Vd.? ***Soy*** el guía.
   Who are you? I am the guide.

3. To express *occupation* or *nationality*.

   Su primo ***es*** abogado.
   His cousin is a lawyer.

   Pedro ***es*** español.
   Peter is Spanish.

4. To express *time* (*hour*) and *dates.*

   ***Son*** las dos.
   It is two o'clock.

   ***Es*** el tres de marzo.
   It is March 3.

*Note*

A. Adjectives used with **estar** or **ser** must agree with the subject in number and gender.

| | |
|---|---|
| **Ana** no está ocupad***a***. | Ann is not busy. |
| **Los edificios** son nuev***os***. | The buildings are new. |

B. In questions, the adjective usually follows the verb.

| | |
|---|---|
| ¿**Está ocupada** Ana? | Is Ann busy? |
| ¿**Son viejos** los edificios? | Are the buildings old? |

C. The adjective **feliz** is generally used with **ser.** The adjectives **alegre, contento,** and **triste** are generally used with **estar.**

| | |
|---|---|
| Ella **es feliz.** | She is happy. |
| *but* | |
| Ella ***está*** **contenta (alegre, triste).** | She is content (happy, sad). |

*EXERCISES*

**A.** Underline the form of **estar** or **ser** that correctly completes the sentence.

**1.** Su casa (está, es) grande.

**2.** Este edificio (está, es) nuevo.

**3.** El señor Vargas (está, es) viejo.

**4.** Yo (estoy, soy) enfermo.

**5.** El agua (está, es) caliente.

**6.** (Están, Son) las cuatro de la tarde.

**7.** José y Juana no (están, son) en casa.

**8.** Nosotros (estamos, somos) de California.

**9.** (Estoy, Soy) muy cansado.

**10.** Hoy (está, es) el cinco de abril.

**B.** Complete the Spanish sentences.

| | |
|---|---|
| **1.** The coffee is hot. | El café ________________ caliente. |
| **2.** We are sick. | Nosotros ________________ enfermos. |
| **3.** My uncle is intelligent. | Mi tío ________________ inteligente. |
| **4.** Your friends are not there. | Tus amigos no ________________ allí. |
| **5.** Where is the teacher? | ¿Dónde ________________ el maestro? |
| **6.** Is the story interesting? | ¿________________ interesante el cuento? |

7. Who are you? ¿Quién ____________ Vd.?
8. The girls are busy. Las muchachas ____________ ocupadas.
9. Are the rooms large? ¿____________ grandes los cuartos?
10. Jane is well. Juana ____________ bien.

**C.** Change the subject and verb to the plural and make any other changes that may be necessary.

EXAMPLES: El libro es interesante. *Los libros son interesantes.* Mi hermano está en la escuela. *Mis hermanos están* en la escuela.

1. Tú estás triste. ____________
2. Su hermano es médico. ____________
3. Yo estoy enferma. ____________
4. ¿Es rico tu amigo? ____________
5. Su padre es alto. ____________
6. El alumno está presente. ____________
7. Ella está contenta. ____________
8. El barbero está en el campo. ____________
9. El cuarto es pequeño. ____________
10. El profesor no está en la escuela. ____________

**D.** Change the subject and verb to the singular, and make any other changes that may be necessary.

EXAMPLE: Las puertas están cerradas. *La puerta está cerrada.*

1. Mis camisas son de algodón. ____________
2. ¿Por qué no están ellos aquí? ____________
3. Nuestras primas no son feas. ____________
4. Nosotros somos mexicanos. ____________
5. Ellas están sentadas. ____________
6. Las muchachas nunca están alegres. ____________
7. Los leones son grandes. ____________
8. Los taxis están ocupados. ____________
9. Las tazas están vacías. ____________
10. Vds. son norteamericanos. ____________

**E.** Rewrite the following sentences, using the subjects indicated.

1. Pablo y Alfredo son los hermanos de Alberto. Pablo ____________ de Alberto.
2. El café está frío. La sopa ____________.
3. ¿Quién está ausente hoy? ¿Quiénes ____________ hoy?
4. Ana es bonita. Las casas ____________.

5. Él es mexicano. Nosotras ______________________.
6. Las niñas están tristes. El niño ______________________.
7. El hierro es muy duro. La madera ______________________.
8. Ese puente es largo. Esas calles ______________________.
9. ¿Dónde está Antonio? ¿Dónde ______________ Antonio y Felipe?
10. ¿Es rica la señora Ortega? ¿______________ el señor Ortega?

**F.** Answer the following questions affirmatively in Spanish. ("Sí, . . .")

1. ¿Es grande su escuela? ______________________
2. ¿Son blancos los claveles? ______________________
3. ¿Es Vd. un ciudadano (una ciudadana) americano(-a)? ______________________

______________________
4. ¿Es Vd. feliz? ______________________
5. ¿Están Vds. en la clase ahora? ______________________
6. ¿Es Vd. alto(-a)? ______________________
7. ¿Son grandes los elefantes? ______________________
8. ¿Está Vd. contento(-a)? ______________________
9. ¿Es Vd. un estudiante diligente? ______________________
10. ¿Son Vds. jóvenes? ______________________

**G.** Answer the following questions negatively in Spanish. ("No, . . .")

1. ¿Está Vd. en Inglaterra ahora? ______________________
2. ¿Es Vd. un muchacho (una muchacha) perezoso(-a)? ______________________

______________________
3. ¿Está Vd. cansado(-a)? ______________________
4. ¿Es joven su abuela? ______________________
5. ¿Es Vd. de España? ______________________
6. ¿Está Vd. triste? ______________________
7. ¿Es barato el oro? ______________________
8. ¿Es Vd. alemán (alemana)? ______________________
9. ¿Es azul su camisa? ______________________
10. ¿Es fácil esta lección? ______________________

**H.** Answer the following questions in Spanish.

1. ¿Qué día es hoy? ______________________
2. ¿Dónde están sus amigos? ______________________
3. ¿Quién está ausente hoy? ______________________
4. ¿Quién es su actor favorito? ______________________

5. ¿De qué color es la hierba? ______________________________

6. ¿Cuál es el segundo mes del año? ______________________________

7. ¿Quién está delante de la clase? ______________________________

8. ¿Qué hora es? ______________________________

9. ¿Cómo está Vd.? ______________________________

10. ¿Está Vd. de pie o sentado(-a)? ______________________________

**I.** Translate into Spanish.

1. My mother is at home. ______________________________

2. Their garden is pretty. ______________________________

3. Our friend (*f.*) is blonde. ______________________________

4. She is very ill. ______________________________

5. Who is the thief? ______________________________

6. The windows are open. ______________________________

7. It is eight o'clock. ______________________________

8. The museum is in the city. ______________________________

9. Many new books are in the library. ______________________________

10. The door is wooden (of wood). ______________________________

**Tortillas are thin, round cornmeal cakes that the natives of Mexico use as bread. To make tortillas, the dried corn is ground with a stone roller. The corn is then moistened, shaped by hand, and baked over an open fire.**

## 11. COMMANDS

### POLITE COMMANDS

Polite commands are formed from the first person singular by dropping the final **-o** and adding the following endings:

**-ar** verbs: Add **-e** for the singular (**Vd.**) and **-en** for the plural (**Vds.**).

**-er** and **-ir** verbs: Add **-a** for the singular (**Vd.**) and **-an** for the plural (**Vds.**).

| *Infinitive* | *Present Tense, First Singular* | *Command Forms* *Singular* | *Plural* | *Translation* |
|---|---|---|---|---|
| **abrir** | abr***o*** | abr***a*** Vd. | abr***an*** Vds. | open |
| **cerrar** | cierr***o*** | cierr***e*** Vd. | cierr***en*** Vds. | close |
| **decir** | dig***o*** | dig***a*** Vd. | dig***an*** Vds. | say, tell |
| **hablar** | habl***o*** | habl***e*** Vd. | habl***en*** Vds. | speak |
| **hacer** | hag***o*** | hag***a*** Vd. | hag***an*** Vds. | do, make |
| **leer** | le***o*** | le***a*** Vd. | le***an*** Vds. | read |
| **perder** | pierd***o*** | pierd***a*** Vd. | pierd***an*** Vds. | lose |
| **servir** | sirv***o*** | sirv***a*** Vd. | sirv***an*** Vds. | serve |
| **tener** | teng***o*** | teng***a*** Vd. | teng***an*** Vds. | have |
| **traducir** | traduzc***o*** | traduzc***a*** Vd. | traduzc***an*** Vds. | translate |
| **venir** | veng***o*** | veng***a*** Vd. | veng***an*** Vds. | come |
| **ver** | ve***o*** | ve***a*** Vd. | ve***an*** Vds. | see |
| **volver** | vuelv***o*** | vuelv***a*** Vd. | vuelv***an*** Vds. | return |

*Note*

A. The vowels of the endings of the command forms are the opposite of those of the present tense: **-e** for **-ar** verbs, **-a** for **-er** and **-ir** verbs.

B. The subject pronoun (**Vd., Vds.**) *follows* the verb.

### IRREGULAR VERBS

| *Infinitive* | *Present Tense, First Singular* | *Command Forms* *Singular* | *Plural* | *Translation* |
|---|---|---|---|---|
| **dar** | ***doy*** | ***dé*** Vd. | ***den*** Vds. | give |
| **estar** | ***estoy*** | ***esté*** Vd. | ***estén*** Vds. | be |
| **ir** | ***voy*** | ***vaya*** Vd. | ***vayan*** Vds. | go |
| **ser** | ***soy*** | ***sea*** Vd. | ***sean*** Vds. | be |

*Note*

1. **Dé** has a written accent mark to distinguish it from **de** (of). The plural **den** has no written accent mark.
2. **Esté** and **estén** have written accent marks to indicate that the stress falls on the ending.

## FAMILIAR COMMANDS (SINGULAR)

The familiar command (singular) of regular verbs is the same as the **Vd.** form of the present tense.

| *Infinitive* | *Present Tense, Vd. Form* | *Translation* | *Familiar Command (Singular)* | *Translation* |
|---|---|---|---|---|
| **abrir** | Vd. abr*e* | you open | abr*e* tú | open |
| **cerrar** | Vd. cierr*a* | you close | cierr*a* tú | close |
| **dar** | Vd. d*a* | you give | d*a* tú | give |
| **hablar** | Vd. habl*a* | you speak | habl*a* tú | speak |
| **leer** | Vd. le*e* | you read | le*e* tú | read |
| **perder** | Vd. pierd*e* | you lose | pierd*e* tú | lose |
| **servir** | Vd. sirv*e* | you serve | sirv*e* tú | serve |
| **ver** | Vd. v*e* | you see | v*e* tú | see |
| **volver** | Vd. vuelv*e* | you return | vuelv*e* tú | return |

### *Note*

A. The *negative* familiar commands ("do *not* open," etc.) are formed differently and are not given here.

B. The familiar commands of the verbs **decir, hacer, ir, salir, ser, tener,** and **venir** are irregular, and are not given here.

C. The pronoun **tú** is frequently omitted in conversation.

D. The familiar commands are used: (*a*) between friends and classmates; (*b*) by parents and other adults when speaking to young children; (*c*) in other cases where there is a familiar (not a formal) relationship.

### *EXERCISES*

**A.** Underline the correct command form.

**1.** (Anda, Ande) Vd. rápidamente.

**2.** (Son, Sean) Vds. sinceros.

**3.** (Diga, Dice) Vd. siempre la verdad.

**4.** (Sale, Salga) Vd. de casa en seguida.

**5.** (Escuchan, Escuchen) Vds. con atención.

**6.** (Haga, Hace) Vd. el trabajo hoy.

**7.** (Tenga, Tiene) Vd. la bondad de esperar.

**8.** (Van, Vayan) Vds. despacio.

**9.** (Pone, Ponga) Vd. la ropa en el armario.

**10.** (Completen, Completan) Vds. las frases.

**B.** Write (*a*) the first person singular of the present tense; (*b*) the polite command forms (**Vd., Vds.**); (*c*) the familiar command, singular form (**tú**).

| | (*a*) | (*b*) | (*c*) |
|---|---|---|---|
| EXAMPLE: tomar | *tomo* | *tome Vd., tomen Vds.* | *toma tú* |
| **1.** dormir | ________________ | ________________________ | __________________ |
| **2.** estudiar | ________________ | ________________________ | __________________ |
| **3.** comer | ________________ | ________________________ | __________________ |
| **4.** mirar | ________________ | ________________________ | __________________ |
| **5.** escribir | ________________ | ________________________ | __________________ |

6. pensar ________ ________ ________
7. leer ________ ________ ________
8. dar ________ ________ ________
9. pedir ________ ________ ________
10. trabajar ________ ________ ________

**C.** Add the correct ending to form the command.

1. confies___ tú
2. traig___ Vds.
3. entr___ tú
4. caig___ Vd.
5. veng___ Vd.
6. defiend___ Vds.
7. abr___ Vd.
8. respond___ Vd.
9. acept___ Vds.
10. obedezc___ Vd.
11. cuent___ Vd.
12. muestr___ Vds.
13. conduzc___ Vds.
14. pregunt___ Vd.
15. bail___ tú
16. est___ Vd.
17. omit__ tú
18. oig___ Vds.
19. recib___ Vds.
20. repit___ tú

**D.** Change the infinitives to the indicated command forms.

EXAMPLE: *Tomar* Vd. su libro. (leer, abrir)
*Tome* Vd. su libro. *Lea* Vd. su libro. *Abra* Vd. su libro.

1. *Ayudar* Vd. al alcalde. (contestar, visitar)
2. No *usar* Vd. el borrador. (esconder, perder)
3. *Respetar* tú a tus abuelos. (esperar, creer)
4. No *prestar* Vd. el cuadro. (admirar, copiar)
5. *Describir* tú la caja. (cerrar, cubrir)
6. *Viajar* Vds. allí a menudo. (caminar, regresar)
7. *Cenar* Vds. a las cinco. (volver, terminar)
8. *Servir* Vd. una gaseosa. (beber, tomar)
9. *Hablar* tú la semana que viene. (partir, decidir)
10. *Comprar* Vds. las cerezas. (vender, ver)

**E.** Change the following statements to commands.

1. Vds. no suben la montaña. ________
2. Tú divides la manzana entre tus primos. ________
3. Tú invitas a tu amigo mexicano. ________
4. Vds. aprenden la lección de español. ________
5. Tú cuidas bien los muebles. ________
6. Vd. examina el mapa. ________
7. Vds. llevan máscaras en Carnaval. ________
8. Vd. conserva la mitad del pastel. ________
9. Vds. viven en el oeste. ________
10. Vd. no olvida su número. ________

**F.** Using Spanish sentences, tell a close friend or classmate:

1. to tear (romper) the paper ________
2. to celebrate (celebrar) his birthday ________
3. to erase (borrar) the blackboard ________

4. to greet (saludar) the teacher ____________________
5. to pronounce (pronunciar) the words well ____________________

____________________

6. to prepare (preparar) the lesson ____________________
7. to translate (traducir) the sentence ____________________
8. to return (devolver) your book ____________________
9. to spend (gastar) less money ____________________
10. to sing (cantar) a song ____________________

**G.** Using Spanish sentences, tell someone *politely*:

1. to cultivate (cultivar) the flowers ____________________
2. to cut (cortar) the pie ____________________
3. to remember (recordar) the date ____________________
4. to paint (pintar) a picture ____________________
5. to earn (ganar) money ____________________
6. to excuse (dispensar) the children ____________________
7. to solve (resolver) the problem ____________________
8. to shout (gritar) in the street ____________________
9. to teach (enseñar) the lesson ____________________
10. to fill (llenar) the glass ____________________

**H.** Translate into Spanish.

1. Discover (tú) the truth. ____________________
2. Find (tú) the money. ____________________
3. Offer (Vd.) help to your friend. ____________________
4. Chat (tú) with your neighbor. ____________________
5. Translate (Vd.) the sentences. ____________________
6. Understand (Vds.) the lesson. ____________________
7. Skate (Vds.) in the open air. ____________________
8. Promise (Vds.) to study more. ____________________
9. Don't cry (Vd.) now. ____________________
10. Speak (tú) in Spanish. ____________________

## 12. MASTERY EXERCISES

(LESSONS 7–11)

**A.** Write the correct command form, as indicated by the subject pronoun.

**1.** *Subir* Vds. al tren. ______________________________

**2.** *Traducir* Vd. el párrafo al español. ______________________________

**3.** No *caer* Vd. del árbol. ______________________________

**4.** No *salir* Vds. a las tres. ______________________________

**5.** *Traer* Vds. las maletas a la estación. ______________________________

**6.** *Confesar* tú a tu madre, Juanito. ______________________________

**7.** *Beber* Vd. un poco de té. ______________________________

**8.** *Venir* Vd. al cine con nosotros. ______________________________

**9.** *Oír* tú la voz de tu amigo. ______________________________

**10.** *Ir* Vd. al campo en el verano. ______________________________

**11.** *Ser* Vd. diligente. ______________________________

**12.** No *mirar* Vd. la televisión esta noche. ______________________________

**13.** *Volver* tú en la primavera. ______________________________

**14.** *Ofrecer* Vd. algo al pobre. ______________________________

**15.** *Aprender* Vds. la lección. ______________________________

**16.** No *desaparecer* Vd. cuando hay trabajo. ______________________________

**17.** *Decir* Vds. la verdad. ______________________________

**18.** *Aceptar* Vd. este regalo. ______________________________

**19.** *Servir* tú café con el almuerzo. ______________________________

**20.** *Poner* Vd. la mesa ahora. ______________________________

**21.** *Repetir* tú la frase en inglés. ______________________________

**22.** *Llenar* tú la taza. ______________________________

**23.** *Obedecer* Vd. a su hermano mayor. ______________________________

**24.** No *dar* Vds. la llave a nadie. ______________________________

**25.** *Ver* Vds. aquel edificio grande. ______________________________

**B.** Write the correct form of **estar** or **ser.**

**1.** Este sombrero ____________________ de México.

**2.** La silla ____________________ de madera.

**3.** Yo ____________________ bien.

**4.** El río ____________________ muy ancho.

**5.** Nosotros ____________________ cansados.

**6.** Hoy ____________________ el dos de mayo.

7. Mi madre ____________________ en el mercado.

8. El señor Pereda ____________________ viejo.

9. Yo ____________________ sentada.

10. ____________________ las cuatro de la tarde.

11. Francia ____________________ en Europa.

12. ¿Quién ____________________ presidente de los Estados Unidos?

13. ¿____________________ Vd. enfermo?

14. Yo ____________________ americano.

15. ¿____________________ Vds. ocupados?

16. Carlos ____________________ ausente hoy.

17. ¿Dónde ____________________ los niños?

18. La taza ____________________ vacía.

19. Mi primo ____________________ profesor.

20. ¿De quién ____________________ el abrigo?

**C.** Write the correct form of **saber** or **conocer.**

1. Juana ________________________ muchas fechas históricas.

2. Yo ________________________ que Felipe es músico.

3. El perro ________________________ a su dueño.

4. ¿________________________ Vd. dónde está la estación de ferrocarril?

5. Yo ________________________ a muchas personas simpáticas.

6. Nosotros no ________________________ cultivar la tierra.

7. ¿________________________ Vd. qué hora es?

8. ¿Por qué no ________________________ la dirección de tu amiga?

9. ¿________________________ Vds. expresar la frase en portugués?

10. ¿________________________ Vd. a la nieta de la señora González?

**D.** Complete the English sentences.

1. No ponga Vd. el dedo en la boca.
   Don't ______________ your finger in your mouth.

2. No salgo de casa cuando hace viento.
   I don't ________________ the house when it is windy.

3. Nunca están contentos.
   They ______________ never happy.

4. Su prima no es fea.
   His cousin ______________ not ugly.

5. Juan ya está en casa.
   John ______________ already home.

6. Son las diez de la mañana.

________________ ten A.M.

7. Yo no hago cosas imposibles.

I ______________________ impossible things.

8. Cierra tú la botella de tinta.

__________________ the bottle of ink.

9. La maleta está debajo de la cama.

The suitcase ______________ under the bed.

10. Vengan Vds. pronto.

__________________ soon.

11. Doy dulces a la niña.

______________________ candy to the child.

12. Lleva tú la chaqueta cuando hace fresco.

__________________ your jacket when it is cool.

13. Ofrezco algunas monedas al criado.

I ______________________ some coins to the servant.

14. Limpia tú los dientes.

__________________ your teeth.

15. No conozco a la chica rubia.

I ______________________ the blonde girl.

16. La maestra tiene dolor de cabeza.

The teacher __________________ a headache.

17. La nieve aparece en diciembre.

The snow ______________________ in December.

18. Tu esposo parece enfermo hoy.

Your husband __________________ ill today.

19. Voy a la escuela a pie.

I ______________________ to school on foot.

20. Traduzca Vd. la frase otra vez.

______________________ the sentence again.

21. Mis hijos saben gastar dinero.

My children ____________________________ to spend money.

22. Cuente Vd. hasta veinte, por favor.

__________________ till twenty, please.

23. Yo sé dónde está la catedral.

I __________________ where the cathedral is.

**24.** Al salir, siempre digo "adiós."

Upon leaving, I always ______________ "goodbye."

**25.** El guía sabe mucho.

The guide __________________ a lot.

**E.** Change the infinitive to agree with the indicated subjects.

**1.** *Traer* el paraguas porque llueve. (*a*) ellos (*b*) tú (*c*) yo (*d*) nosotros

(*a*) ____________________ (*c*) ____________________

(*b*) ____________________ (*d*) ____________________

**2.** ¿Qué *hacer* el viernes? (*a*) tú (*b*) vosotros (*c*) él (*d*) Vds.

(*a*) ____________________ (*c*) ____________________

(*b*) ____________________ (*d*) ____________________

**3.** Esta noche *ver* la luna. (*a*) ellas y yo (*b*) tú (*c*) yo (*d*) ellas

(*a*) ____________________ (*c*) ____________________

(*b*) ____________________ (*d*) ____________________

**4.** *Venir* esta tarde por avión. (*a*) mi tía (*b*) tú (*c*) yo (*d*) ellos

(*a*) ____________________ (*c*) ____________________

(*b*) ____________________ (*d*) ____________________

**5.** *Decir* la dirección al chófer. (*a*) ellas (*b*) tú (*c*) yo (*d*) nosotros

(*a*) ____________________ (*c*) ____________________

(*b*) ____________________ (*d*) ____________________

**6.** *Aparecer* en abril. (*a*) las flores (*b*) tú (*c*) él (*d*) nosotros

(*a*) ____________________ (*c*) ____________________

(*b*) ____________________ (*d*) ____________________

**7.** No *conocer* al alcalde de este pueblo. (*a*) Vd. (*b*) nosotros (*c*) tú (*d*) yo

(*a*) ____________________ (*c*) ____________________

(*b*) ____________________ (*d*) ____________________

**8.** *Ir* a la playa para nadar. (*a*) ellas (*b*) mi familia (*c*) yo (*d*) vosotros

(*a*) ____________________ (*c*) ____________________

(*b*) ____________________ (*d*) ____________________

**9.** *Traducir* las palabras difíciles. (*a*) el estudiante (*b*) yo (*c*) Vds. (*d*) vosotros

(*a*) ____________________ (*c*) ____________________

(*b*) ____________________ (*d*) ____________________

**10.** *Conducir* el coche de la familia. (*a*) papá (*b*) ella y yo (*c*) ella (*d*) yo

(*a*) ____________________ (*c*) ____________________

(*b*) ____________________ (*d*) ____________________

**11.** *Ofrecer* ayuda a Luisa. (*a*) yo (*b*) ella (*c*) nosotras (*d*) Vds.

(*a*) ________________ (*c*) ________________

(*b*) ________________ (*d*) ________________

**12.** No *saber* la respuesta correcta. (*a*) vosotros y yo (*b*) tu hermana (*c*) vosotros (*d*) yo

(*a*) ________________ (*c*) ________________

(*b*) ________________ (*d*) ________________

**13.** *Desaparecer* a la hora del almuerzo. (*a*) yo (*b*) la taquígrafa (*c*) los alumnos (*d*) tú

(*a*) ________________ (*c*) ________________

(*b*) ________________ (*d*) ________________

**14.** No *caer* al suelo. (*a*) yo (*b*) Vd. (*c*) la servilleta (*d*) nosotros

(*a*) ________________ (*c*) ________________

(*b*) ________________ (*d*) ________________

**15.** *Obedecer* a mamá. (*a*) Marta (*b*) papá (*c*) tú (*d*) yo

(*a*) ________________ (*c*) ________________

(*b*) ________________ (*d*) ________________

**16.** ¿*Dar* una propina a la camarera? (*a*) él (*b*) vosotras (*c*) Vds. (*d*) tú

(*a*) ________________ (*c*) ________________

(*b*) ________________ (*d*) ________________

**17.** *Poner* la pluma en el escritorio. (*a*) tú y yo (*b*) tú (*c*) yo (*d*) vosotros

(*a*) ________________ (*c*) ________________

(*b*) ________________ (*d*) ________________

**18.** *Oír* la música del tocadiscos. (*a*) nosotros (*b*) ellas (*c*) yo (*d*) tú

(*a*) ________________ (*c*) ________________

(*b*) ________________ (*d*) ________________

**19.** *Salir* después del desayuno. (*a*) yo (*b*) Vd. y yo (*c*) Vd. (*d*) ellas

(*a*) ________________ (*c*) ________________

(*b*) ________________ (*d*) ________________

**20.** *Tener* que pagar el jueves. (*a*) ellas (*b*) tú (*c*) yo (*d*) vosotros

(*a*) ________________ (*c*) ________________

(*b*) ________________ (*d*) ________________

**F.** Replace the verbs in italics with the corresponding forms of the verbs in parentheses.

**1.** *Vuelven* a la iglesia.

(ir) ________________ (venir) ________________

2. No *como* la ensalada.
(hacer) ________________ (servir) ________________
3. *Llevo* una camisa parda.
(tener) ________________ (ver) ________________
4. El ladrón *entra* en la cárcel.
(confesar) ________________ (dormir) ________________
5. Las hojas *caen* en otoño.
(desaparecer) ________________ (morir) ________________
6. No *abra* Vd. su cartera en la tienda.
(perder) ________________ (olvidar) ________________
7. *Prometa* Vd. ayuda al campesino.
(pedir) ________________ (ofrecer) ________________
8. *Escriba* Vd. la carta.
(mostrar) ________________ (traducir) ________________
9. *Ama* tú a tu padre.
(obedecer) ________________ (besar) ________________
10. *Recordamos* la canción.
(oír) ________________ (repetir) ________________
11. *Saludo* al director.
(reconocer) ________________ (defender) ________________
12. *Dejo* el lápiz en la mesa.
(poner) ________________ (encontrar) ________________
13. *Compra* tú la bicicleta.
(devolver) ________________ (usar) ________________
14. Las vacas *traen* leche.
(producir) ________________ (dar) ________________
15. El señor Ortiz *sabe* muchas cosas.
(referir) ________________ (entender) ________________

**G.** Complete each sentence with the correct form of the verb in italics. For clarity, sentences requiring command forms are indicated by exclamation marks (¡___!).

1. Los pájaros *vuelan* fácilmente. Nosotros no ________________. ¿________________ vosotros en avión?
2. ¿Qué *tiene* Vd.? Yo ________________ dolor de cabeza. Ellas ________________ sed.
3. Mi hermana menor *almuerza* en un restaurante. Yo ________________ en la escuela. ¡________________ tú a las doce!

4. Antonio *duerme* en la clase. Nosotros ____________________ en casa. ¡____________________ Vds. bien!

5. Vosotros *estáis* sentados. Yo ____________________ de pie. ¿Cómo ____________________ ellas?

6. Mis padres *conocen* a muchos hombres y mujeres. Yo ____________________ a mis compañeros de clase. Es bueno ____________________ a las personas sinceras.

7. Ana *comienza* sus tareas a tiempo. Yo no deseo ____________________. ¡____________________ tú ahora!

8. Mi padre *conduce* el automóvil de la familia. Yo no ____________________ el automóvil. ¡____________________ Vd. bien, papá!

9. Ellas *prefieren* las blusas rosadas. Nosotras ____________________ las blancas. ¿Qué color ____________________ Vd?

10. Ellos no *hacen* nada. Yo ____________________ un poco de trabajo. ¡____________________ Vds. algo importante!

**H.** Answer the following questions in Spanish. Questions followed by "(A)" are to be answered affirmatively, those followed by "(N)," negatively.

1. ¿Con quién almuerza Vd.? ____________________
2. ¿Dice Vd. "buenos días" a sus amigos? (A) ____________________
3. ¿Oye Vd. música en la radio? (A) ____________________
4. ¿Tiene Vd. sueño ahora? (N) ____________________
5. ¿Pierde Vd. sus libros a menudo? (N) ____________________
6. ¿Conduce Vd. un automóvil? (N) ____________________
7. ¿Va Vd. a la escuela en el verano? (N) ____________________
8. ¿A qué hora de la mañana sale Vd. de casa? ____________________

____________________

9. ¿En qué estación mueren las flores? ____________________
10. ¿A cuántos alumnos de esta clase conoce Vd.? ____________________

____________________

11. ¿Ofrece Vd. ayudar a sus padres? (A) ____________________
12. ¿Trae Vd. su tocadiscos a la escuela? (N) ____________________

____________________

13. ¿Cae Vd. enfermo(-a) a menudo? (N) ____________________
14. ¿Parecen viejos sus abuelos? (A) ____________________
15. ¿Qué ve Vd. en el cine? ____________________
16. ¿Está Vd. cansado(-a) ahora? (N) ____________________
17. ¿Traduce Vd. bien los ejercicios? (A) ____________________

18. ¿Qué animal produce leche? ______________________________

19. ¿Es Vd. un alumno (una alumna) inteligente? (A) ______________________________

______________________________

20. ¿Reconoce Vd. a todos sus parientes? (A) ______________________________

______________________________

21. ¿Da Vd. un paseo por la tarde? (A) ______________________________

22. ¿Quién gobierna nuestro país? ______________________________

23. ¿Sabe Vd. bailar el tango? (N) ______________________________

24. ¿Vuela Vd. como los pájaros? (N) ______________________________

25. ¿Cuándo aparece el sol? ______________________________

26. ¿Quién pone la mesa en su casa? ______________________________

27. ¿Desaparece Vd. cuando sus padres necesitan ayuda? (N) ______________________________

______________________________

28. ¿Qué hace Vd. los domingos? ______________________________

______________________________

29. ¿Obedece Vd. a sus padres? (A) ______________________________

30. ¿En qué días no viene Vd. a esta clase? ______________________________

______________________________

**I.** Complete the Spanish sentences.

1. Is the examination difficult?

   ¿______________ difícil el examen?

2. Don't return at midnight.

   __________________________ Vds. a medianoche.

3. I recognize this child.

   __________________________ a este niño.

4. Write with your right hand.

   _____________________ Vd. con la mano derecha.

5. The fork falls to the floor.

   El tenedor _________________ al suelo.

6. The building is in a narrow street.

   El edificio _________________ en una calle estrecha.

7. Obey your parents.

   _____________________ tú a tus padres.

8. I don't know the answer.

   __________________________ la respuesta.

**9.** Do you know where she lives?

¿__________________ Vd. dónde vive ella?

**10.** I lead the tourists through the city.

____________________________ a los turistas por la ciudad.

**11.** He knows the names of all the trees.

____________________________ los nombres de todos los árboles.

**12.** We know many people in this city.

____________________________________________ a muchas personas en esta ciudad.

**13.** The waiter appears at once.

El camarero ____________________________ en seguida.

**14.** I don't go out in the evening.

_________________________________ por la noche.

**15.** Say something interesting.

__________________ Vd. algo interesante.

**16.** The doctor is not very tall.

El médico ______________________ muy alto.

**17.** Albert returns the books to the library.

Alberto __________________________ los libros a la biblioteca.

**18.** Where are you going?

¿A dónde ______________________ vosotros?

**19.** Give the cat some water.

______________ Vd. agua al gato.

**20.** Put the papers on the desk.

______________________ Vd. los papeles en el escritorio.

**J.** Translate into Spanish.

**1.** I know the date of his birthday. ____________________________________________

**2.** Are you telling the truth? ____________________________________________

**3.** How are you? I am very well, thanks. ____________________________________________

____________________________________________

**4.** Obey (Vds.) your parents always. ____________________________________________

**5.** My cousins are in the country now. ____________________________________________

**6.** I hear the noise from the street. ____________________________________________

**7.** I know (a) the girl in (*de*) the blue dress. ____________________________________________

____________________________________________

**8.** Bring (*tú*) your record player to the party. ____________________________________________

____________________________________________

9. It is half past five. ____________________

10. The door is wooden. ____________________

11. Do you (tú) know how to count till twenty? ____________________

____________________

12. Serve (tú) bread with the meal. ____________________

13. Go (Vd.) to the blackboard immediately. ____________________

____________________

14. All the pupils are young. ____________________

15. Do not ask for (Vd.) a box of candy. ____________________

**The cacao tree is found in the tropical forests of Latin America. Curiously, the pods grow directly from the tree's trunk and limbs. Within each pod are the many beans from which chocolate and cocoa are made. Cacao is an important crop in Ecuador, Brazil, Venezuela and the Dominican Republic.**

## 13. PRETERITE TENSE OF REGULAR *-AR* VERBS

The preterite tense of regular **-ar** verbs is formed by dropping the infinitive ending (**-ar**) and adding to the stem the endings **-é, -aste, -ó; -amos, -asteis, -aron.**

**hablar,** to speak

*I spoke, I did speak*

| *Singular* | | *Plural* | |
|---|---|---|---|
| yo | habl***é*** | nosotros, -as | habl***amos*** |
| tú | habl***aste*** | vosotros, -as | habl***asteis*** |
| Vd. / él, ella | habl***ó*** | Vds. / ellos, ellas | habl***aron*** |

**cerrar,** to close

*I closed, I did close*

| | | | |
|---|---|---|---|
| yo | cerr***é*** | nosotros, -as | cerr***amos*** |
| tú | cerr***aste*** | vosotros, -as | cerr***asteis*** |
| Vd. / él, ella | cerr***ó*** | Vds. / ellos, ellas | cerr***aron*** |

*Note*

A. The first person plural ending (**-amos**) is the same as in the present tense: **tomamos,** we take, we took.

B. Verbs that are stem-changing in the present tense do *not* change the stem vowel in the preterite: *present,* **cierro;** *preterite,* **cerré.**

USES OF THE PRETERITE

1. The preterite tense is used to narrate an action or event in the past. It may indicate: (*a*) the beginning or the end of the action, or (*b*) the complete action (that is, the beginning *and* the end).

***Comenzó*** a trabajar. (beginning) — He began to work.

***Terminé*** la tarea. (end) — I finished the task.

***Visité*** a mi tía ayer. (I went and returned) — I visited my aunt yesterday.

2. The preterite is often used with an expression indicating the past (**anoche, ayer, la semana pasada,** etc.).

## EXERCISES

**A.** Write the correct form of the verb in the *present* and the *preterite*, and translate into English.

EXAMPLE: Tú *ayudar* al profesor.

(*Present*) (*Preterite*)

*ayudas*, you help; *ayudaste*, you helped

1. ¿Cuándo *llevar* nosotros máscaras? ________________
2. Vosotros *contar* las monedas. ________________
3. Nosotras *charlar* con el autor. ________________
4. Felipe *pensar* cortar la hierba. ________________
5. ¿*Recordar* tú la lección de español? ________________
6. Las niñas *cerrar* los ojos. ________________
7. Yo *mostrar* la fotografía a todos. ________________
8. Ella *anunciar* la noticia en voz alta. ________________
9. Vd. *gastar* la mitad del dinero. ________________
10. Yo *examinar* el cuadro. ________________

**B.** Complete the English sentences.

1. Encontramos un apartamiento en la ciudad. ________________ an apartment in the city.
2. ¿Trabajasteis en la fábrica de muebles? ________________ in the furniture factory?
3. ¿Contestaste al maestro en castellano? ________________ the teacher in Spanish?
4. El ladrón entró en la cárcel el año pasado. The thief ________________ the jail last year.
5. Vd. celebró su cumpleaños el mes pasado. ________________ your birthday last month.
6. Ellos terminaron la botella de vino ayer. ________________ the bottle of wine yesterday.
7. ¿Quiénes prepararon la cena anoche? Who ________________ supper last night?
8. Compré calcetines de seda la semana pasada. ________________ silk socks last week.
9. Regresé a casa a las doce. ________________ home at twelve o'clock.
10. Caminamos hacia el hotel. ________________ toward the hotel.

**C.** Using the preterite tense, change the infinitive to agree with the indicated subjects.

EXAMPLE: *Trabajar* mucho anoche. (*a*) ellos (*b*) María (*c*) Vd. (*d*) vosotros

(*a*) *Ellos trabajaron* mucho anoche.
(*b*) *María trabajó* mucho anoche.
(*c*) *Vd. trabajó* mucho anoche.
(*d*) *Vosotros trabajasteis* mucho anoche.

**1.** ¿*Estudiar* la lección anoche? (*a*) tú (*b*) ellos (*c*) yo (*d*) vosotros

(*a*) ______________________ (*c*) ______________________

(*b*) ______________________ (*d*) ______________________

**2.** ¿*Nadar* en el río ayer? (*a*) los muchachos (*b*) ella (*c*) tú (*d*) vosotros

(*a*) ______________________ (*c*) ______________________

(*b*) ______________________ (*d*) ______________________

**3.** *Visitar* a Pablo ayer. (*a*) ella (*b*) nosotros (*c*) yo (*d*) Vd.

(*a*) ______________________ (*c*) ______________________

(*b*) ______________________ (*d*) ______________________

**4.** *Escuchar* la historia. (*a*) mi mamá (*b*) tu papá (*c*) yo (*d*) vosotros

(*a*) ______________________ (*c*) ______________________

(*b*) ______________________ (*d*) ______________________

**5.** *Esperar* dos horas en casa. (*a*) la chica (*b*) tú (*c*) mi primo (*d*) vosotros

(*a*) ______________________ (*c*) ______________________

(*b*) ______________________ (*d*) ______________________

**6.** *Acompañar* a los ingleses. (*a*) yo (*b*) ellas (*c*) nosotros (*d*) el guía

(*a*) ______________________ (*c*) ______________________

(*b*) ______________________ (*d*) ______________________

**7.** *Cerrar* la puerta. (*a*) su hija (*b*) yo (*c*) tú (*d*) nosotros

(*a*) ______________________ (*c*) ______________________

(*b*) ______________________ (*d*) ______________________

**8.** *Hablar* con José por teléfono. (*a*) yo (*b*) vosotros (*c*) ella (*d*) nosotras

(*a*) ______________________ (*c*) ______________________

(*b*) ______________________ (*d*) ______________________

**9.** *Viajar* a Italia. (*a*) Vds. (*b*) un turista (*c*) vosotros (*d*) yo

(*a*) ______________________ (*c*) ______________________

(*b*) ______________________ (*d*) ______________________

**10.** ¿Qué *enseñar* a la clase? (*a*) el maestro (*b*) tú (*c*) él (*d*) ellas

(*a*) ______________________ (*c*) ______________________

(*b*) ______________________ (*d*) ______________________

**D.** Change the subject and verb to the plural.

**1.** *Mi sobrino bailó* el tango. ______________________

**2.** *El camarero aceptó* la propina. ______________________

**3.** *Yo invité* a Luis también. ______________________

**4.** ¿*Cultivó Vd.* rosas en el jardín? ______________________

**5.** ¿*Quién inventó* los tenedores? ______________________

6. *Yo usé* tiza blanca en la pizarra. ____________________

7. *Tú bajaste* al sótano. ____________________

8. *Yo tomé* un refresco a la una. ____________________

9. ¿Por qué *miraste tú* la revista? ____________________

10. *El rey* no *gobernó* bien. ____________________

**E.** Change the subject and verb to the singular.

1. *Nosotros copiamos* el vocabulario. ____________________

2. ¿*Admirasteis vosotros* los claveles de mi jardín? ____________________

3. *Los barberos cortaron* el pelo todo el día. ____________________

4. *Los ciudadanos lucharon* por la patria. ____________________

5. *Las camareras llenaron* los vasos. ____________________

6. *Los pájaros volaron* al aire libre. ____________________

7. ¿*Limpiasteis vosotros* la alfombra? ____________________

8. *Nosotros hallamos* la catedral en una avenida ancha. ____________________

9. ¿Por qué *fumasteis vosotros* en el comedor? ____________________

10. *Nosotros llamamos* al criado. ____________________

**F.** Answer the following questions affirmatively in Spanish. ("Sí, . . .")

1. ¿Saludó Vd. al maestro al entrar en la clase? ____________________

____________________

2. ¿Miró Vd. un programa de televisión anoche? ____________________

____________________

3. ¿Nadó Vd. en la playa el verano pasado? ____________________

4. ¿Usó Vd. la escalera para llegar a esta clase? ____________________

____________________

5. ¿Estudió Vd. mucho ayer? ____________________

6. ¿Compró Vd. un periódico esta mañana? ____________________

7. ¿Cenó Vd. temprano anoche? ____________________

8. ¿Tomó Vd. el desayuno esta mañana? ____________________

9. ¿Ayudó Vd. a su madre anoche? ____________________

10. ¿Pasó Vd. algún tiempo en el campo? ____________________

**G.** Answer the following questions negatively in Spanish. ("No, . . .")

1. ¿Cantó Vd. muchas canciones hoy? ____________________

2. ¿Prestó Vd. su cuaderno a un compañero? ____________________

3. ¿Viajó Vd. por avión alguna vez? ______________________________

4. ¿Visitó Vd. a sus parientes el sábado pasado? ______________________________

______________________________

5. ¿Copió Vd. la lección de su amigo? ______________________________

6. ¿Olvidó Vd. sus libros hoy? ______________________________

7. ¿Viajó Vd. a España alguna vez? ______________________________

8. ¿Acompañó Vd. a su mamá al mercado ayer? ______________________________

______________________________

9. ¿Llevó Vd. una maleta a la escuela hoy? ______________________________

10. ¿Habló Vd. al director de la escuela ayer? ______________________________

**H.** Answer the following questions in Spanish.

1. ¿Qué programa de televisión miró Vd. anoche? ______________________________

______________________________

2. ¿Adónde viajó Vd. el verano pasado? ______________________________

3. ¿Dónde pasó Vd. las vacaciones de verano? ______________________________

______________________________

4. ¿Cómo saludó Vd. a su vecino esta mañana? ______________________________

______________________________

5. ¿Quién preparó la cena anoche en su casa? ______________________________

______________________________

6. ¿A qué hora cerró Vd. los ojos anoche? ______________________________

______________________________

7. ¿Cuánto dinero ganó Vd. el verano pasado? ______________________________

______________________________

8. ¿En qué fecha celebró Vd. su cumpleaños? ______________________________

______________________________

9. ¿A qué hora regresó Vd. a casa ayer? ______________________________

______________________________

10. ¿Con quién tomó Vd. la cena anoche? ______________________________

______________________________

**I.** Complete the Spanish sentences.

1. Last night I watched an interesting television program.

   Anoche ____________________ un programa de televisión interesante.

2. Did you count the minutes?

   ¿________________________ vosotros los minutos?

3. We traveled far from home.

_________________________ lejos de casa.

4. Did the thief confess his crime?

¿_____________________ el ladrón su crimen?

5. They closed the door of the apartment.

_________________________________ la puerta del apartamento.

6. The bell rang at eleven A.M.

El timbre ___________________ a las once de la mañana.

7. I found some coins on the floor.

_____________________ algunas monedas en el suelo.

8. You did not complete the exercise yesterday.

Tú no _________________________ el ejercicio ayer.

9. Why did you shout at your friend?

¿Por qué _____________________ a tu amigo?

10. The pupils answered in a loud voice.

Los alumnos _________________________ en voz alta.

**J.** Translate into Spanish.

1. Did you (vosotros) find some coins on the floor? ____________________________________

_______________________________________________________________________________

2. They didn't remember the date. ______________________________________________

3. She wore her blue dress yesterday. ____________________________________________

4. Who painted that pretty picture? ______________________________________________

5. With what did you (tú) cut the bread? __________________________________________

6. I walked in the open air last night. ____________________________________________

7. Why did you sing that song? _________________________________________________

8. We didn't speak to the teacher in English. ______________________________________

_______________________________________________________________________________

9. They answered all the questions. ______________________________________________

10. We chatted with our friends in the morning. _____________________________________

_______________________________________________________________________________

## 14. PRETERITE TENSE OF REGULAR *-ER* AND *-IR* VERBS

The preterite tense of regular **-er** and **-ir** verbs is formed by dropping the infinitive ending (**-er** or **-ir**) and adding to the stem the endings **-í, -iste, -ió; -imos, -isteis, -ieron.**

**perder,** to lose

*I lost, I did lose*

| *Singular* | | *Plural* | |
|---|---|---|---|
| yo | perd***í*** | nosotros, -as | perd***imos*** |
| tú | perd***iste*** | vosotros, -as | perd***isteis*** |
| Vd.<br>él, ella | perd***ió*** | Vds.<br>ellos, ellas | perd***ieron*** |

**abrir,** to open

*I opened, I did open*

| | | | |
|---|---|---|---|
| yo | abr***í*** | nosotros, -as | abr***imos*** |
| tú | abr***iste*** | vosotros, -as | abr***isteis*** |
| Vd.<br>él, ella | abr***ió*** | Vds.<br>ellos, ellas | abr***ieron*** |

*Note*

A. The preterite endings (**-í, -iste, -ió; -imos, -isteis, -ieron**) are the same for **-er** and **-ir** verbs.

B. In the **-ir** verbs, the first person plural ending (**-imos**) is the same as in the present tense. In the **-er** verbs, however, the endings are different.

beb**e**mos, we drink — beb***i***mos, we drank
viv**i**mos, we live — viv**i**mos, we lived

C. Stem-changing verbs ending in **-er** do *not* change the stem vowel in the preterite. Stem-changing verbs ending in **-ir** have special stem changes in the preterite, which are not discussed in this book.

D. The written accent is usually omitted over the following preterite forms of **ver:** ***vi, vio.***

*EXERCISES*

**A.** Write the correct form of the verb in the present and preterite and translate into English.

EXAMPLE: Ella *entender* la lección.

(*Present*) (*Preterite*)

*entiende*, she understands; *entendió*, she understood

**1.** ¿*Asistir* vosotros al concierto? ______________________________

**2.** Tú *correr* abajo rápidamente. ______________________________

**3.** Los niños *romper* el sofá. ______________________________

4. Nosotros no *comer* bastante. ______

5. Yo *cubrir* la cabeza con la gorra. ______

6. Nosotros *vivir* en la misma calle. ______

7. Vds. *partir* para Alemania el lunes. ______

8. El accidente *ocurrir* a las dos. ______

9. El alumno *volver* a su pupitre. ______

10. Las señoras *subir* en el ascensor. ______

**B.** Complete the English sentences.

| | |
|---|---|
| 1. Salimos de paseo a las ocho. | ______ for a walk at eight o'clock. |
| 2. Tú bebiste una copa de vino. | ______ a glass of wine. |
| 3. ¿Vio Vd. estrellas en el cielo anoche? | ______ stars in the sky last night? |
| 4. Ellas no comprendieron las reglas. | ______ the rules. |
| 5. Ella cosió una falda roja. | ______ a red skirt. |
| 6. Vds. escribieron el dictado correctamente. | ______ the dictation correctly. |
| 7. ¿Aprendisteis mucho en la clase de química? | ______ a lot in the chemistry class? |
| 8. ¿Respondió Vd. en ruso? | ______ in Russian? |
| 9. Yo perdí el camino. | ______ my way. |
| 10. Los soldados defendieron el puente. | The soldiers ______ the bridge. |

**C.** Change the infinitive to the preterite tense, using the indicated subjects.

1. *Descubrir* una nueva tierra. (*a*) yo (*b*) el viajero (*c*) tú (*d*) nosotros

(*a*) Descubrí (*c*) Descubriste
(*b*) Descubrió (*d*) Descubrimos

2. *Desaparecer* detrás de la casa. (*a*) el animal (*b*) ellos (*c*) nosotros (*d*) ella

(*a*) Desapareció (*c*) Desaparecimos
(*b*) Desaparecieron (*d*) Desapareció

3. *Resolver* el problema. (*a*) ellos (*b*) el abogado (*c*) yo (*d*) nosotros

(*a*) Resolvieron (*c*) Resolví
(*b*) Resolvió (*d*) Resolvimos

4. *Aparecer* en la fábrica. (*a*) ellas (*b*) yo (*c*) el dueño (*d*) vosotras

(*a*) Aparecieron (*c*) Apareció
(*b*) Aparecí (*d*) Aparecisteis

**5.** *Abrir* el armario. (*a*) vosotros (*b*) tú (*c*) Vds. (*d*) la chica

(*a*) Abristeis (*c*) Abrieron

(*b*) Abriste (*d*) Abrió

**6.** *Reconocer* el vestido azul. (*a*) yo (*b*) tú (*c*) tú y yo (*d*) vosotras

(*a*) Reconocí (*c*) Reconocimos

(*b*) Reconociste (*d*) ____________

**7.** *Dividir* los dulces. (*a*) mi hermana (*b*) él y yo (*c*) yo (*d*) él

(*a*) Dividió (*c*) Dividí

(*b*) Dividimos (*d*) Dividió

**8.** *Vender* los billetes. (*a*) nosotros (*b*) yo (*c*) Vd. (*d*) ellos

(*a*) Vendimos (*c*) Vendiste

(*b*) Vendí (*d*) Vendieron

**9.** *Esconder* dinero en el bolsillo. (*a*) Vds. (*b*) tú (*c*) el ladrón (*d*) yo

(*a*) Escondisteis (*c*) Escondió

(*b*) Escondiste (*d*) Escondí

**10.** *Sufrir* demasiado. (*a*) yo (*b*) nosotros (*c*) tú (*d*) vosotras

(*a*) Sufrí (*c*) Sufriste

(*b*) Sufrimos (*d*) Sufristeis

**D.** Change the subject and verb to the plural.

1. ¿*Bebiste tú* leche o café? ____________
2. *Yo asistí* a la iglesia el domingo. ____________
3. *Yo* no *entendí* la lección de español. ____________
4. ¿*Comió Vd.* la fruta verde? ____________
5. *El joven decidió* ir a la fiesta. ____________
6. *Vd. omitió* la mitad del ejercicio. ____________
7. *Él recibió* un regalo el año pasado. ____________
8. ¿*Ofreciste tú* una propina al chófer? ____________
9. *La hija obedeció* a su padre. ____________
10. *Mi abuelo prometió* llegar en abril. ____________

**E.** Change the subject and verb to the singular.

1. *Los niños corrieron* por el parque. ____________
2. *Vds. subieron* por la escalera. ____________
3. ¿*Salieron Vds.* bien en el examen? ____________
4. *Los ciudadanos defendieron* la bandera. ____________
5. *Nosotros vimos* una película interesante. ____________
6. ¿Por qué no *respondisteis vosotros* en voz alta? ____________

7. *Ellas escribieron* dos cartas. ______________________

8. ¿*Aprendisteis vosotros* un poco de portugués? ______________________

9. *Ellas vendieron* el automóvil. ______________________

10. ¿*Quiénes devolvieron* la cartera al sastre? ______________________

**F.** Answer the following questions affirmatively in Spanish. ("Sí, . . .")

1. ¿Entendió Vd. todas las frases? ______________________
2. ¿Recibió Vd. regalos para su cumpleaños? ______________________
3. ¿Comprendió Vd. la lección? ______________________
4. ¿Resolvió Vd. recibir buenas notas este semestre? ______________________
5. ¿Ofreció Vd. ayuda anoche a su mamá? ______________________
6. ¿Apareció Vd. en la escuela a tiempo? ______________________
7. ¿Escondió Vd. su cartera en el bolsillo? ______________________
8. ¿Ocurrió algo importante el domingo pasado? ______________________
9. ¿Abrió Vd. su libro al entrar en la clase? ______________________
10. ¿Volvió Vd. a casa a pie ayer? ______________________

**G.** Answer the following questions negatively in Spanish. ("No, . . .")

1. ¿Perdió Vd. algo ayer? ______________________
2. ¿Vendió Vd. sus libros? ______________________
3. ¿Sufrió Vd. un resfriado recientemente? ______________________
4. ¿Corrió Vd. a la escuela esta mañana? ______________________
5. ¿Respondió Vd. hoy en voz baja? ______________________
6. ¿Rompió Vd. una taza ayer? ______________________
7. ¿Obedeció Vd. a su hermano menor? ______________________
8. ¿Dividió Vd. su dinero entre sus compañeros? ______________________
9. ¿Asistió Vd. a la escuela el sábado? ______________________
10. ¿Omitió Vd. las partes difíciles de la lección? ______________________

**H.** Answer the following questions in Spanish.

1. ¿Qué vio Vd. en la televisión anoche? ______________________
2. ¿Qué comió Vd. anoche? ______________________
3. ¿Cómo subió Vd. a esta clase, por la escalera o en el ascensor? ______________________

**4.** ¿A qué hora volvió Vd. a casa ayer? ______________________________

**5.** ¿Con qué cubrió Vd. las manos esta mañana? ______________________________

______________________________

**6.** ¿Cuándo salió Vd. de la escuela ayer? ______________________________

**7.** ¿Quién descubrió a América? [Colón] ______________________________

**8.** ¿Qué bebió Vd. esta mañana? ______________________________

**9.** ¿Qué lección aprendieron Vds. hoy? ______________________________

**10.** ¿Dónde vivió su familia el año pasado? ______________________________

______________________________

**I.** Complete the Spanish sentences.

| | |
|---|---|
| **1.** We promised to pay the money. | ______________ pagar el dinero. |
| **2.** The pupils left at three o'clock. | Los alumnos ______________ a las tres. |
| **3.** Did you drink much wine? | ¿______________ tú mucho vino? |
| **4.** Who opened the windows? | ¿Quién ______________ las ventanas? |
| **5.** My brother and I received many gifts. | Mi hermano y yo ______________ muchos regalos. |
| **6.** Last night we saw your brother. | Anoche ______________ a su hermano. |
| **7.** The gentleman replied: "Very well." | El señor ______________: —Muy bien. |
| **8.** We learned to swim last summer. | ______________ a nadar el verano pasado. |
| **9.** He did not understand the words. | ______________ las palabras. |
| **10.** They decided to buy an automobile. | ______________ comprar un automóvil. |

**J.** Translate into Spanish.

**1.** We wrote some letters yesterday. ______________________________

**2.** Why didn't you return the books? ______________________________

**3.** Did you (tú) describe the thief? ______________________________

**4.** They defended their friends. ______________________________

**5.** We didn't recognize our uncle. ______________________________

**6.** The farmers sold vegetables. ______________________________

**7.** My mother sewed the shirt. ______________________________

**8.** The train departed at three p.m. ______________________________

**9.** Who ate the green apples? ______________________________

**10.** Did you (vosotros) lose some money? ______________________________

## 15. PRETERITE TENSE OF IRREGULAR VERBS—PART I: *I*-STEM VERBS; VERBS ENDING IN *-DUCIR*

### *I*-STEM VERBS

Some irregular verbs have **i** as the preterite stem vowel.

| | **decir,** to say, to tell | **hacer,** to do, to make | **querer,** to want, to wish | **venir,** to come |
|---|---|---|---|---|
| | *I said (told), I did say (tell)* stem ***dij-*** | *I did (made), I did do (make)* stem ***hic-*** | *I wanted (wished), I did want (wish)* stem ***quis-*** | *I came, I did come* stem ***vin-*** |
| yo | **dije** | **hice** | **quise** | **vine** |
| tú | **dijiste** | **hiciste** | **quisiste** | **viniste** |
| Vd., él, ella | **dijo** | **hizo** | **quiso** | **vino** |
| nosotros, -as | **dijimos** | **hicimos** | **quisimos** | **vinimos** |
| vosotros, -as | **dijisteis** | **hicisteis** | **quisisteis** | **vinisteis** |
| Vds., ellos, -as | **dijeron** | **hicieron** | **quisieron** | **vinieron** |

*Note*

A. Most verbs that are irregular in the preterite have a uniform set of endings: **-e, -iste, -o; -imos, -isteis, -ieron.**

B. In the verb **hacer** there is a change from **c** to **z** (**hizo**) in the third person singular.

C. In the third person plural, **-ieron** becomes **-eron** whenever a **j** precedes the ending (**di*j*eron**).

### VERBS ENDING IN *-DUCIR*

**traducir,** to translate

*I translated, I did translate, etc.*

stem ***traduj-***

| *Singular* | | *Plural* | |
|---|---|---|---|
| yo | tradu***je*** | nosotros, -as | tradu***jimos*** |
| tú | tradu***jiste*** | vosotros, -as | tradu***jisteis*** |
| Vd. / él, ella | tradu***jo*** | Vds. / ellos, ellas | tradu***jeron*** |

*Note*

A. All verbs ending in **-ducir** are conjugated like **traducir** (**conducir, producir,** etc.).

B. In the third person plural, **-ieron** becomes **-eron** when a **j** precedes the ending (**tradu*j*eron, condu*j*eron, produ*j*eron**).

*EXERCISES*

(*I*-Stem Verbs)

**A.** Write the correct form of the verb in the present and the preterite, and translate into English.

EXAMPLE: Vd. *venir* a tiempo.

(*Present*) (*Preterite*)

*Vd. viene,* you come; *Vd. vino,* you came

1. Yo no *venir* en febrero. ____________________
2. ¿*Querer* Vd. luchar por la democracia? ____________________
3. Ellas *venir* a las nueve. ____________________
4. Yo *decir* "adiós" a mis amigos. ____________________
5. Él *querer* vivir en una casa particular. ____________________
6. Yo no *hacer* las cosas difíciles. ____________________
7. Nosotros *venir* a la escuela en autobús. ____________________
8. ¿Por qué *hacer* Vd. eso? ____________________
9. Los científicos *decir* la verdad. ____________________
10. ¿Qué *hacer* tú en la cocina? ____________________

**B.** Change the infinitive to the preterite tense, using the indicated subjects.

1. *Querer* comprar medias de algodón. (*a*) Ana (*b*) vosotros (*c*) tú (*d*) ellos
   (*a*) ____________ (*c*) ____________
   (*b*) ____________ (*d*) ____________
2. *Decir* la frase en alemán. (*a*) el maestro (*b*) Vds. (*c*) yo (*d*) nosotros
   (*a*) ____________ (*c*) ____________
   (*b*) ____________ (*d*) ____________
3. *Venir* al templo solamente una vez. (*a*) ellas (*b*) yo (*c*) nosotros (*d*) tú
   (*a*) ____________ (*c*) ____________
   (*b*) ____________ (*d*) ____________
4. ¿Qué *hacer* anoche? (*a*) Vd. y ellas (*b*) Vd. (*c*) ellas (*d*) vosotros
   (*a*) ____________ (*c*) ____________
   (*b*) ____________ (*d*) ____________
5. *Hacer* muchas preguntas. (*a*) yo (*b*) mi hermana (*c*) ellos (*d*) nosotros
   (*a*) ____________ (*c*) ____________
   (*b*) ____________ (*d*) ____________

**C.** Change the subject and verb from the singular to the plural or vice versa.

1. *Los dueños* no *hicieron* nada. ____________________
2. *Nosotros dijimos* la respuesta en voz baja. ____________________
3. ¿*Quiso ella* salir con sus hijos? ____________________

4. ¿Qué *hiciste tú* el verano pasado? ----------------------------------------
5. *Nosotros quisimos* tocar el piano. ----------------------------------------
6. *Vd. dijo* la palabra correctamente. ----------------------------------------
7. *Yo vine* a las diez de la mañana. ----------------------------------------
8. ¿*Quisisteis vosotros* comer chocolate? ----------------------------------------
9. *Yo* no *hice* el ejercicio. ----------------------------------------
10. *Los viajeros vinieron* tarde a la estación. ----------------------------------------

**D.** Answer the following questions affirmatively in Spanish. ("Sí, . . .")

1. ¿Hizo Vd. todos los ejercicios para hoy? ----------------------------------------
2. ¿Vino Vd. a la escuela temprano? ----------------------------------------
3. ¿Quiso Vd. estudiar anoche? ----------------------------------------
4. ¿Vino Vd. a la clase con su cuaderno? ----------------------------------------
5. ¿Dijo Vd. "buenos días" al entrar en la clase? ----------------------------------------
----------------------------------------------------------------

**E.** Answer the following questions negatively in Spanish. ("No, . . .")

1. ¿Dijo Vd. "buenas noches" por la mañana? ----------------------------------------
----------------------------------------------------------------
2. ¿Quiso Vd. ir al teatro esta mañana? ----------------------------------------
3. ¿Vino Vd. a la clase sin pluma y lápiz? ----------------------------------------
----------------------------------------------------------------
4. ¿Quiso Vd. dormir a las dos de la tarde? ----------------------------------------
----------------------------------------------------------------
5. ¿Hizo Vd. demasiado trabajo hoy? ----------------------------------------

**F.** Answer the following questions in Spanish.

1. ¿Qué dijo Vd. al saludar a sus amigos? ----------------------------------------
----------------------------------------------------------------
2. ¿A qué hora vino Vd. a la escuela hoy? ----------------------------------------
----------------------------------------------------------------
3. ¿Qué película quiso Vd. ver la semana pasada? ----------------------------------------
----------------------------------------------------------------
4. ¿Con quién hizo Vd. su trabajo ayer? ----------------------------------------
----------------------------------------------------------------
5. ¿Qué hizo Vd. en casa anoche? ----------------------------------------
----------------------------------------------------------------

**G.** Complete the Spanish sentences.

1. She did the work rapidly. ______________________________ el trabajo rápidamente.
2. Did they say the words in Portuguese? ¿___________________________ las palabras en portugués?
3. I didn't want to repeat the sentence. ____________________________________ repetir la frase.
4. His wife came to the restaurant late. Su esposa __________________________ tarde al restaurante.
5. What did the teacher say to the lazy pupil? ¿Qué __________________ el profesor al alumno perezoso?

(Verbs Ending in *-ducir*)

**H.** Write the correct form of the verb in the present and the preterite, and translate into English.

EXAMPLE: Él *traducir* la frase.
*traduce*, he translates; *tradujo*, he translated

1. La gallina *producir* huevos. ________________________________________________
2. ¿*Traducir* Vds. todo el párrafo? ____________________________________________
3. El guía *conducir* al viajero por todas partes. ____________________________________
4. ¿*Producir* tú música con ese instrumento? _______________________________________
5. Yo no *conducir* el coche. __________________________________________________

**I.** Change the subject and verb from the singular to the plural or vice versa.

1. ¿*Quiénes* no *tradujeron* toda la página? ___________________________________
2. *Nosotros produjimos* música en el violín. ___________________________________
3. ¿*Tradujiste tú* toda la lección? ___________________________________
4. *Las plantas produjeron* muchas frutas. ___________________________________
5. *El piloto condujo* el vapor por el río. ___________________________________

**J.** Translate into Spanish (*i*-stem and *-ducir* verbs).

1. I came here to (para) see my cousin. ___________________________________________
_____________________________________________________________________________
2. Did you (vosotros) want to listen to the program? ____________________________________
_____________________________________________________________________________
3. They told many interesting things. _______________________________________________
4. Did you (tú) translate the paragraph into Spanish? ___________________________________
_____________________________________________________________________________
5. We came to their house in the morning. ___________________________________________
_____________________________________________________________________________

6. The farmer did his work early yesterday. ______________________________

______________________________________________________________

7. At eleven o'clock we wanted to drink. ______________________________

______________________________________________________________

8. The trees produced many fruits. ______________________________

9. They translated the letter immediately. ______________________________

10. My brother did not drive the car quickly. ______________________________

______________________________________________________________

**Juan Manuel de Rosas (1793–1877) was a ruthless dictator who governed Argentina for twenty-four years. His rule was a reign of terror. He suppressed all opposition, confiscated property and murdered, imprisoned or exiled his enemies. He was overthrown in 1852 and fled to England.**

## 16. PRETERITE TENSE OF IRREGULAR VERBS—PART II: *U*-STEM VERBS

Some irregular verbs have **u** as the preterite stem vowel.

**andar,** to walk (preterite stem ***anduv-***)
***anduve, anduviste, anduvo; anduvimos, anduvisteis, anduvieron***

**estar,** to be (preterite stem ***estuv-***)
***estuve, estuviste, estuvo; estuvimos, estuvisteis, estuvieron***

**poder,** to be able, could (preterite stem ***pud-***)
***pude, pudiste, pudo; pudimos, pudisteis, pudieron***

**poner,** to put (preterite stem ***pus-***)
***puse, pusiste, puso; pusimos, pusisteis, pusieron***

**saber,** to know (preterite stem ***sup-***)
***supe, supiste, supo; supimos, supisteis, supieron***

**tener,** to have (preterite stem ***tuv-***)
***tuve, tuviste, tuvo; tuvimos, tuvisteis, tuvieron***

*Note*

A. Most verbs that are irregular in the preterite have a uniform set of endings: **-e, -iste, -o; -imos, -isteis, -ieron.**

B. The verb **saber** in the preterite often means *found out.*

*EXERCISES*

**A.** Write the correct form of the verb in the present and the preterite, and translate into English.

EXAMPLE: Ella *poner* el sombrero sobre la mesa.
*pone,* she puts; *puso,* she put

1. Él *estar* en México. ______________________
2. José no *poder* jugar. ______________________
3. Nosotros *andar* por la plaza. ______________________
4. ¿Cómo *saber* Vds. la noticia? ______________________
5. ¿Por qué *poner* Vds. las flores allí? ______________________
6. Yo *estar* en la sala. ______________________
7. ¿*Poder* tú ver el accidente? ______________________
8. Mis padres *tener* que trabajar. ______________________
9. El burro *andar* por el camino. ______________________
10. Yo *tener* un examen hoy. ______________________

**B.** Complete the English sentences.

1. ¿Estuvieron Vds. aquí el domingo pasado? ________________ here last Sunday?
2. Vd. tuvo un helado ayer. ________________ ice cream yesterday.
3. Ellos supieron jugar al tenis. ________________ to play tennis.
4. ¿Cuánto tiempo estuvo ella en el hospital? How long ________________ in the hospital?
5. ¿Por qué anduvisteis hacia el este? Why ________________ toward the east?
6. No pudimos venir. ________________ come.
7. Ellos anduvieron menos de media hora. ________________ less than a half hour.
8. Yo supe la dirección de la muchacha. ________________ the girl's address.
9. ¿Dónde pusiste las llaves? Where ________________ the keys?
10. La niña puso el dedo en la boca. The child ________________ her finger in her month.

**C.** Change the infinitive to the preterite tense, using the indicated subjects.

1. *Estar* aquí el miércoles. (*a*) ellos (*b*) el músico (*c*) tú (*d*) yo

(*a*) ________________ (*c*) ________________

(*b*) ________________ (*d*) ________________

2. ¿No *poder* comprender la quinta lección? (*a*) tú (*b*) Vd. (*c*) Vds. (*d*) ella

(*a*) ________________ (*c*) ________________

(*b*) ________________ (*d*) ________________

3. *Poner* el pañuelo en el bolsillo. (*a*) tú (*b*) vosotros (*c*) ellas (*d*) Vd.

(*a*) ________________ (*c*) ________________

(*b*) ________________ (*d*) ________________

4. *Tener* un resfriado. (*a*) ella (*b*) el profesor (*c*) tú (*d*) yo

(*a*) ________________ (*c*) ________________

(*b*) ________________ (*d*) ________________

5. *Poner* el cuadro en la pared. (*a*) su esposo (*b*) ellas (*c*) tú (*d*) Vd.

(*a*) ________________ (*c*) ________________

(*b*) ________________ (*d*) ________________

6. *Tener* dolor de muelas ayer. (*a*) mi hermana (*b*) yo (*c*) nosotros (*d*) Vds.

(*a*) ________________ (*c*) ________________

(*b*) ________________ (*d*) ________________

7. No *poder* comer el postre. (*a*) yo (*b*) tú (*c*) Vds. (*d*) ella

(*a*) ________________ (*c*) ________________

(*b*) ________________ (*d*) ________________

**8.** *Estar* contentos. (*a*) nosotros (*b*) los alumnos (*c*) vosotros (*d*) Vds.

(*a*) ____________________ (*c*) ____________________

(*b*) ____________________ (*d*) ____________________

**9.** *Saber* la noticia en noviembre. (*a*) ellas y yo (*b*) yo (*c*) ellas (*d*) él

(*a*) ____________________ (*c*) ____________________

(*b*) ____________________ (*d*) ____________________

**10.** *Andar* por todas partes. (*a*) nosotras (*b*) yo (*c*) él (*d*) vosotros

(*a*) ____________________ (*c*) ____________________

(*b*) ____________________ (*d*) ____________________

**D.** Change the subject and verb to the plural.

1. *El ladrón estuvo* en la cárcel un año. ____________________
2. ¿*Pusiste tú* la carta en el sobre? ____________________
3. *Yo anduve* por una calle estrecha. ____________________
4. *El elefante anduvo* despacio. ____________________
5. ¿Por qué no *pudiste tú* hacer eso? ____________________
6. *Yo puse* las monedas en la caja. ____________________
7. *Ella supo* la respuesta correcta. ____________________
8. *Yo estuve triste.* ____________________
9. ¿*Tuvo Vd.* dolor de cabeza ayer? ____________________
10. *Ella* no *pudo* beber el café sin azúcar. ____________________

**E.** Change the subject and verb to the singular.

1. *Los maestros pudieron* leer el papel fácilmente. ____________________
2. ¿*Anduvisteis vosotros* por el puente? ____________________
3. *Los viajeros anduvieron* hacia el oeste. ____________________
4. ¿Por qué no *pusieron Vds.* mantequilla en la mesa? ____________________
5. *Nosotras* no *pudimos* subir la montaña. ____________________
6. ¿*Pusisteis vosotros* limón en el té? ____________________
7. *Nosotros estuvimos* mal ayer. ____________________
8. *Ellos tuvieron* una clase de química esta mañana. ____________________
9. *Nosotros* no *supimos* la explicación. ____________________
10. *Ellas estuvieron* en el hotel a las doce. ____________________

**F.** Answer the following questions affirmatively in Spanish. ("Sí, . . .")

1. ¿Estuvo Vd. en el supermercado ayer? ____________________

2. ¿Puso Vd. su ropa en el armario anoche? ______________________________

3. ¿Tuvo Vd. buenas notas el semestre pasado? ______________________________

4. ¿Pudo Vd. estudiar anoche? ______________________________

5. ¿Anduvo Vd. a la escuela con otro alumno? ______________________________

6. ¿Estuvo Vd. en casa anoche? ______________________________

7. ¿Anduvo Vd. por el parque el domingo? ______________________________

8. ¿Tuvieron Vds. que escribir los ejercicios en la pizarra? ______________________________

9. ¿Pudo Vd. ver la luna anoche? ______________________________

10. ¿Supo Vd. contestar todas estas preguntas? ______________________________

**G.** Answer the following questions negatively in Spanish. ("No, . . .")

1. ¿Pudo Vd. dormir ayer por la tarde? ______________________________

2. ¿Estuvo Vd. en el campo ayer? ______________________________

3. ¿Tuvo Vd. que estudiar demasiado anoche? ______________________________

4. ¿Anduvo Vd. a la escuela hoy sin zapatos? ______________________________

5. ¿Supo Vd. una noticia mala recientemente? ______________________________

6. ¿Estuvo Vd. ausente ayer? ______________________________

7. ¿Pudo Vd. resolver todos sus problemas ayer? ______________________________

8. ¿Puso Vd. sal en el café esta mañana? ______________________________

9. ¿Anduvo Vd. sin abrigo el invierno pasado? ______________________________

10. ¿Tuvo Vd. mucho trabajo en la cocina ayer? ______________________________

**H.** Answer the following questions in Spanish.

1. ¿Dónde puso Vd. sus libros anoche? ______________________________

2. ¿Qué pudo Vd. aprender en esta clase hoy? ______________________________

3. ¿Quién estuvo enfermo en su familia recientemente? ______________________________

______________________________________________________________

4. ¿Cuánto dinero tuvo Vd. esta mañana? ______________________________
5. ¿Quién puso la mesa anoche en su casa? ______________________________
6. ¿Cuántas horas pudo Vd. dormir anoche? ______________________________

______________________________________________________________

7. ¿Cuántos ejercicios tuvieron Vds. que escribir? ______________________________

______________________________________________________________

8. ¿Con quién anduvo Vd. a casa ayer? ______________________________
9. ¿Dónde estuvo Vd. a las diez de la mañana hoy? ______________________________

______________________________________________________________

10. ¿Cuántas de estas preguntas supo Vd. contestar? ______________________________

______________________________________________________________

**I.** Complete the Spanish sentences.

1. He put his hat on the chair. ______________ el sombrero en la silla.
2. Were you sick? ¿______________ tú enfermo?
3. Those children could not enter. Aquellos niños ______________ entrar.
4. Why were you happy? ¿Por qué ______________ Vd. alegre?
5. The girls put the flowers on the table. Las muchachas ______________ las flores en la mesa.
6. They couldn't come yesterday. ______________ venir ayer.
7. I had to work on Saturday. ______________ que trabajar el sábado.
8. He walked through the square. ______________ por la plaza.
9. I did not know how to answer the question. ______________ contestar la pregunta.
10. I had a hard test this morning. ______________ un examen difícil esta mañana.

**J.** Translate into Spanish.

1. I put the coins in my pocket. ______________________________
2. He found out the name of the girl. ______________________________
3. My brother was not ill yesterday. ______________________________
4. They were here at half past three. ______________________________
5. We walked to school with our friends. ______________________________

______________________________________________________________

6. Were you able to translate those sentences? ______________________________

______________________________________________________________

7. Did you (tú) know how to complete the exercise? ______________________________

______________________________________________________________

**8.** The guide walked quickly. ________________________________

**9.** They could not drive the car. ________________________________

**10.** I had to cover my Spanish book last night. ________________________________

________________________________

**Cervantes' *Don Quijote de la Mancha* is the most famous literary work in Spanish. It was first published in 1605, and has been translated into most languages. Don Quijote, who imagines that he is a knight, travels about the countryside with his servant, Sancho Panza, looking for injustices to correct and wicked giants to kill. Cervantes' original purpose in writing this novel was to ridicule the books of chivalry that were popular at the time. But as he proceeded, the work broadened into a vast panoramic view of society and human nature.**

## 17. PRETERITE TENSE OF IRREGULAR VERBS—PART III

1. The following verbs have a written accent over the **i** of the ending, except in the third person (singular and plural), where the **i** changes to **y.**

**caer,** to fall (preterite stem ***ca-***)

caí, caíste, ca*y*ó; caímos, caísteis, ca*y*eron

**creer,** to believe (preterite stem ***cre-***)

creí, creíste, cre*y*ó; creímos, creísteis, cre*y*eron

**leer,** to read (preterite stem ***le-***)

leí, leíste, le*y*ó; leímos, leísteis, le*y*eron

**oír,** to hear (preterite stem ***o-***)

oí, oíste, o*y*ó; oímos, oísteis, o*y*eron

2. The verb **traer** is conjugated as follows:

**traer,** to bring (preterite stem ***traj-***)

***traje, trajiste, trajo; trajimos, trajisteis, trajeron***

3. The verb **dar,** although it ends in **-ar,** takes the regular **-er, -ir** verb endings in the preterite.

**dar,** to give (preterite stem ***d-***)

***di, diste, dio; dimos, disteis, dieron***

4. The verbs **ir** and **ser** have the same forms in the preterite.

**ir,** to go<br>**ser,** to be } (preterite stem ***fu-***)

***fui, fuiste, fue; fuimos fuisteis, fueron***

*Note*

A. In the third person plural, **-ieron** becomes **-eron** when a **j** precedes the ending **(tra*j*eron).**

B. In verb forms of one syllable, the accent mark over the ending is usually omitted **(di, dio; fui, fue).**

*EXERCISES*

**A.** Write the correct form of the verb in the present and the preterite and translate into English.

EXAMPLE: Yo *traer* el tocadiscos.

*traigo*, I bring; *traje,* I brought

**1.** ¿*Leer* vosotros en la biblioteca? ______________________________

**2.** El niño *creer* a sus padres. ______________________________

**3.** ¿Cuándo *ir* tú a Europa? ______________________________

**4.** El alumno *ir* a su asiento. ______________________________

**5.** Mi corbata *ser* amarilla. ______________________________

**6.** Ellas *caer* de nuevo. ______________________________

**7.** Yo *dar* un paseo en automóvil. ______________________________

**8.** Al entrar, él *oír* un ruido. ______________________________

**9.** ¿*Traer* Vd. la receta a la farmacia? ______________________________

**10.** Nosotros *leer* un párrafo corto. ______________________________

**B.** Complete the English sentences.

**1.** No fue al cine hoy. ______________________ to the movies today.

**2.** Dio el libro al profesor. ______________________ the book to the teacher.

**3.** Fuimos al teatro ayer. ______________________ to the theater yesterday.

**4.** Oyeron un ruido. ______________________ a sound.

**5.** Fue necesario vender el coche. ______________________ necessary to sell the car.

**6.** ¿Quién trajo los dulces? Who ______________________ the candy?

**7.** Caímos enfermos. ______________________ ill.

**8.** No leí el periódico. ______________________ the newspaper.

**9.** ¿Dónde cayó ella? Where ______________________ ?

**10.** Anita no lo creyó. Anita ______________________ it.

**C.** Change the infinitive to the preterite tense, using the indicated subjects.

**1.** *Dar* las gracias a todos. (*a*) yo (*b*) ellas (*c*) tú (*d*) Vd.

(*a*) ______________________ (*c*) ______________________

(*b*) ______________________ (*d*) ______________________

**2.** *Leer* la carta otra vez. (*a*) la chica (*b*) Vds. (*c*) yo (*d*) tú

(*a*) ______________________ (*c*) ______________________

(*b*) ______________________ (*d*) ______________________

**3.** *Ser* inteligente(s). (*a*) Vds. (*b*) tú (*c*) nosotros (*d*) el científico

(*a*) ______________________ (*c*) ______________________

(*b*) ______________________ (*d*) ______________________

**4.** ¿*Ir* allí el martes? (*a*) tú (*b*) mi prima (*c*) Vds. (*d*) vosotros

(*a*) ______________________ (*c*) ______________________

(*b*) ______________________ (*d*) ______________________

**5.** *Caer* por la escalera. (*a*) Luis (*b*) Vds. (*c*) vosotros (*d*) yo

(*a*) ______________________ (*c*) ______________________

(*b*) ______________________ (*d*) ______________________

**6.** *Traer* una lámpara. (*a*) yo (*b*) el criado (*c*) tú (*d*) nosotros

(*a*) ______________________ (*c*) ______________________

(*b*) ______________________ (*d*) ______________________

**7.** *Oír* la canción. (*a*) ella y yo (*b*) vosotros (*c*) yo (*d*) ella

(*a*) ______________________ (*c*) ______________________

(*b*) ______________________ (*d*) ______________________

8. *Ser* muy guapa(s). (*a*) Vd. (*b*) ellas (*c*) Marta (*d*) tú

(*a*) ---------------------------------- (*c*) ----------------------------------

(*b*) ---------------------------------- (*d*) ----------------------------------

9. *Creer* a los hijos. (*a*) la señora (*b*) ellos (*c*) vosotros (*d*) nosotros

(*a*) ---------------------------------- (*c*) ----------------------------------

(*b*) ---------------------------------- (*d*) ----------------------------------

10. *Oír* las campanas. (*a*) nosotros (*b*) Vds. (*c*) yo (*d*) la gente

(*a*) ---------------------------------- (*c*) ----------------------------------

(*b*) ---------------------------------- (*d*) ----------------------------------

**D.** Change the subject and verb to the plural, and make any other necessary changes.

1. *El botón cayó* de mi chaqueta. ----------------------------------------
2. *Ella fue* a la zapatería. ----------------------------------------
3. ¿*Creíste tú* todo eso? ----------------------------------------
4. *Yo* no *di* las cerezas al niño. ----------------------------------------
5. ¿No *creyó Vd.* a su tío? ----------------------------------------
6. *Yo traje* una botella de tinta a la escuela. ----------------------------------------
7. ¿*Leíste tú* las noticias en castellano? ----------------------------------------
8. ¿*Dio Vd.* bastante dinero al dueño? ----------------------------------------
9. *Yo* no *oí* la frase. ----------------------------------------
10. *Yo fui americano.* ----------------------------------------

**E.** Change the subject and verb to the singular, and make any other necessary changes.

1. *Nosotros* siempre *creímos* en la democracia. ----------------------------------------
2. *Ellas* no *creyeron* la historia. ----------------------------------------
3. *Nosotros* no *trajimos* los discos. ----------------------------------------
4. ¿*Oyeron Vds.* las noticias? ----------------------------------------
5. ¿*Disteis vosotros* una manzana a la maestra? ----------------------------------------
6. *Ellos fueron* muy *felices.* ----------------------------------------
7. *Los papeles cayeron* debajo del escritorio. ----------------------------------------
8. ¿Por qué no *dieron Vds.* leche al gato? ----------------------------------------
9. ¿*Leísteis vosotros* un cuento en francés? ----------------------------------------
10. *Los viajeros fueron* hacia el este. ----------------------------------------

**F.** Answer the following questions affirmatively in Spanish. ("Sí, . . .")

1. ¿Fue Vd. a la iglesia o al templo la semana pasada? ----------------------------------------

----------------------------------------------------------------------------------------

2. ¿Leyó Vd. un poco de historia para hoy? ----------------------------------------

----------------------------------------------------------------------------------------

3. ¿Oyó Vd. las noticias anoche en la televisión? ______________________________

______________________________________________________________________

4. ¿Creyó Vd. las promesas de sus padres? ______________________________

5. ¿Trajo Vd. varios libros a la escuela hoy? ______________________________

6. ¿Dio el profesor un examen recientemente? ______________________________

______________________________________________________________________

7. ¿Fue difícil el examen? ______________________________

8. ¿Cayó Vd. enfermo(-a) el año pasado? ______________________________

9. ¿Trajo Vd. un regalo a su mamá para su cumpleaños? ______________________________

______________________________________________________________________

10. ¿Leyó Vd. la lección para hoy? ______________________________

**G.** Answer the following questions negatively in Spanish. ("No, . . .")

1. ¿Oyó Vd. bien todas las explicaciones hoy? ______________________________

2. ¿Trajo Vd. un paraguas hoy? ______________________________

3. ¿Leyó Vd. muchos libros en español? ______________________________

4. ¿Dio Vd. siempre la respuesta correcta? ______________________________

5. ¿Cayó mucha nieve anoche? ______________________________

6. ¿Fue Vd. a la panadería para comprar carne? ______________________________

______________________________________________________________________

7. ¿Fue alcalde su padre? ______________________________

8. ¿Creyó Vd. los cuentos de su abuela? ______________________________

9. ¿Oyó Vd. música en la televisión esta mañana? ______________________________

10. ¿Fue Vd. un estudiante perezoso (una estudiante perezosa)? ______________________________

______________________________________________________________________

**H.** Answer the following questions in Spanish:

1. ¿A qué hora fue Vd. a casa ayer? ______________________________

2. ¿Cuándo cayó Vd. enfermo(-a)? ______________________________

3. ¿Qué oyó Vd. anoche en la televisión? ______________________________

4. ¿Qué libro leyó Vd. la semana pasada? ______________________________

5. ¿Qué regalo dio Vd. a su amigo para su cumpleaños? ______________________________

______________________________________________________________________

6. ¿Qué trajo Vd. hoy a la escuela? ______________________________

7. ¿A dónde fue Vd. el domingo pasado? ______________________________

______________________________________________________________________

8. ¿Cuándo fue su cumpleaños? ______________________________

9. ¿En qué estación cayeron las hojas de los árboles? ______________________________

______________________________

10. ¿A qué hora dio Vd. un paseo ayer? ______________________________

______________________________

**I.** Complete the Spanish sentences.

1. We did not read the magazine. ______________________________ la revista.
2. The plates fell to the floor. Los platos ______________________________ al suelo.
3. Didn't you bring the record player? ¿______________________________ Vd. el tocadiscos?
4. They didn't believe the news. ______________________________ la noticia.
5. I heard a noise. ______________________________ un ruido.
6. When did you go to the theater? ¿Cuándo ______________________________ tú al teatro?
7. They gave the money to the owner. ______________________________ el dinero al dueño.
8. It was important to study a lot. ______________________________ importante estudiar mucho.
9. Why did you read that letter? ¿Por qué ______________________________ vosotras aquella carta?
10. Charles and I went to the beach. Carlos y yo ______________________________ a la playa.

**J.** Translate into Spanish.

1. We went to the park at eleven o'clock. ______________________________
2. I fell down (por) the stairs. ______________________________
3. Why didn't you believe (a) your uncle? ______________________________
4. We were very happy there. ______________________________
5. Many apples fell from the trees. ______________________________
6. Did you (tú) give a party last week? ______________________________
7. I brought a gift for my cousin. ______________________________
8. The teacher read each paragraph. ______________________________
9. I didn't bring my record player. ______________________________
10. They heard a loud noise. ______________________________

## 18. MASTERY EXERCISES

(LESSONS 13–17)

**A.** Change the verb to the preterite tense.

1. *Vendemos* la cómoda. ----------------------------------------
2. *Digo* "buenos días" a la profesora. ----------------------------------------
3. *Luchamos* contra un enemigo débil. ----------------------------------------
4. ¿*Crees* al comerciante? ----------------------------------------
5. *Entra* en la alcoba. ----------------------------------------
6. ¿*Invitas* a tus amigos? ----------------------------------------
7. Ella *oye* un ruido. ----------------------------------------
8. *Ofrezco* veinte y cinco centavos por la pluma. ----------------------------------------
9. ¿Por qué no *traducen* Vds. las frases? ----------------------------------------
10. No *podemos* venir. ----------------------------------------
11. *Regresan* a las diez de la noche. ----------------------------------------
12. ¿Cuánto dinero *da* Vd. al carnicero? ----------------------------------------
13. *Esconde* el regalo detrás de la cortina. ----------------------------------------
14. *Vienen* en agosto. ----------------------------------------
15. El accidente *ocurre* cerca de la escuela. ----------------------------------------
16. *Es* importante escuchar con atención. ----------------------------------------
17. ¿*Aprendes* bien las reglas? ----------------------------------------
18. *Anuncia* la noticia en voz baja. ----------------------------------------
19. ¿Adónde *andan* los niños? ----------------------------------------
20. Ellos *van* a casa. ----------------------------------------
21. No *abro* las ventanas. ----------------------------------------
22. *Caemos* enfermos. ----------------------------------------
23. ¿*Traes* un paraguas hoy? ----------------------------------------
24. ¿Por qué *pones* el cuaderno allí? ----------------------------------------
25. *Compro* un chaleco. ----------------------------------------

**B.** Change the subject and verb from the singular to the plural or vice versa.

1. *Ellas supieron* la noticia el invierno pasado. ----------------------------------------
2. *Yo quise* abrir la puerta. ----------------------------------------
3. ¿*Estudiasteis vosotros* la lección correcta? ----------------------------------------
4. *Nosotras salimos* de la ciudad en julio. ----------------------------------------
5. *Vds. admiraron* a la muchacha guapa. ----------------------------------------
6. ¿No *cantasteis vosotros* canciones españolas? ----------------------------------------

7. *Yo visité* el mismo lugar. ________________

8. *El turista viajó* por los Estados Unidos. ________________

9. ¿*Devolviste tú* los mil dólares? ________________

10. *Nosotros bailamos* el tango. ________________

11. *La maestra leyó* la carta dos veces. ________________

12. *Ellas* no *encontraron* medias de nilón. ________________

13. *Nosotras bebimos* café negro, sin leche. ________________

14. *El autor trabajó* en una habitación pequeña. ________________

15. *Yo prometí* acompañar a María más tarde. ________________

16. *La señora usó* un mantel rojo en la mesa. ________________

17. ¿*Descubrieron Vds.* una caja de hierro? ________________

18. *Ella besó* a sus hijos. ________________

19. *Yo estuve* cuatro horas en mi dormitorio. ________________

20. *Nosotros hicimos* ejercicios en el gimnasio. ________________

**C.** Change the infinitive to the preterite tense, using the indicated subjects.

1. ¿*Comer* papas? (*a*) yo (*b*) los soldados (*c*) tú (*d*) vosotros

(*a*) ________________ (*c*) ________________

(*b*) ________________ (*d*) ________________

2. *Andar* por el apartamiento. (*a*) yo (*b*) nosotros (*c*) Vds. (*d*) vosotros

(*a*) ________________ (*c*) ________________

(*b*) ________________ (*d*) ________________

3. *Partir* en octubre. (*a*) ellos (*b*) el vapor (*c*) tú (*d*) yo

(*a*) ________________ (*c*) ________________

(*b*) ________________ (*d*) ________________

4. *Correr* abajo. (*a*) yo (*b*) Vds. (*c*) los alumnos (*d*) nadie

(*a*) ________________ (*c*) ________________

(*b*) ________________ (*d*) ________________

5. *Tener* pescado para la cena. (*a*) yo (*b*) mi mamá y yo (*c*) tú (*d*) mi mamá

(*a*) ________________ (*c*) ________________

(*b*) ________________ (*d*) ________________

6. *Esperar* hasta la una. (*a*) él (*b*) nosotros (*c*) vosotras (*d*) yo

(*a*) ________________ (*c*) ________________

(*b*) ________________ (*d*) ________________

7. No *subir* en el ascensor. (*a*) nosotros (*b*) la mujer (*c*) vosotros (*d*) Vds.

(*a*) ________________ (*c*) ________________

(*b*) ________________ (*d*) ________________

8. *Estar* en la bodega. (*a*) vosotros (*b*) mi hermana (*c*) Vds. (*d*) nosotros

(*a*) ---------------------------------- (*c*) ----------------------------------

(*b*) ---------------------------------- (*d*) ----------------------------------

9. *Pasar* el día en el patio. (*a*) tú (*b*) ella (*c*) nosotros (*d*) Vds.

(*a*) ---------------------------------- (*c*) ----------------------------------

(*b*) ---------------------------------- (*d*) ----------------------------------

10. *Aparecer* en el palacio. (*a*) nosotros (*b*) el rey (*c*) vosotros (*d*) Vd.

(*a*) ---------------------------------- (*c*) ----------------------------------

(*b*) ---------------------------------- (*d*) ----------------------------------

11. *Poner* cosas en el baúl. (*a*) ellos (*b*) el turista (*c*) yo (*d*) tú

(*a*) ---------------------------------- (*c*) ----------------------------------

(*b*) ---------------------------------- (*d*) ----------------------------------

12. *Ir* a la cafetería. (*a*) ella (*b*) nosotros (*c*) Vds. (*d*) yo

(*a*) ---------------------------------- (*c*) ----------------------------------

(*b*) ---------------------------------- (*d*) ----------------------------------

13. *Saludar* a todos al entrar. (*a*) tú (*b*) vosotras (*c*) ella (*d*) ellos

(*a*) ---------------------------------- (*c*) ----------------------------------

(*b*) ---------------------------------- (*d*) ----------------------------------

14. *Coser* un par de pantalones. (*a*) tú (*b*) el sastre (*c*) yo (*d*) ellos

(*a*) ---------------------------------- (*c*) ----------------------------------

(*b*) ---------------------------------- (*d*) ----------------------------------

15. *Producir* peras. (*a*) aquel árbol (*b*) los campesinos (*c*) nosotros (*d*) Vd.

(*a*) ---------------------------------- (*c*) ----------------------------------

(*b*) ---------------------------------- (*d*) ----------------------------------

**D.** Replace the verbs in italics with the corresponding forms of the verbs in parentheses.

1. ¿*Escribieron* Vds. la receta?

(copiar) ---------------------------------- (entender) ----------------------------------

2. ¿*Cenasteis* a las seis en punto?

(bajar) ---------------------------------- (desaparecer) ----------------------------------

3. *Terminamos* en seguida.

(regresar) ---------------------------------- (salir) ----------------------------------

4. ¿No *examinaste* el cuadro?

(reconocer) ---------------------------------- (describir) ----------------------------------

5. *Recordó* la promesa.

(hacer) ---------------------------------- (dar) ----------------------------------

6. *Cubrimos* el mapa.
(mostrar) ______________________________ (comprender) ______________________________

7. *Comieron* en silencio.
(escuchar) ______________________________ (leer) ______________________________

8. Vds. *hablaron* en voz alta.
(responder) ______________________________ (traducir) ______________________________

9. El ladrón *perdió* la cartera.
(robar) ______________________________ (recibir) ______________________________

10. ¿*Acompañaste* a tus padres?
(obedecer) ______________________________ (creer) ______________________________

11. La gente *volvió* al concierto.
(asistir) ______________________________ (venir) ______________________________

12. ¿*Llamaste* el taxi?
(ver) ______________________________ (conducir) ______________________________

13. Yo no *conservé* los discos.
(traer) ______________________________ (romper) ______________________________

14. Los niños *escondieron* los platos.
(limpiar) ______________________________ (devolver) ______________________________

15. ¿Quién *gobernó* la república?
(defender) ______________________________ (amar) ______________________________

**E.** Complete each sentence with the correct form of the verb in italics.

1. Yo no *acepté* la propina. ¿______________________ tú una propina? Todos los camareros ______________________ propinas.
2. ¿*Resolvió* Vd. el problema? Los maestros ______________________ muchos problemas. Yo no ______________________ ningún problema.
3. ¿Cuántos años *vivieron* Vds. allí? Nosotros ______________________ en ese país tres años. Nuestro primo nunca ______________________ allí.
4. Ella *oyó* las noticias. ¿______________________ Alberto y Vd. las noticias? Nosotros siempre ______________________ las noticias.
5. Yo *decidí* visitar a mis parientes. Mi hermana ______________________ pasar la tarde en casa. Mis amigos ______________________ ir al cine.
6. ¿Qué *dijo* Vd.? Yo no ______________________ nada. Arturo y Marta ______________________ muchas cosas.
7. Yo no *sufrí* una enfermedad el año pasado. Mi madre ______________________ una enfermedad. ¿______________________ tú una enfermedad?

8. ¿*Cortaste* el pastel? Mi madre ______________________ el pastel. Yo ______________________ el pan ayer.
9. Él *expresó* la frase en español. Nosotros no ______________________ ningunas frases en español. ¿______________________ vosotros algunas palabras en italiano?
10. ¿*Omitió* Vd. parte de la lección? Nosotros no ______________________ nada. Juana y Pedro siempre ______________________ unas frases.

**F.** Answer the following questions in Spanish. Questions followed by "(A)" are to be answered affirmatively, those followed by "(N)," negatively.

1. ¿Gastó Vd. mucho dinero ayer? (N) ______________________
2. ¿Pudo Vd. completar su trabajo anoche? (A) ______________________
3. ¿Dio el profesor un examen esta semana? (A) ______________________
4. ¿A qué hora volvió Vd. a casa ayer? ______________________
5. ¿Quién borró la pizarra hoy? ______________________
6. ¿Contestó Vd. las preguntas en portugués? (N) ______________________
7. ¿Comprendieron Vds. la lección? (A) ______________________
8. ¿Leyó Vd. el periódico hoy? (A) ______________________
9. ¿Cerró Vd. su libro después de estudiar? (A) ______________________
10. ¿Qué comió Vd. anoche? ______________________
11. ¿Miró Vd. la televisión esta mañana? (N) ______________________
12. ¿Ayudó Vd. a sus padres el verano pasado? (A) ______________________
13. ¿Ocurrió un accidente hoy? (N) ______________________
14. ¿Aprendió Vd. mucho hoy? (A) ______________________
15. ¿Prestó Vd. atención hoy en clase? (A) ______________________
16. ¿Condujo Vd. el automóvil de la familia hoy? (N) ______________________
17. ¿Cuándo celebró Vd. su cumpleaños? ______________________
18. ¿Anduvo Vd. por el parque el domingo? (A) ______________________
19. ¿A qué hora entraron Vds. en la clase de español? ______________________
20. ¿Con quién caminó Vd. a la escuela hoy? ______________________

21. ¿Tomó Vd. el desayuno anoche? (N) ______________________________

22. ¿Quién inventó el teléfono? ______________________________

23. ¿Cayó Vd. enfermo(-a) la semana pasada? (N) ______________________________

______________________________

24. ¿Cuándo vio Vd. a sus amigos? ______________________________

25. ¿Dejó Vd. en casa su libro de español? (N) ______________________________

26. ¿Cómo saludó Vd. al maestro (a la maestra) hoy? ______________________________

______________________________

27. ¿Dividió Vd. su almuerzo con un compañero? (N) ______________________________

______________________________

28. ¿Ya preparó Vd. la lección para mañana? (N) ______________________________

______________________________

29. ¿Dónde vivió su familia el año pasado? ______________________________

30. ¿Supo Vd. contestar bien todas estas preguntas? (A) ______________________________

______________________________

G. Complete the Spanish sentences.

1. I helped my father yesterday. ______________ a mi padre ayer.
2. Where was Henry? ¿Dónde ______________ Enrique?
3. I learned to swim last summer. ______________ a nadar el verano pasado.
4. They received a letter from Louise. ______________ una carta de Luisa.
5. Who heard the news? ¿Quién ______________ las noticias?
6. I gave the necktie to my brother. ______________ la corbata a mi hermano.
7. They traveled through South America. ______________ por la América del Sur.
8. The teacher read the book. El profesor ______________ el libro.
9. They sold the new house. ______________ la casa nueva.
10. We did the exercises. ______________ los ejercicios.
11. What did you say? ¿Qué ______________ tú?
12. Where did it fall? ¿Dónde ______________?
13. Did you listen to the radio last night? ¿______________ vosotros la radio anoche?
14. They wanted to see the movie. ______________ ver la película.
15. The girls put flowers on the table yesterday. Las muchachas ______________ flores en la mesa ayer.
16. At what time did they eat? ¿A qué hora ______________?
17. Why didn't they come to the party? ¿Por qué ______________ a la fiesta?
18. Did you bring the records? ¿______________ tú los discos?

19. They went to the market. ________________ al mercado.

20. We took the train at two o'clock. ________________ el tren a las dos.

**H.** Translate into Spanish.

1. Why did you (tú) open the box? ________________
2. His cows produced much milk. ________________
3. John and I went to the movies. ________________
4. He painted a beautiful picture. ________________
5. I could not visit my friend. ________________
6. They promised to visit their parents tomorrow. ________________
________________
7. We learned an important lesson today. ________________
8. When did you (*pl.*) return home? ________________
9. Mary did not sell her bicycle. ________________
10. How much money did you give your son? ________________
________________
11. The whole class pronounced the words correctly. ________________
________________
12. We didn't buy the house. ________________
13. My brother had to work. ________________
14. We chatted three hours with our friends. ________________
________________
15. Did the thief confess the crime? ________________

## 19. THE IMPERFECT TENSE (OPTIONAL)

### IMPERFECT TENSE OF REGULAR VERBS

| | **mostrar,** to show | **volver,** to return | **vivir,** to live |
|---|---|---|---|
| | *I was showing, used to show, showed* | *I was returning, used to return, returned* | *I was living, used to live, lived* |
| yo | mostr***aba*** | volv***ía*** | viv***ía*** |
| tú | mostr***abas*** | volv***ías*** | viv***ías*** |
| Vd. / él, ella | mostr***aba*** | volv***ía*** | viv***ía*** |
| nosotros, -as | mostr***ábamos*** | volv***íamos*** | viv***íamos*** |
| vosotros, -as | mostr***abais*** | volv***íais*** | viv***íais*** |
| Vds. / ellos, ellas | mostr***aban*** | volv***ían*** | viv***ían*** |

*Note*

A. The imperfect tense of regular verbs is formed by dropping the infinitive ending (**-ar, -er,** or **-ir**) and adding the following endings:

**-ar** verbs: **-aba, -abas, -aba, -ábamos, -abais, -aban**

**-er** verbs / **-ir** verbs: **-ía, -ías, -ía, -íamos, -íais, -ían**

B. Verbs that are stem-changing in the present do not change the stem vowel in the imperfect.

C. The first and third person singular forms are the same. The subject pronouns are used if they are necessary to clarify the meaning of the verb.

### IMPERFECT TENSE OF IRREGULAR VERBS

The only verbs that are irregular in the imperfect tense are:

**ir,** to go: ***iba, ibas, iba; íbamos, ibais, iban***

**ser,** to be: ***era, eras, era; éramos, erais, eran***

**ver,** to see: ***veía, veías, veía; veíamos, veíais, veían***

### USES OF THE IMPERFECT TENSE

The imperfect is used:

1. To express (*a*) what was happening, (*b*) what used to happen, or (*c*) what happened usually or repeatedly in the past.

*a.* La muchacha **cantaba** mientras **bail*á*bamos.** — The girl sang (= was singing) while we danced (= were dancing).

*b.* **Viv*í*amos** en México. — We lived (= used to live) in Mexico.

*c.* Yo **trabajaba** a menudo durante las vacaciones. — I often worked (= used to work) during the vacation.

2. To describe persons or things in the past.

Juana **era** alta y bonita. — Jane was tall and pretty.

Los aviones **eran** muy grandes. — The airplanes were very large.

3. To express the time of day (hour) in the past.

**Eran** las once. — It was eleven o'clock.

4. To describe what was going on in the past (imperfect) when something else began or ended (preterite). (See Verb Lesson 13 for uses of the preterite.)

Yo ***escribía*** una carta cuando Carlos **entró.** — I was writing a letter when Charles entered.

*EXERCISES*

**A.** Complete the English sentences.

**1.** Comíamos en aquel restaurante. ______________ in that restaurant.

**2.** La lección era difícil. The lesson ______________ difficult.

**3.** Todas las muchachas cantaban. All the girls ______________.

**4.** Eran las tres. ______________ three o'clock.

**5.** ¿Qué decías a Pedro? What ______________ to Peter?

**6.** Los niños iban a la escuela. The children ______________ to school.

**7.** Le veíamos a menudo. ______________ him often.

**8.** Admirábamos mucho al autor. ______________ the author a great deal.

**9.** Yo vivía en Colorado. ______________ in Colorado.

**10.** Los muchachos corrían por el parque. The children ______________ through the park.

**B.** Write the correct form of **ir, ser,** or **ver** in the imperfect tense.

**1.** Nosotros *ser* buenos amigos. ______________

**2.** Mi compañero y yo *ver* muchos programas los domingos. ______________

**3.** ¿*Ir* Vd. a visitar a Ana? ______________

**4.** Su hermana *ser* muy hermosa. ______________

**5.** Nosotros *ir* al cine los sábados. ______________

**6.** El señor González *ser* rico. ______________

**7.** Yo *ir* a su casa a menudo. ______________

**8.** Algunas veces Pablo *ver* a Luisa en el mercado. ______________

**9.** Ellos *ir* a aquel lugar todos los días. ______________

**10.** La catedral *ser* muy grande. ______________

**C.** Change the infinitive to the imperfect tense, using the indicated subjects.

1. *Escribir* en la pizarra. (*a*) ellas (*b*) tú (*c*) nosotros (*d*) Vd.
   (*a*) ________________ (*c*) ________________
   (*b*) ________________ (*d*) ________________
2. *Ir* al campo. (*a*) tú (*b*) Vds. (*c*) nosotros (*d*) yo
   (*a*) ________________ (*c*) ________________
   (*b*) ________________ (*d*) ________________
3. *Ver* a Enrique a menudo. (*a*) vosotros (*b*) Vd. (*c*) ellas (*d*) nosotros
   (*a*) ________________ (*c*) ________________
   (*b*) ________________ (*d*) ________________
4. ¿Por qué *llorar*? (*a*) ellas (*b*) tú (*c*) nosotros (*d*) Vd.
   (*a*) ________________ (*c*) ________________
   (*b*) ________________ (*d*) ________________
5. *Venir* aquí. (*a*) nosotras (*b*) ella (*c*) Vd. y él (*d*) tú
   (*a*) ________________ (*c*) ________________
   (*b*) ________________ (*d*) ________________
6. No *poder* estudiar. (*a*) vosotros (*b*) Alfredo y yo (*c*) yo (*d*) Alfredo
   (*a*) ________________ (*c*) ________________
   (*b*) ________________ (*d*) ________________
7. *Vivir* en Buenos Aires. (*a*) vosotros (*b*) María y Ana (*c*) yo (*d*) él
   (*a*) ________________ (*c*) ________________
   (*b*) ________________ (*d*) ________________
8. *Escuchar* con atención. (*a*) vosotros (*b*) Pedro y Alberto (*c*) él (*d*) yo
   (*a*) ________________ (*c*) ________________
   (*b*) ________________ (*d*) ________________
9. *Ser* alumnos de la misma escuela. (*a*) nosotros (*b*) él (*c*) tú (*d*) yo
   (*a*) ________________ (*c*) ________________
   (*b*) ________________ (*d*) ________________
10. *Leer* una revista. (*a*) ellas (*b*) tú (*c*) nosotros (*d*) Vd.
    (*a*) ________________ (*c*) ________________
    (*b*) ________________ (*d*) ________________

**D.** Replace the verbs in italics with the corresponding forms of the verbs in parentheses.

1. Yo *dejaba* el libro en la mesa.
   (poner) ________________ (ver) ________________
2. *Andábamos* despacio.
   (ir) ________________ (trabajar) ________________

3. *Cenaban* en el comedor.
   (charlar) ________________ (coser) ________________
4. La camarera *servía* café.
   (beber) ________________ (preparar) ________________
5. Ellos *buscaban* mucho dinero.
   (tener) ________________ (desear) ________________
6. ¿Por qué *copiabais* la lección?
   (repetir) ________________ (enseñar) ________________
7. *Debían* hacer eso.
   (querer) ________________ (olvidar) ________________
8. María *abría* la puerta.
   (cerrar) ________________ (pintar) ________________
9. Papá *conducía* un coche.
   (vender) ________________ (comprar) ________________
10. No *cuidaba* a su hermano.
   (amar) ________________ (responder) ________________

**E.** Change the verb to the imperfect tense.

1. Los elefantes *existen* en el bosque. ________________
2. *Somos* buenos amigos. ________________
3. El sol *aparece* todos los días. ________________
4. *Anuncian* las noticias en la radio. ________________
5. *Vamos* a la iglesia los domingos. ________________
6. ¿A qué hora *comienza* la película? ________________
7. Yo siempre *digo* la verdad. ________________
8. Los muebles *cuestan* demasiado. ________________
9. Nosotros no *ganamos* mucho. ________________
10. Yo no *sé* nada. ________________

**F.** Answer the following questions affirmatively in Spanish. ("Sí, . . .")

Cuando Vd. era un niño pequeño (una niña pequeña) . . .

1. ¿Acompañaba Vd. a su mamá a las tiendas? ________________
2. ¿Obedecía Vd. a sus padres? ________________
3. ¿Besaba Vd. a su mamá todos los días? ________________
4. ¿Almorzaba Vd. siempre en casa? ________________
5. ¿Jugaba Vd. todo el día? ________________
6. ¿Vivía Vd. en esta ciudad? ________________
7. ¿Lloraba Vd. a menudo? ________________

8. ¿Era Vd. un niño bueno (una niña buena)? ______________________________

9. ¿Poseía Vd. muchos juguetes? ______________________________

10. ¿Gritaba Vd. mucho? ______________________________

**G.** Answer the following questions negatively in Spanish. ("No, . . .")

Cuando Vd. era un niño pequeño (una niña pequeña) . . .

1. ¿Patinaba Vd. mucho? ______________________________

2. ¿Visitaba Vd. al dentista a menudo? ______________________________

3. ¿Entendía Vd. el español? ______________________________

4. ¿Fumaba Vd.? ______________________________

5. ¿Asistía Vd. a la universidad? ______________________________

6. ¿Necesitaba Vd. mucho dinero en el bolsillo? ______________________________
______________________________

7. ¿Limpiaba Vd. su propio dormitorio? ______________________________

8. ¿Dividía Vd. su dinero con los otros niños? ______________________________
______________________________

9. ¿Quitaba Vd. a los otros niños sus juguetes? ______________________________
______________________________

10. ¿Caía Vd. enfermo(-a) a menudo? ______________________________

**H.** Answer the following questions in Spanish.

Cuando Vd. era un niño pequeño (una niña pequeña) . . .

1. ¿En qué cuarto escondía Vd. sus juguetes? ______________________________
______________________________

2. ¿A cuántas personas conocía Vd.? ______________________________

3. ¿Cuántos amigos tenía Vd.? ______________________________

4. ¿A quién respetaba Vd. más en el mundo? ______________________________
______________________________

5. ¿Cuándo visitaba Vd. a sus parientes? ______________________________

6. ¿Cuántos regalos recibía Vd. para su cumpleaños? ______________________________
______________________________

7. ¿Cómo llamaba Vd. a su padre? ______________________________

8. ¿Cuántas horas miraba Vd. la televisión cada día? ______________________________
______________________________

9. ¿Dónde pasaba su familia las vacaciones? ______________________________
______________________________

10. ¿A quién (quiénes) prestaba Vd. sus juguetes? ______________________________
______________________________

**I.** Complete the Spanish sentences.

**1.** He believed everybody.

______________________ a todo el mundo.

**2.** They seemed very tired.

___________________________ muy cansados.

**3.** She used to earn a great deal of money.

__________________________________ mucho dinero.

**4.** It was four o'clock when the train departed.

Eran las cuatro cuando el tren __________________.

**5.** It was raining when we left.

______________________ cuando salimos.

**6.** Paul used to study day and night.

Pablo ___________________________ día y noche.

**7.** He was blond and had blue eyes.

______________________ rubio y ______________________ los ojos azules.

**8.** I was carrying the suitcases when they saw me.

Yo llevaba las maletas cuando ellos me __________________________.

**9.** What were you doing during the day?

¿Qué _________________________ durante el día?

**10.** Who called the doctor?

¿Quién ______________________ al médico?

**J.** Translate into Spanish.

**1.** Alfred and Mary were dancing the tango. ______________________________________________

**2.** We used to work day and night. ______________________________________________

**3.** He was going to buy a green automobile. ______________________________________________

______________________________________________

**4.** The mother was sleeping while the children played. ______________________________________________

______________________________________________

**5.** She used to be my Spanish teacher. ______________________________________________

**6.** We often went to the country in the summer. ______________________________________________

______________________________________________

**7.** They used to see Charles every day. ______________________________________________

**8.** What were you doing while I was at home? ______________________________________________

______________________________________________

**9.** It was one o'clock when they called. ______________________________________________

**10.** He used to buy shoes in that shoe store. ______________________________________________

______________________________________________

## 20. REFLEXIVE VERBS (OPTIONAL)

**lavarse**, to wash (oneself), to get washed, etc.

### Present Tense

*I wash (myself), you wash (yourself), etc.*

| | | | |
|---|---|---|---|
| yo | ***me* lavo** | nosotros | ***nos* lavamos** |
| tú | ***te* lavas** | vosotros | ***os* laváis** |
| Vd., él, ella | ***se* lava** | Vds., ellos, -as | ***se* lavan** |

### Preterite Tense

*I washed (myself), you washed (yourself), etc.*

| | | | |
|---|---|---|---|
| yo | ***me* lavé** | nosotros | ***nos* lavamos** |
| tú | ***te* lavaste** | vosotros | ***os* lavasteis** |
| Vd., él, ella | ***se* lavó** | Vds., ellos, -as | ***se* lavaron** |

### Imperfect Tense

*I was washing (used to wash) myself, etc.*

| | | | |
|---|---|---|---|
| yo | ***me* lavaba** | nosotros | ***nos* lavábamos** |
| tú | ***te* lavabas** | vosotros | ***os* lavabais** |
| Vd., él, ella | ***se* lavaba** | Vds., ellos, -as | ***se* lavaban** |

### Commands

| AFFIRMATIVE | NEGATIVE |
|---|---|
| **lávese Vd.,** wash (yourself) | **no se lave Vd.,** don't wash (yourself) |
| **lávense Vds.,** wash (yourselves) | **no se laven Vds.,** don't wash (yourselves) |
| **lávate tú,** wash (yourself) (*fam.*) | |

*Note*

The reflexive pronouns are used with reflexive verbs in any tense. They usually add the following meanings to the verb:

| | |
|---|---|
| **me,** myself | **nos,** ourselves |
| **te,** yourself (familiar) | **os,** yourselves (familiar) |
| **se** { yourself (polite), himself, herself } | **se** { yourselves (polite), themselves } |

### POSITION OF REFLEXIVE PRONOUNS

Reflexive pronouns, like other object pronouns, are generally placed *before* the verb. However, they *follow* and are attached to the verb when the verb is an *infinitive* or an *affirmative command.*

NORMAL POSITION:

Los niños ***se*** lavan. — The children wash themselves ("get washed").

EXCEPTIONS:

1. *Infinitive*

Voy a lavar***me***. — I am going to wash myself (get washed).

2. *Affirmative Command*

Láve***se*** Vd. ahora. — Wash yourself (Get washed) now.

*but*

No ***se*** lave Vd. ahora. — Don't wash yourself (Don't get washed) now.

*Note*

A. Reflexive pronouns *follow* and are attached to the affirmative commands but are placed *before* the negative commands.

B. When a reflexive pronoun follows and is attached to the affirmative command, a written accent is usually required on the vowel that is stressed.

## COMMON REFLEXIVE VERBS

**acostarse (ue),** to go to bed
**bañarse,** to take a bath, to bathe
**desayunarse,** to eat (to have) breakfast
**despertarse (ie),** to wake up
**divertirse (ie),** to enjoy oneself, to have a good time
**irse,** to go away
**lavarse,** to wash (oneself), to get washed
**levantarse,** to get up, to stand up
**llamarse,** to be named, to be called
**peinarse,** to comb (one's hair)
**ponerse,** to put on (clothing)
**quedarse,** to remain, to stay
**quitarse,** to take off (clothing)
**sentarse (ie),** to sit down
**vestirse (i),** to dress (oneself), to get dressed

*Note*

A. Some verbs are reflexive in Spanish but do not have a reflexive meaning.
**nos quedamos,** we remain — **se va,** he goes away

B. Some reflexive verbs are also stem-changing. The stem change is indicated in the vocabulary lists by **(ie), (ue),** or **(i)** after the verb.

## *EXERCISES*

**A.** Replace the blank with the correct reflexive pronoun and translate each sentence into English. Supply an accent mark where required.

**1.** ¿Por qué no ______________ sientas en el sofá?

**2.** Nosotros ______________ acostamos tarde.

**3.** María ______________ peinaba.

**4.** Lava ______________ tú en seguida.

**5.** No ______________ vayan Vds.

**6.** Voy a bañar ______________.

**7.** Vds. nunca ______________ divierten.

**8.** Yo ______________ desayuné a las siete.

**9.** Necesitábamos vestir______________.

**10.** Ellos ______________ quedaron en casa ayer.

**B.** For each verb, write the affirmative and negative commands with **Vd.**, and the affirmative command with **tú.**

EXAMPLE: lavarse *lávese Vd.*; *no se lave Vd.*; *lávate tú*

**1.** levantarse ______________________________

**2.** sentarse ______________________________

**3.** acostarse ______________________________

**4.** desayunarse ______________________________

**5.** vestirse ______________________________

**6.** despertarse ______________________________

**7.** peinarse ______________________________

**8.** quedarse ______________________________

**9.** quitarse ______________________________

**10.** bañarse ______________________________

**C.** Change the infinitive to the indicated tense, using the indicated subjects.

**1.** present: *Acostarse* a las once. (*a*) yo (*b*) Vds. (*c*) vosotros (*d*) ellos

(*a*) ______________ (*c*) ______________

(*b*) ______________ (*d*) ______________

**2.** present: Entonces *sentarse.* (*a*) ellas (*b*) la maestra (*c*) tú (*d*) yo

(*a*) ______________ (*c*) ______________

(*b*) ______________ (*d*) ______________

**3.** imperfect: ¿Cómo *llamarse*? (*a*) tú (*b*) Vd. (*c*) tu hermana (*d*) ellas

(*a*) ______________ (*c*) ______________

(*b*) ______________ (*d*) ______________

**4.** present: *Irse* de la carnicería. (*a*) la señora (*b*) tú (*c*) Vds. (*d*) nosotros

(*a*) ______________ (*c*) ______________

(*b*) ______________ (*d*) ______________

**5.** preterite: *Despertarse* muy temprano. (*a*) nosotros (*b*) el gallo (*c*) tú (*d*) ellos

(*a*) ______________ (*c*) ______________

(*b*) ______________ (*d*) ______________

**6.** present: *Peinarse* el pelo moreno. (*a*) Vd. (*b*) yo (*c*) María y yo (*d*) María

(*a*) ---------------------------------- (*c*) ----------------------------------

(*b*) ---------------------------------- (*d*) ----------------------------------

**7.** preterite: ¿Para qué *levantarse*? (*a*) Vds. (*b*) tú (*c*) ella (*d*) vosotros

(*a*) ---------------------------------- (*c*) ----------------------------------

(*b*) ---------------------------------- (*d*) ----------------------------------

**8.** imperfect: *Quedarse* arriba. (*a*) ella (*b*) nosotras (*c*) vosotros (*d*) Vds.

(*a*) ---------------------------------- (*c*) ----------------------------------

(*b*) ---------------------------------- (*d*) ----------------------------------

**9.** present: Luego *desayunarse.* (*a*) la familia (*b*) yo (*c*) Vds. (*d*) vosotros

(*a*) ---------------------------------- (*c*) ----------------------------------

(*b*) ---------------------------------- (*d*) ----------------------------------

**10.** imperfect: *Lavarse* la cara y las orejas. (*a*) tú (*b*) yo (*c*) los niños (*d*) nosotros

(*a*) ---------------------------------- (*c*) ----------------------------------

(*b*) ---------------------------------- (*d*) ----------------------------------

**D.** Complete each sentence with the correct form of the verb in italics. For clarity, sentences requiring the command form are indicated by exclamation marks ("¡--- !").

**1.** Yo prefiero *vestirme* después del desayuno. Ella ------------------------------ antes de comer. Nosotros ---------------------- rápidamente.

**2.** Ellos *se bañan* por la noche. ¿Cuándo ------------------ tú? Es bueno ------------------ todos los días.

**3.** Muchas personas *se divierten* en el teatro. ¿Cómo ------------------------------- vosotros? ¡--------------------- Vds. esta tarde!

**4.** En casa mi amigo *se quita* la chaqueta. Yo no deseo --------------------- la chaqueta. Yo --------------------- solamente el sombrero.

**5.** Al salir, *nos ponemos* el abrigo. ¡--------------------- Vds. también los guantes! No queremos --------------------- la gorra.

**E.** Answer the following questions affirmatively in Spanish. ("Sí, . . .")

**1.** ¿Se levanta Vd. temprano por la mañana? ------------------------------------------

**2.** ¿Se viste Vd. inmediatamente? ------------------------------------------

**3.** ¿Se baña Vd. todos los días? ------------------------------------------

**4.** ¿Se peinó Vd. antes de desayunarse esta mañana? ------------------------------------------

------------------------------------------------------------------------------------

**5.** ¿Se ponía Vd. el abrigo cuando hacía frío? ------------------------------------------

**6.** ¿Se quitó Vd. el sombrero al entrar en la escuela hoy? ------------------------------------------

------------------------------------------------------------------------------------

7. ¿Se queda Vd. en la escuela muchas horas? ________________

________________

8. ¿Se divertía Vd. con sus amigos? ________________

9. ¿Se lava Vd. la cara y las manos antes de cenar? ________________

________________

10. ¿Se sienta Vd. para cenar? ________________

**F.** Answer the following questions negatively in Spanish. ("No, . . .")

1. ¿Se despertó Vd. tarde hoy? ________________
2. ¿Se queda Vd. en casa los sábados? ________________
3. ¿Se viste Vd. despacio? ________________
4. ¿Se desayuna Vd. por la noche? ________________
5. ¿Se fue Vd. de casa tarde esta mañana? ________________
6. ¿Se pone Vd. el sombrero al entrar en la escuela? ________________

________________

7. ¿Se divierten Vds. en la clase de español? ________________

________________

8. ¿Se sienta Vd. para andar? ________________
9. ¿Se quita Vd. el abrigo al salir de la escuela? ________________

________________

10. ¿Se acostaba Vd. por la tarde? ________________

**G.** Answer the following questions in Spanish.

1. ¿Cómo se llama Vd.? ________________
2. ¿A qué hora se levantó Vd. esta mañana? ________________

________________

3. ¿Se viste Vd. rápidamente o despacio? ________________
4. ¿Cuánto tiempo pasó Vd. en lavarse hoy? ________________

________________

5. ¿Con quien(-es) se desayunó Vd. hoy? ________________
6. ¿Cuándo se pone Vd. el abrigo? ________________
7. ¿Cuántas horas se queda Vd. en la escuela? ________________

________________

8. ¿Con quién(-es) se divierte Vd. durante el día? ________________

________________

9. ¿A qué hora se sienta Vd. para cenar? ________________
10. ¿Cuándo se acuesta Vd.? ________________

**H.** Complete the Spanish sentences.

1. My friend's name was Jane. Mi amiga ______________ Juana.
2. They remained at home. ______________ en casa.
3. The children enjoy themselves. Los niños ______________.
4. I do not wish to eat breakfast. No deseo ______________.
5. Wake up! ¡______________ Vds.!
6. Do not take off your coat. ______________ el abrigo.
7. The pupils were sitting down. Los alumnos ______________.
8. Why are you going away? ¿Por qué ______________ Vd.?
9. Put on your hat. ______________ Vd. el sombrero.
10. We got up early. ______________ temprano.

**I.** Translate into Spanish.

1. We used to eat breakfast slowly. ______________
2. I combed my hair in the morning. ______________
3. He takes a bath every day. ______________
4. Go to bed (Vd.) early. ______________
5. Why don't you wish to stay at home? ______________
6. He puts on his (el) coat and hat. ______________
7. They wake up early. ______________
8. My father's name is John. ______________
9. We went to bed at eleven o'clock last night. ______________
10. She gets dressed quickly. ______________

## 21. FUTURE TENSE OF REGULAR VERBS (OPTIONAL)

| | **hablar,** to speak | **comer,** to eat | **vivir,** to live |
|---|---|---|---|
| | *I shall (will) speak, etc.* | *I shall (will) eat, etc.* | *I shall (will) live, etc.* |
| yo | hablar***é*** | comer***é*** | vivir***é*** |
| tú | hablar***ás*** | comer***ás*** | vivir***ás*** |
| Vd., él, ella | hablar***á*** | comer***á*** | vivir***á*** |
| nosotros, -as | hablar***emos*** | comer***emos*** | vivir***emos*** |
| vosotros, -as | hablar***éis*** | comer***éis*** | vivir***éis*** |
| Vds., ellos, -as | hablar***án*** | comer***án*** | vivir***án*** |

*Note*

A. The future tense of regular verbs is formed by adding the endings **-é, -ás, -á, emos, -éis, -án** to the infinitive form of the verb.

B. All the endings have a written accent mark except **-emos.**

*EXERCISES*

**A.** Complete the English sentences.

**1.** Bajaré inmediatamente.

_________________________________ immediately.

**2.** Esta noche asistiremos al teatro.

Tonight ____________________________________ the theater.

**3.** Él usará el brazo derecho para trabajar.

________________________ his right arm to work.

**4.** Ese coche costará tres mil dólares.

That car ______________________ three thousand dollars.

**5.** ¿Cuándo anunciarán la fiesta?

When ____________________________________ the party?

**6.** Darán un paseo en coche esta tarde.

_______________________________ a ride this afternoon.

**7.** ¿Ofreceréis un juguete al niño?

_________________________________ a toy to the child?

**8.** Visitaremos al dentista mañana.

____________________________ the dentist tomorrow.

**9.** ¿Pedirás huevos duros en el restaurante?

___________________________________ hard eggs in the restaurant?

10. Celebraremos la Navidad en diciembre.

---------------------------------------- Christmas in December.

**B.** Change the infinitive to the future tense, using the indicated subjects.

1. No *descubrir* oro en el monte. (*a*) ellos (*b*) tú (*c*) Vd. (*d*) vosotros

(*a*) ------------------------------------ (*c*) ------------------------------------

(*b*) ------------------------------------ (*d*) ------------------------------------

2. ¿*Bailar* con la muchacha morena? (*a*) Pedro (*b*) Vds. (*c*) tú (*d*) vosotros

(*a*) ------------------------------------ (*c*) ------------------------------------

(*b*) ------------------------------------ (*d*) ------------------------------------

3. *Aprender* mucho en la clase de español. (*a*) nosotros (*b*) Vds. (*c*) ella (*d*) tú

(*a*) ------------------------------------ (*c*) ------------------------------------

(*b*) ------------------------------------ (*d*) ------------------------------------

4. *Vivir* en el segundo piso. (*a*) nosotras (*b*) ellos (*c*) yo (*d*) Vd.

(*a*) ------------------------------------ (*c*) ------------------------------------

(*b*) ------------------------------------ (*d*) ------------------------------------

5. No *patinar* en septiembre. (*a*) Vd. (*b*) vosotros (*c*) tú (*d*) yo

(*a*) ------------------------------------ (*c*) ------------------------------------

(*b*) ------------------------------------ (*d*) ------------------------------------

6. No *perder* el reloj de plata. (*a*) yo (*b*) Marta (*c*) vosotros (*d*) tú

(*a*) ------------------------------------ (*c*) ------------------------------------

(*b*) ------------------------------------ (*d*) ------------------------------------

7. *Volver* en junio. (*a*) ellos (*b*) vosotros (*c*) tú (*d*) yo

(*a*) ------------------------------------ (*c*) ------------------------------------

(*b*) ------------------------------------ (*d*) ------------------------------------

8. No *buscar* leones en el bosque. (*a*) el viajero (*b*) ellos (*c*) tú (*d*) vosotros

(*a*) ------------------------------------ (*c*) ------------------------------------

(*b*) ------------------------------------ (*d*) ------------------------------------

9. ¿*Gastar* poco dinero? (*a*) las mujeres (*b*) yo (*c*) nosotros (*d*) Vd.

(*a*) ------------------------------------ (*c*) ------------------------------------

(*b*) ------------------------------------ (*d*) ------------------------------------

10. No *pagar* el precio del libro. (*a*) nosotros (*b*) Vds. (*c*) tú (*d*) vosotros

(*a*) ------------------------------------ (*c*) ------------------------------------

(*b*) ------------------------------------ (*d*) ------------------------------------

**C.** Replace the verbs in italics with the corresponding forms of the verbs in parentheses.

1. ¿Adónde *correrás*?

(ir) ------------------------------------ (viajar) ------------------------------------

2. *Ganaré* cincuenta centavos.
   (poseer) ______________ (recibir) ______________
3. El campesino *hallará* su burro.
   (necesitar) ______________ (ver) ______________
4. ¿*Confesará* Vd. su error?
   (reconocer) ______________ (encontrar) ______________
5. Los niños *estarán* cerca de la casa.
   (jugar) ______________ (aparecer) ______________

**D.** Change the verb to the future tense.

1. Mi hermana *compra* una falda. ______________
2. *Comienzan* esta noche. ______________
3. Los alumnos *andan* a la escuela. ______________
4. Anita *cierra* las ventanas. ______________
5. *Abren* todos los regalos. ______________
6. El hijo del señor Álvarez *es* médico. ______________
7. *Invitamos* a nuestros compañeros. ______________
8. *Hablamos* español en la clase. ______________
9. *Leo* esta revista. ______________
10. ¿Con quién *almuerza* Vd.? ______________

**E.** Answer the following questions affirmatively in Spanish. ("Sí, . . .")

1. ¿Terminarán las clases en junio? ______________
2. ¿Recibirá Vd. buenas notas? ______________
3. ¿Estará Vd. contento(-a)? ______________
4. ¿Trabajará Vd. este verano? ______________
5. ¿Pasará Vd. mucho tiempo con sus amigos? ______________
   ______________
6. ¿Irá Vd. al campo por algunas semanas? ______________
7. ¿Nadará Vd. todos los días? ______________
8. ¿Dará Vd. un paseo por las tardes? ______________
9. ¿Asistirá Vd. al cine algunas veces? ______________
10. ¿Volverá Vd. a la escuela después del verano? ______________
   ______________

**F.** Answer the following questions negatively in Spanish. ("No, . . .")

1. ¿Cuidará Vd. a su hermano menor esta noche? ______________
   ______________

2. ¿Estará Vd. contento(-a) si recibe malas notas? ______________________________

______________________________

3. ¿Asistirá Vd. a la universidad el año que viene? ______________________________

______________________________

4. ¿Dormirá Vd. en la clase de español? ______________________________

5. ¿Omitirá Vd. los ejercicios difíciles de la lección? ______________________________

______________________________

6. ¿Escribirá Vd. en inglés las frases de la lección? ______________________________

______________________________

7. ¿Irá Vd. al teatro esta noche? ______________________________

8. ¿Copiará Vd. la lección de su amigo? ______________________________

9. ¿Celebrará Vd. su cumpleaños mañana? ______________________________

10. ¿Explicará Vd. la lección a la clase mañana? ______________________________

______________________________

**G.** Answer the following questions in Spanish.

1. ¿En qué mes empezarán las vacaciones? ______________________________

2. ¿Adónde irá Vd. durante el verano? ______________________________

3. ¿Cuándo volverá Vd. a la escuela? ______________________________

4. ¿A qué hora sonará el timbre para terminar la clase? ______________________________

______________________________

5. ¿Con qué cortará Vd. el pan y la carne? ______________________________

______________________________

6. ¿A qué hora entrará Vd. en casa esta tarde? ______________________________

______________________________

7. ¿Quién enseñará la lección a la clase? ______________________________

8. ¿A quién prestará Vd. atención todos los días? ______________________________

______________________________

9. ¿Con quiénes cenará Vd. esta noche? ______________________________

10. ¿Quién preparará la cena en su casa? ______________________________

**H.** Complete the Spanish sentences.

1. We shall visit Mr. Pereda. ______________________________ al Sr. Pereda.

2. I shall be there two weeks. ______________________________ allí dos semanas.

3. The children will play in the park. Los niños ______________________________ en el parque.

4. Will you write to your cousin Charles? ¿______________________________ Vd. a su primo Carlos?

5. We shall arrive at ten o'clock. ______________________________ a las diez.

6. Will I need a prescription? ¿______________________________ una receta?

7. I will speak to Peter tomorrow. ______________ a Pedro mañana.
8. You will lose the money. Vds. ______________ el dinero.
9. The maid will prepare the meal. La criada ______________ la comida.
10. How much will it cost? ¿Cuánto ______________?

**I.** Translate into Spanish.

1. We will dance all night. ______________
2. I will buy a gift for my sister. ______________
3. You (vosotros) will earn much money this summer. ______________

______________
4. How will you describe the thief? ______________
5. Will it rain this afternoon? ______________
6. The soldiers will defend the city. ______________
7. Will you (tú) wear your (el) coat today? ______________
8. The bell will sound at eight o'clock. ______________
9. Who will decide the day? ______________
10. With whom will you eat lunch? ______________

## 22. FUTURE TENSE OF IRREGULAR VERBS (OPTIONAL)

1. The following verbs drop the **e** of the infinitive ending before adding the regular future-tense endings.

**poder,** to be able (future stem ***podr-***)

podr**é** podr**ás**, podr**á**; podr**emos**, podr**éis**, podr**án**

**querer,** to wish, to want (future stem ***querr-***)

querr**é**, querr**ás**, querr**á**; querr**emos**, querr**éis**, querr**án**

**saber,** to know (future stem ***sabr-***)

sabr**é**, sabr**ás**, sabr**á**; sabr**emos**, sabr**éis**, sabr**án**

2. The following verbs change the **e** or **i** of the infinitive ending to **d** before adding the future-tense endings.

**poner,** to put (future stem ***pondr-***)

pondr**é**, pondr**ás**, pondr**á**; pondr**emos**, pondr**éis**, pondr**án**

**salir,** to leave, to go out (future stem ***saldr-***)

saldr**é**, saldr**ás**, saldr**á**; saldr**emos**, saldr**éis**, saldr**án**

**tener,** to have (future stem ***tendr-***)

tendr**é**, tendr**ás**, tendr**á**; tendr**emos**, tendr**éis**, tendr**án**

**venir,** to come (future stem ***vendr-***)

vendr**é**, vendr**ás**, vendr**á**; vendr**emos**, vendr**éis**, vendr**án**

3. Other irregular verbs in the future tense are:

**decir,** to say, to tell (future stem ***dir-***)

dir**é**, dir**ás**, dir**á**; dir**emos**, dir**éis**, dir**án**

**hacer,** to do, to make (future stem ***har-***)

har**é**, har**ás**, har**á**; har**emos**, har**éis**, har**án**

*Note*

A. All verbs, whether regular or irregular, have the same endings in the future tense (**-é, -ás, -á, -emos, -éis, -án**).

B. All the endings have an accent mark except **-emos.**

C. The verb **venir** in the future should not be confused with **vender,** which is regular (**venderé, venderás,** etc.).

*EXERCISES*

**A.** Change the infinitive to the correct form of the future tense.

**1.** Yo no *decir* nada. ________________________________

**2.** Ana y yo *venir* a las ocho. ________________________________

**3.** ¿Cuándo *salir* Vds.? ________________________________

**4.** Tú *tener* que estudiar más. ________________________________

5. ¿*Hacer* Vd. el trabajo mañana? ______________________________
6. José *querer* leer la revista. ______________________________
7. Nosotros *querer* ir al cine. ______________________________
8. ¿Quién *poder* ayudar a Luis? ______________________________
9. Vosotros *poner* los libros en el coche. ______________________________
10. Yo *saber* la respuesta mañana. ______________________________

**B.** Underline the verb form in parentheses that correctly completes the Spanish sentence.

1. I shall not be able to enjoy myself tomorrow.
No (podré, pondré) divertirme mañana.
2. We shall want to see the factory.
(Queremos, Querremos) ver la fábrica.
3. They will come with their friends.
(Vendrán, Venderán) con sus amigos.
4. Peter will know his address.
Pedro (sabrá, saldrá) su dirección.
5. What will they say to their parents?
¿Qué (dirán, darán) a sus padres?
6. You will have many toys.
Tú (tienes, tendrás) muchos juguetes.
7. I shall make the meal.
(Haré, Hace) la comida.
8. We shall put the radio in the kitchen.
(Ponemos, Pondremos) la radio en la cocina.
9. They will know how to solve the problem.
(Subirán, Sabrán) resolver el problema.
10. Will you leave tomorrow?
¿(Saldréis, Salís) mañana?

**C.** Change the verb from the present to the future tense, keeping the same subject.

1. Carlos *tiene* frío. ________________________
2. ¿*Pueden* Vds. quedarse? ________________________
3. Yo no *hago* preguntas al profesor. ________________________
4. Nosotros siempre *decimos* la verdad. ________________________
5. ¿Quién *quiere* dar un paseo? ________________________
6. Yo *sé* expresar la frase en alemán. ________________________
7. Mis amigos *vienen* a las siete. ________________________
8. Tú *dices* muchas cosas interesantes. ________________________
9. Yo *pongo* las violetas en la cómoda. ________________________
10. Ellos *salen* si hace buen tiempo. ________________________

**D.** Answer the following questions affirmatively in Spanish. ("Sí, . . .")

1. ¿Vendrá Vd. a tiempo a la escuela mañana? ______________________________

2. ¿Hará Vd. un viaje a Buenos Aires algún día? ______________________________

3. ¿Sabrá Vd. la lección mañana? ______________________________
4. ¿Tendrán Vds. que ir a la escuela mañana? ______________________________

5. ¿Pondrán Vds. sus libros en el pupitre al entrar en la clase? ______________________________

6. ¿Querrá Vd. estudiar el español el año que viene? ______________________________

7. ¿Podrá Vd. jugar con sus compañeros después de las clases? ______________________________

8. ¿Saldrá Vd. de la escuela a las tres de la tarde? ______________________________

9. ¿Tendrá Vd. sueño esta noche a las once? ______________________________

10. ¿Dirá Vd. "buenos días" al ver a sus amigos? ______________________________

**E.** Answer the following questions negatively in Spanish. ("No, . . .")

1. ¿Saldrá Vd. al teatro esta noche? ______________________________
2. ¿Tendrá Vd. hambre y sed después del almuerzo? ______________________________

3. ¿Querrá Vd. acostarse por la tarde? ______________________________
4. ¿Podrá Vd. comprar zapatos en una panadería? ______________________________

5. ¿Dirá Vd. "buenas tardes" a las nueve de la mañana? ______________________________

6. ¿Pondrá Vd. la mesa para la cena esta noche? ______________________________

7. ¿Sabrá Vd. escribir al dictado sin hacer ninguna falta? ______________________________

8. ¿Hará calor en el invierno? ______________________________
9. ¿Podrá Vd. comprar regalos caros para sus padres? ______________________________

10. ¿Vendrá Vd. a la escuela el sábado que viene? ________________________________

________________________________________________________________

**F.** Answer the following questions in Spanish.

1. ¿Qué dirá Vd. al maestro (a la maestra) al salir de la clase? ________________________________

________________________________________________________________

2. ¿Con quién(-es) vendrá Vd. a la escuela mañana? ________________________________

________________________________________________________________

3. ¿Dónde pondrá Vd. su abrigo al llegar a casa? ________________________________

________________________________________________________________

4. ¿En qué estación del año tendrá Vd. calor? ________________________________

________________________________________________________________

5. ¿A qué hora saldrá Vd. de casa mañana? ________________________________
6. ¿Qué hará Vd. el domingo que viene? ________________________________
7. ¿A qué hora saldrá Vd. de la escuela hoy? ________________________________
8. ¿Qué querrá Vd. comer en la cena esta noche? ________________________________

________________________________________________________________

9. ¿A qué hora podrá Vd. mirar la televisión esta noche? ________________________________

________________________________________________________________

10. ¿Cuántas de estas preguntas sabrá Vd. contestar mañana? ________________________________

________________________________________________________________

**G.** Complete the Spanish sentences.

1. What shall we do now?

   ¿Qué ______________________ ahora?

2. You will have to pay the price.

   Vd. _________________ que pagar el precio.

3. They will not know that you are his brother.

   ________________________________ que tú eres su hermano.

4. I shall tell the truth.

   ______________________ la verdad.

5. We shall come early.

   ________________________________________ temprano.

6. When will you leave San Francisco?

   ¿Cuándo ________________________________ de San Francisco?

7. They will not be able to visit their cousins.

   ____________________________________ visitar a sus primos.

**8.** I shall have to buy two notebooks.

-------------------------- que comprar dos cuadernos.

**9.** Where shall we put the flowers?

¿Dónde ---------------------------------- las flores?

**10.** Will he want to travel by plane?

¿ ---------------------------------- viajar en avión?

**H.** Translate into Spanish.

**1.** The pupils will leave (the) school at three p.m. ----------------------------------

----------------------------------

**2.** My mother will put the fruit(s) on the table. ----------------------------------

----------------------------------

**3.** I will not do impossible things. ----------------------------------

**4.** Will you tell the truth to your parents? ----------------------------------

**5.** We will be able to chat [for] twenty minutes. ----------------------------------

**6.** You (tú) will not know [how] to answer the questions correctly. ----------------------------------

----------------------------------

**7.** They will want to get up early tomorrow. ----------------------------------

----------------------------------

**8.** You (*pl.*) will be able to earn a lot of money this summer. ----------------------------------

----------------------------------

**9.** She will come here in two hours. ----------------------------------

**10.** You (vosotros) will have much work. ----------------------------------

# Part II—Grammatical Structures

## 1. GENDER OF NOUNS; ARTICLES

1. All nouns in Spanish are either masculine or feminine. Nouns that end in **-o,** or refer to male beings, are generally masculine. Nouns that end in **-a, -d,** or **-ión,** or that refer to female beings, are generally feminine.

| *Masculine* | *Feminine* |
|---|---|
| **el libro,** the book | **la tinta,** the ink |
| **el padre,** the father | **la ciudad,** the city |
| | **la lección,** the lesson |
| | **la madre,** the mother |

2. The gender of other nouns must be learned individually.

| *Masculine* | *Feminine* |
|---|---|
| **el lápiz,** the pencil | **la flor,** the flower |
| **el papel,** the paper | **la sal,** the salt |

*Note*

There are some exceptions to these rules. If in doubt about the gender of a noun, consult the vocabulary list.

3. The articles used before masculine singular nouns are **el** (the) and **un** (a, an). The articles used before feminine singular nouns are **la** (the) and **una** (a, an).

| *Masculine* | *Feminine* |
|---|---|
| **el hombre,** the man | **la mujer,** the woman |
| **un cuadro,** a picture | **una silla,** a chair |

4. The article **el** is used before a *feminine* singular noun that begins with *stressed* **a-** or **ha-.**

***el*** **a**gua, the water — ***el*** **ha**mbre, the hunger

*but*

***las*** **aguas,** the waters — ***la*** **alumna,** the pupil

5. The article is generally repeated before each noun in a series.

| | |
|---|---|
| Come **una** naranja y **un** huevo. | He eats an orange and an egg. |
| Trae **los** discos y **el** cuaderno. | He brings the records and the notebook. |

*EXERCISES*

**A.** Write the correct form of the definite article (**el** or **la**) before each noun.

| | | |
|---|---|---|
| **1.** ________ señor | **4.** ________ muchacho | **7.** ________ canción |
| **2.** ________ mujer | **5.** ________ universidad | **8.** ________ hombre |
| **3.** ________ estación | **6.** ________ agua | **9.** ________ mesa |

10. ________ explicación
11. ________ alumna
12. ________ bondad
13. ________ papel
14. ________ madre
15. ________ enfermedad

**B.** Write the correct form of the indefinite article (**un** or **una**) before each noun.

1. ________ estrella
2. ________ nación
3. ________ enfermera
4. ________ presidente
5. ________ ciudad
6. ________ dedo
7. ________ ladrón
8. ________ chófer
9. ________ comerciante
10. ________ habitación
11. ________ panadería
12. ________ actor
13. ________ abogado
14. ________ docena
15. ________ edificio

**C.** Underline the correct form of the article in parentheses.

1. Bebió (un, una) vaso de leche en (el, la) cafetería.
2. Pregunté (el, la) precio de (un, una) corbata.
3. Buscamos (un, una) libro en (el, la) biblioteca.
4. Comen (el, la) sopa con (un, una) cuchara.
5. (El, La) criada preparó (un, una) ensalada de pollo.
6. Llevamos (un, una) abrigo en (el, la) invierno.
7. Mi madre puso (un, una) mantel blanco en (el, la) mesa.
8. Llevé (el, la) receta a (un, una) farmacia.
9. Oímos (el, la) campana de (un, una) iglesia.
10. Compraron (un, una) lámpara para (el, la) escritorio.
11. Felipe es (un, una) amigo de (el, la) familia.
12. (Un, Una) pájaro comió todo (el, la) pan.
13. (El, La) manzana es (un, una) fruta.
14. (El, La) abuela compró (un, una) regalo.
15. Tome Vd. (un, una) asiento en (el, la) sala.

**D.** Translate the English words into Spanish.

1. Asistimos a (*the*) *school*. ____________________
2. Vendieron *the book*. ____________________
3. ¿Por qué no estudias *the lesson*? ____________________
4. No hable Vd. con *the boy*. ____________________
5. *The water* corre rápidamente. ____________________
6. Ella abre *the box*. ____________________
7. Salió de *the store*. ____________________
8. *The king* no gobierna bien. ____________________
9. Todos aman (*the*) *summer*. ____________________
10. *The woman* vino a visitar a mi madre. ____________________

**11.** ¿Está vacío *the glass*?

**12.** Siempre decimos *the truth.*

**13.** *The bedroom* tiene dos ventanas.

**14.** *The sky* es azul.

**15.** *The flower* es hermosa.

**E.** Translate the English words into Spanish.

**1.** *A man* confesó el crimen.

**2.** Ella lleva *a dress* nuevo.

**3.** Sufren *an illness.*

**4.** Es *an author* famoso.

**5.** Espere Vd. *a minute.*

**6.** Leyeron *a paragraph* en español.

**7.** Escribió con *a pen.*

**8.** Vive en *a city* grande.

**9.** Desea recibir *a bicycle.*

**10.** Cantaron *a song.*

**F.** Translate into Spanish.

**1.** Did she offer a gift to the girl?

**2.** He wrote an exercise on (en) the blackboard.

**3.** I eat an apple and an orange in the morning.

**4.** We chatted an hour with the farmer.

**5.** A pupil answered the question.

**6.** He bought a hat in the store.

**7.** I take a seat in the classroom.

**8.** They saw a coin on the floor.

**9.** I did not sell the picture to a museum.

**10.** A child opened the door.

## 2. PLURAL OF NOUNS AND ARTICLES

1. Nouns ending in a vowel form the plural by adding **-s.**

| SINGULAR | PLURAL |
|---|---|
| **el libro,** the book | **los libros,** the books |
| **la pluma,** the pen | **las plumas,** the pens |

2. Nouns ending in a consonant form the plural by adding **-es.**

| | |
|---|---|
| **el profesor,** the teacher | **los profesores,** the teachers |
| **la ciudad,** the city | **las ciudades,** the cities |

3. Nouns ending in **-z** change **z** to **c** before adding **-es.**

| | |
|---|---|
| **el lápiz,** the pencil | **los lápices,** the pencils |
| **la actriz,** the actress | **las actrices,** the actresses |

4. Nouns ending in **-n** or **-s** with an accent mark in the last syllable drop the accent mark in the plural.

| | |
|---|---|
| **el inglés,** the Englishman | **los ingleses,** the Englishmen |
| **la lección,** the lesson | **las lecciones,** the lessons |

*Note*

A. The articles **el** and **la** become **los** and **las** when used with plural nouns.

B. There is no plural form for the indefinite articles. The forms **unos** and **unas** mean *some, a few*, etc.

*EXERCISES*

**A.** Write in the plural.

| | | | |
|---|---|---|---|
| **1.** el hospital | los hospitales | **3.** el ferrocarril | los ferrocarriles |
| **2.** el director | los directores | **4.** el amigo | los amigos |
| **5.** el francés | los francéses | **13.** la bandera | las banderas |
| **6.** el abuelo | los abuelos | **14.** el lápiz | los lápices |
| **7.** la flor | las flores | **15.** el calcetín | los calcetines |
| **8.** la nariz | las narices | **16.** la catedral | las catedrales |
| **9.** la actriz | las actrices | **17.** la canción | las cancíones |
| **10.** el color | los colores | **18.** el comedor | los comedor |
| **11.** el niño | los niños | **19.** la república | las repúblicas |
| **12.** el violín | los violines | **20.** la montaña | las montañas |

**B.** Write in the singular.

| | | | |
|---|---|---|---|
| **1.** las nubes | la nub | **3.** las cocinas | la cocina |
| **2.** los sillones | el sillon | **4.** los pilotos | el piloto |

5. las fábricas ___la fabrica___
6. los tenedores ___el tenedor___
7. los jardines ___el jardin___
8. las mujeres ___la mujer___
9. las esposas ___la esposa___
10. los patios ___el patio___
11. los alemanes ___el aleman___
12. los sastres ___el sastre___
13. los puentes ___el puent___
14. las plumas ___la pluma___
15. los relojes ___el reloj___
16. las legumbres ___la legumbre___
17. los nietos ___el nieto___
18. las gallinas ___la gallina___
19. los actores ___el actor___
20. los automóviles ___el automóvil___

**C.** Complete the following sentences by writing the correct forms of the definite article (**el, los, la, las**).

1. ________ barbero corta ________ pelo.
2. ________ museo está en ________ plaza central.
3. ________ ciudadanos aman a ________ patria.
4. No vimos ________ nubes en ________ cielo.
5. ________ hojas caen en ________ otoño.
6. Estudió ________ números en ________ libro.
7. Compré ________ peras en ________ mercado.
8. Puso ________ pañuelo en ________ bolsillo.
9. Buscó ________ oro en ________ montes.
10. No vio ________ mantequilla en ________ mesa.
11. Usa ________ tela para hacer ________ camisas.
12. ________ alfombra está en ________ suelo.
13. Puso ________ chaquetas en ________ armario.
14. ________ camarero trae ________ servilletas.
15. Aprendemos ________ reglas y ________ palabras.

**D.** Change all the words possible to the plural.

1. El soldado defiende la ciudad. ________________________________
2. Ella toma la comida en el restaurante. ________________________________
3. El estudiante contestó la pregunta. ________________________________
4. La campana suena en el pueblo. ________________________________
5. El dentista saca el diente. ________________________________
6. La familia celebró la fiesta. ________________________________
7. El turista viajó en el autobús. ________________________________
8. El león no existe en el bosque. ________________________________
9. La madre divide el pastel. ________________________________
10. El dueño grita a la camarera. ________________________________

**11.** El alcalde escribió la carta. ____________________

**12.** El autor describió el animal. ____________________

**13.** La abuela abre la puerta. ____________________

**14.** El comerciante cerró las ventanas. ____________________

**15.** La niña no comprende el problema. ____________________

**E.** Translate the English words into Spanish.

**1.** ______________ (The travelers) no desean viajar en ______________ (the train).

**2.** ______________ (The authors) describen ______________ ((the) life) en ______________ (the cities).

**3.** En junio y julio ______________ (the farmers) trabajan en ______________ (the country).

**4.** ______________ (The pupils) asisten a ______________ ((the) school).

**5.** ______________ (The letters) están sobre ______________ (the table).

**6.** ______________ (The teachers) resuelven todos ______________ (the problems).

**7.** ______________ (The women) y ______________ (the men) hablan mucho.

**8.** ______________ (The class) repite ______________ (the words) en voz alta.

**9.** No come ______________ (the vegetables) con ______________ (the spoon).

**10.** Estudiamos ______________ (the lessons) durante ______________ (the week).

## 3. USE AND OMISSION OF THE ARTICLES

### THE DEFINITE ARTICLE

The definite articles (**el, la, los, las**) are used to express the English word *the*. They are also used:

1. Before the names of languages and other subjects of study (**asignaturas**), unless these subjects of study follow **hablar, en,** or **de.**

| | |
|---|---|
| ***El* inglés** es una lengua importante. | English is an important language. |
| Estudio ***el* español.** | I study Spanish. |
| ***La* química** es interesante. | Chemistry is interesting. |
| *but* | |
| **Habla español.** | He speaks Spanish. |
| Escriben **en alemán.** | They write in German. |
| Mi libro **de historia** está en la mesa. | My history book is on the table. |

2. Before titles (except when speaking directly to a person).

| | |
|---|---|
| ***El* señor (Sr.)** Gómez no está aquí. | Mr. Gómez is not here. |
| ***El* doctor** Álvarez sabe mucho. | Dr. Álvarez knows a lot. |
| *but* | |
| Buenos días, **señora (Sra.)** Molina. | Good morning, Mrs. Molina. |

3. Before the words **escuela, clase,** and **iglesia,** when they follow a preposition.

| | |
|---|---|
| Voy **a *la* escuela.** | I am going to school. |
| Están **en *la* iglesia.** | They are in church. |

4. Before certain geographic names.

| | |
|---|---|
| ***la* América Central** | Central America |
| ***la* América del Norte** | North America |
| ***la* América del Sur** | South America |
| ***la* Argentina** | Argentina |
| ***el* Canadá** | Canada |
| ***los* Estados Unidos** | The United States |
| ***el* Perú** | Peru |
| *but* | |
| **Alemania,** Germany | **Inglaterra,** England |
| **España,** Spain | **Italia,** Italy |
| **Europa,** Europe | **México,** Mexico |
| **Francia,** France | **Rusia,** Russia |

5. Before the days of the week, to express the English word "on."

| | |
|---|---|
| No voy a la escuela ***el* domingo.** | I don't go to school on Sunday. |

### THE INDEFINITE ARTICLE

1. The indefinite article (**un, una**) is used to express the English word *a* (*an*).

| | |
|---|---|
| Tengo **un** hermano. | I have a brother. |

2. It is omitted before a noun expressing *nationality*, *occupation* or *profession*, when following the verb **ser.**

| | |
|---|---|
| Pablo **es francés.** | Paul is a Frenchman (is French). |
| Aquel hombre **es zapatero.** | That man is a shoemaker. |
| Va a **ser médico.** | He is going to be a doctor. |

*Note*

If the noun is modified, the indefinite article is used.

| | |
|---|---|
| Deseo ser ***un*** médico **bueno.** | I want to be a good doctor. |

*EXERCISES*

**A.** Translate the sentences into English. In each case, indicate the reason for using or omitting the article in Spanish by writing the letter *a*, *b*, *c*, *d*, *e*, or *f* in the blank on the left, in accordance with the following key:

*a.* day of the week
*b.* unmodified noun expressing nationality, occupation, or profession
*c.* preposition followed by **clase, escuela,** or **iglesia**
*d.* special geographic name
*e.* subject of study
*f.* title

--------- **1.** En agosto no voy a la escuela.

------------------------------------------------------------------------

--------- **2.** Nuestro sobrino estudia para ser abogado.

------------------------------------------------------------------------

--------- **3.** La América Central está entre la América del Norte y la América del Sur.

------------------------------------------------------------------------

--------- **4.** ¿Comprende Vd. la química?

------------------------------------------------------------------------

--------- **5.** Este año estudio la historia y el italiano.

------------------------------------------------------------------------

--------- **6.** El martes fui a ver al doctor López.

------------------------------------------------------------------------

--------- **7.** El señor Menéndez sabe el latín.

------------------------------------------------------------------------

--------- **8.** Muchos franceses viven en el Canadá.

------------------------------------------------------------------------

--------- **9.** ¿Aprendes mucho en la clase?

------------------------------------------------------------------------

--------- **10.** Ayer hablé con la señora Gómez.

------------------------------------------------------------------------

_________ **11.** Buenos Aires está en la Argentina, no en el Perú.

_______________________________________________

_________ **12.** La señorita Díaz es actriz.

_______________________________________________

_________ **13.** Los domingos muchas personas van a la iglesia.

_______________________________________________

_________ **14.** Antonio no es norteamericano.

_______________________________________________

_________ **15.** ¿Es Vd. española ó alemana?

_______________________________________________

**B.** Complete each sentence with the correct form of the article (if it is needed).

**1.** Por favor, conteste Vd. en __________ español.
**2.** Su tío es __________ carnicero.
**3.** Mientras estamos en __________ escuela prestamos atención al maestro.
**4.** __________ español es importante.
**5.** En marzo visité __________ América Central.
**6.** __________ miércoles tomé una lección de __________ música.
**7.** ¿Habla Vd. __________ inglés?
**8.** ¿Desea Vd. ser __________ profesor?
**9.** __________ química es difícil.
**10.** Mi libro de __________ historia está en casa.
**11.** ¿Es Vd. __________ española, __________ señorita García?
**12.** Viajan por __________ México, __________ Venezuela, y __________ Estados Unidos.
**13.** Dispense Vd., __________ señor González.
**14.** Pasé mucho tiempo con __________ señor Álvarez.
**15.** __________ Rusia está en __________ Europa.

**C.** Answer the following questions in Spanish.

**1.** ¿Dónde está Buenos Aires? _______________________________________________
**2.** ¿Qué país está al norte de los Estados Unidos? _______________________________________________

_______________________________________________

**3.** ¿Cómo se llama el médico de su familia? _______________________________________________
**4.** ¿En qué día asisten muchas personas a la iglesia? _______________________________________________

_______________________________________________

**5.** ¿Sabe Vd. escribir en alemán? _______________________________________________
**6.** ¿Cómo se llama el maestro (la maestra) de esta clase? _______________________________________________

_______________________________________________

7. ¿Hace viento en la escuela? ____________________
8. ¿Cuál es la capital de España? ____________________
9. ¿Cómo se llama nuestro país? ____________________
10. ¿Cuál es su asignatura favorita? ____________________
11. ¿Es Vd. español (española)? ____________________
12. ¿En qué día va Vd. al cine? ____________________
13. ¿A qué hora de la noche estudia Vd. el español? ____________________
____________________
14. ¿Qué país de Europa desea Vd. visitar? ____________________
15. ¿Qué lenguas habla Vd.? ____________________

**D.** Translate the English words into Spanish.

1. Algún día voy a *South America.* ____________________
2. Nosotros vivimos en *the United States.* ____________________
3. *Dr.* Pérez ayuda a muchas personas. ____________________
4. *On Saturday* nos despertamos tarde. ____________________
5. Abran Vds. los libros de *history.* ____________________
6. ¿Habla Vd. *English*? ____________________
7. *Mr.* Gómez explica la lección. ____________________
8. Mi amigo es *a German.* ____________________
9. En *school* aprendemos muchas cosas. ____________________
10. *Argentina* es un país grande. ____________________

**E.** Translate into Spanish.

1. They always answer in Spanish. ____________________
2. Is he a good doctor? ____________________
3. Who discovered South America? ____________________
4. Cover (Vd.) your Spanish book. ____________________
5. In class we learn many things. ____________________
6. On Saturday I go to the movies. ____________________
7. The history lesson is interesting. ____________________
8. The teacher's name is Mrs. González. ____________________
9. English is an important language. ____________________
10. Miss Díaz is pretty. ____________________

## 4. THE CONTRACTIONS *AL* AND *DEL*; POSSESSION WITH *DE*

### THE CONTRACTIONS *AL* AND *DEL*

1. The preposition **a** (*to*) combines with **el** (*the*) to form **al** (*to the*).

| | |
|---|---|
| María va **al** mercado. | Mary goes to the market. |
| El profesor habla **al** alumno. | The teacher speaks to the student. |

2. The preposition **de** (*of, from*) combines with **el** (*the*) to form **del** (*of the, from the*).

| | |
|---|---|
| El Sr. Pérez es el presidente **del** país. | Mr. Pérez is the president of the country. |
| Ana recibe dinero **del** dueño. | Ann receives money from the boss. |

3. The prepositions **a** and **de** never combine with the other articles (**la, los, las**) to form a single word.

| | |
|---|---|
| Rosa va **a la** tienda. | Rose goes to the store. |
| El profesor habla **a los** alumnos. | The teacher is speaking to the pupils. |
| ¿Recibe Vd. cartas **de las** muchachas? | Do you receive letters from the girls? |

*Note*

A. Sometimes **al** is not translated.

| | |
|---|---|
| Juegan **al** béisbol. | They play baseball. |

B. **Al** and **del** are the only contractions in Spanish.

### POSSESSION WITH *DE*

Possession is expressed in Spanish by **de** or **de** + *the article* before the possessor. There is no apostrophe **s** (**'s**) in Spanish.

| | |
|---|---|
| el libro **de** Alberto | Albert's book (the book of Albert) |
| la casa **del** hombre | the man's house (the house of the man) |
| el reloj **de la** muchacha | the girl's watch (the watch of the girl) |
| los pupitres **de los** alumnos | the pupils' desks (the desks of the pupils) |

### *EXERCISES*

**A.** Complete each sentence with **al, a la, a los,** or **a las.**

1. Mi abuelo se levantó ________________ siete.
2. En el verano vamos ________________ montañas.
3. Alfredo va ________________ escuela.
4. Lleve Vd. la receta ________________ farmacia.
5. La niña vende claveles ________________ chicos.
6. Pedro da los papeles ________________ profesor.
7. El director habla ________________ clase.
8. El camarero debe cincuenta centavos ________________ dueño.
9. El hombre habla ________________ señoritas.

10. La muchacha va _______________ teatro.
11. ¿Deseas acompañarme _______________ gimnasio?
12. El rey habló _______________ gente.
13. La madre lee un cuento _______________ niño.
14. Luisa escribe una carta _______________ muchacho.
15. ¿Por qué no pagó Vd. _______________ panadero?

**B.** Complete each sentence with **de, del, de la, de los,** or **de las.**

1. Muchos _______________ ciudadanos son viejos.
2. El caballo _______________ campesino es gris.
3. La mujer recibió una caja _______________ tienda.
4. Se baña a las nueve _______________ mañana.
5. El color _______________ sombrero es negro.
6. Aquel hombre es un enemigo _______________ país.
7. ¿Quién es la tía _______________ niño?
8. El aire _______________ campo es fresco.
9. Buenos Aires es la capital _______________ Argentina.
10. Marta es una _______________ alumnas.
11. Pablo es un amigo _______________ autor _______________ libro.
12. Ana es la prima _______________ María.
13. ¿Dónde está el cuarto _______________ viajero?
14. El señor López es el profesor _______________ clase.
15. Hallé el reloj _______________ señor León.

**C.** Replace the word in italics by each of the words in parentheses, and make any other necessary changes.

EXAMPLE: Volvió del *supermercado*. (biblioteca, vacaciones)
Volvió *de la biblioteca*. Volvió *de las vacaciones*.

1. Dé Vd. el mapa a los *turistas*. (vecinas, comerciante)

_______________________________________________

2. Oigo el ruido de la *calle*. (automóviles, ferrocarril)

_______________________________________________

3. No voy a la *zapatería*. (concierto, tiendas)

_______________________________________________

4. ¿Desea Vd. hablar del *problema*? (asignaturas, música)

_______________________________________________

5. Obedecen a la *profesora*. (padre, dueños)

_______________________________________________

6. Abrió las puertas de las *casas*. (fábrica, hospital)

 ______________________________

7. Asisten a la *iglesia*. (cine, teatros)

 ______________________________

8. ¿Cuál es el color del *mantel*? (corbatas, naranja)

 ______________________________

9. Enseñe Vd. la lección a la *clase*. (estudiante, Juan)

 ______________________________

10. Son de los *Estados Unidos*. (Rusia, el Canadá)

 ______________________________

**D.** Complete the following sentences in Spanish.

1. La bandera ________________ Estados Unidos es hermosa.
2. El miércoles fui ________________ dentista.
3. Dé Vd. una cuchara ________________ hombre.
4. Traiga Vd. flores ________________ jardín.
5. No diga Vd. nada ________________ chicas.
6. Encontraron los guantes ________________ señora.
7. No comprendemos las preguntas ________________ profesora.
8. ¿Deseas anunciar las noticias ________________ gente?
9. El guía refiere la historia ________________ turistas ingleses.
10. Abrimos las ventanas ________________ apartamiento.
11. Su hija va ________________ campo en agosto.
12. El viajero va ________________ hotel.
13. El presidente ________________ nación es una persona inteligente.
14. El color ________________ vestido es rojo.
15. Enero es el primer mes ________________ año.

**E.** Translate into Spanish.

1. Mary's relatives ______________________________
2. to the sister ______________________________
3. to the restaurant ______________________________
4. the boy's mother ______________________________
5. the man's gift ______________________________
6. to the library ______________________________
7. the girl's parents ______________________________
8. to the doctor ______________________________
9. today's lesson ______________________________

10. to the parents ______

11. to the pupils (*fem.*) ______

12. the girl's house ______

13. to the farmers ______

14. Charles' father ______

15. to the authors ______

16. John's friends ______

17. the teacher's newspaper ______

18. to the cities ______

19. my neighbor's sons ______

20. Alfred's brother ______

**F.** Answer the following questions in Spanish.

1. ¿Hace calor en los meses del invierno? ______
2. ¿Cuáles son los muebles del comedor? ______
3. ¿Recibimos huevos de las gallinas? ______
4. ¿A qué hora del día tiene Vd. la clase de español? ______
5. ¿Cuál es el segundo mes del año? ______
6. ¿Tenemos leche de las vacas? ______
7. ¿Le gusta a Vd. (Do you like) asistir a las fiestas? (Sí, me gusta ...) ______
8. ¿Cuál es el color de la mantequilla? ______
9. ¿Quién explica la lección a la clase? ______
10. ¿Da Vd. una manzana al profesor (a la profesora)? ______
11. ¿Juega Vd. con los juguetes de los niños? ______
12. ¿Traduce Vd. correctamente las frases del libro? ______
13. ¿Cuál es el color de la nieve? ______
14. ¿Va Vd. a la escuela en autobús? ______
15. ¿Adónde trae Vd. las recetas? ______

**G.** Translate into Spanish.

1. The girl receives flowers from the boy. ______
2. I visited my friend's family. ______

3. We study the history of the United States. ____________________
4. Many of the words are important. ____________________
5. Who is the child's uncle? ____________________
6. Mr. Pérez is the author of the book. ____________________
7. The man goes to the house. ____________________
8. The teacher speaks to the parents. ____________________
9. The pupils give a gift to the teacher. ____________________
10. We repeat the words of the sentence. ____________________

**Pedro Calderón de la Barca (1600–1681) was the last of the great Spanish dramatists of the Golden Age (Siglo de Oro). His philosophical and religious dramas are still performed in Spain. His best known works are *La vida es sueño* and *El alcalde de Zalamea*.**

## 5. PERSONAL *A*

In Spanish, the preposition **a** is required before the direct object of a verb if the direct object is:

1. One or more definite persons.

| | |
|---|---|
| Ana visita ***a*** **Pedro.** | Ann visits Peter. |
| El niño ve ***al*** **hombre.** | The child sees the man. |
| Pablo invita ***a*** **sus amigos.** | Paul invites his friends. |

*but*

| | |
|---|---|
| Ana visita **la escuela.** | Ann visits the school. |
| El niño ve **la pelota.** | The child sees the ball. |

2. A pronoun that refers to a person (**¿ quién?, nadie, alguien,** etc.).

| | |
|---|---|
| No conoce ***a*** **nadie.** | He doesn't know anyone. |
| Vio ***a*** **alguien** en la calle. | She saw someone in the street. |
| ¿***A*** **quién** pagamos? | Whom do we pay? |

*Note*

A. When used before a *direct* object, the preposition **a** (commonly called the "personal *a*") is not translated. When used before an *indirect* object it is translated as *to*.

| | |
|---|---|
| Hablo **a mi prima.** | I speak to my cousin. |

B. The "personal *a*" is not used after the verb **tener** (to have).

| | |
|---|---|
| **Tiene una hermana bonita.** | He has a pretty sister. |
| **Tengo muchos amigos.** | I have many friends. |

*EXERCISES*

**A.** Translate into English.

**1.** Doy pan a los pájaros. ______________________________

**2.** No comprendo a la profesora. ______________________________

**3.** Enrique cuida a su hermano menor. ______________________________

______________________________

**4.** Ella escribe a su prima. ______________________________

**5.** Los padres leen a sus hijos. ______________________________

**6.** No veo a los niños. ______________________________

**7.** Visito a mi amigo. ______________________________

**8.** Los soldados gritan al enemigo. ______________________________

**9.** Hablan a la sobrina de la señorita Pérez. ______________________________

______________________________

**10.** Juan invita a Carlos a la fiesta. ______________________________

**B.** Complete each sentence correctly by writing one of the following forms: the preposition **a,** the contraction **al,** or the article **el.** If none of these forms is required, leave the blank empty.

1. El médico examinó ___________ brazo.
2. No deseo beber ___________ una gaseosa.
3. El abuelo nunca olvida ___________ sus nietos.
4. ¿Por qué no limpias ___________ las orejas?
5. No borramos ___________ la pizarra.
6. Enrique busca ___________ la taquígrafa que copió esta carta.
7. ¿Tiene Vd. ___________ un amigo sincero?
8. ¿Quién acompaña ___________ la actriz?
9. ¿Halló Vd. ___________ zapatero?
10. Admiro ___________ los mexicanos.
11. No tengo ___________ hermanos.
12. Tomás conserva ___________ la salud.
13. No conozco ___________ nadie en la capital.
14. Voy a llamar ___________ mozo.
15. El músico lleva ___________ un chaleco de lana.

**C.** Answer the following questions in Spanish.

1. ¿Da Vd. regalos a su hermano (hermana) menor? ______________________________
______________________________________________________________
2. ¿A quiénes saluda Vd. por la mañana? ______________________________
______________________________________________________________
3. ¿Escribe Vd. cartas a sus parientes a menudo? ______________________________
______________________________________________________________
4. ¿Besa Vd. a su mamá al salir de casa? ______________________________
______________________________________________________________
5. ¿Cuándo visita Vd. al dentista? ______________________________
______________________________________________________________
6. ¿Escucha Vd. al maestro (a la maestra) siempre? ______________________________
______________________________________________________________
7. ¿Ayuda Vd. a sus compañeros? ______________________________
______________________________________________________________
8. ¿Comprende Vd. al profesor (a la profesora) cuando habla español? ____________________
______________________________________________________________
9. ¿Respeta Vd. a sus padres? ______________________________
______________________________________________________________

10. ¿Responde Vd. a las preguntas en voz alta? ________________________________________

________________________________________________________________________

11. ¿A quién admira Vd. más? ________________________________________________

________________________________________________________________________

12. ¿Quién enseña a los alumnos? ____________________________________________

________________________________________________________________________

13. ¿A quién visita Vd. durante las vacaciones? ______________________________

________________________________________________________________________

14. ¿Conoce Vd. a muchas personas? _________________________________________

________________________________________________________________________

15. ¿Ama Vd. a toda su familia? ____________________________________________

________________________________________________________________________

16. ¿Tienen Vds. una criada en casa? _________________________________________

________________________________________________________________________

17. ¿Cuántos tíos tiene Vd.? ________________________________________________

________________________________________________________________________

18. ¿Habla Vd. al piloto cuando Vd. viaja en un avión? _________________________

________________________________________________________________________

19. ¿Espera Vd. a alguien al salir de la escuela? ______________________________

________________________________________________________________________

20. ¿Recuerda Vd. a su primer maestro (primera maestra)? ______________________

________________________________________________________________________

**D.** Complete the Spanish sentences.

1. Jane believes her father.
   Juana cree ____________________________.
2. Alfred doesn't eat fruits.
   Alfredo no come ____________________.
3. She hides the bicycle in the cellar.
   Esconde ______________________________ en el sótano.
4. The guide accompanied the travelers in the afternoon.
   El guía acompañó ______________________________ por la tarde.
5. They sold the automobile.
   Vendieron ____________________________.
6. The waiter serves the meal quickly.
   El camarero sirve ___________________________ rápidamente.

**7.** Then they left their friends at the hotel.

Entonces dejaron ________________________________ en el hotel.

**8.** That child obeys no one.

Ese niño no obedece ____________________.

**9.** They all celebrated Arthur's birthday.

Todos celebraron ____________________________________ de Arturo.

**10.** We can pronounce the words well.

Podemos pronunciar bien ____________________________________.

**11.** The principal called the boy.

El director llamó ____________________________________.

**12.** That woman has many children.

Aquella mujer tiene ____________________________________.

**13.** I want to look at the pictures immediately.

Deseo mirar ____________________________________ inmediatamente.

**14.** The mayor has a good doctor.

El alcalde tiene ______________________________ bueno.

**15.** She knows how to express the sentence in Spanish.

Sabe expresar ______________________ en español.

**16.** Whom do you wish to see?

¿______________________ desea Vd. ver?

**17.** Do you see the children?

¿Ves ________________________________?

**18.** The citizens visit the library.

Los ciudadanos visitan ____________________________________.

**19.** The nurses help the doctors.

Las enfermeras ayudan ____________________________________.

**20.** We cut the bread with a knife.

Cortamos ______________________ con un cuchillo.

**E.** Translate into Spanish.

**1.** Miss Álvarez called the waiter. ________________________________________________

**2.** I understand the teacher well. ________________________________________________

**3.** Mr. López has two sons. ________________________________________________

**4.** We help Mrs. Ortiz. ________________________________________________

**5.** They don't see the soldiers. ________________________________________________

**6.** He found the pen on the table. ________________________________________________

**7.** Whom do you wish to see? ________________________________________________

8. I don't believe the guide. ______________________________

9. We visit our relatives in the summer. ______________________________

______________________________

10. Did you (vosotros) see the child in the park? ______________________________

______________________________

**In Spain, traditional costumes are often seen during fiesta time. In the south, the woman's costume is crowned by a *mantilla*, a headdress of black or white lace draped gracefully over the head and held up by a high ornamental comb (*peineta*). A large, colorful, embroidered silk shawl (*mantón*) covers her shoulders. The man's costume usually consists of a high-crowned hat with broad brim, a short jacket, long close-fitting trousers, and a sash (*faja*) worn around the waist.**

## 6. MASTERY EXERCISES

(LESSONS 1–5)

**A.** Write in the plural.

**1.** la nariz ______________________
**2.** el calcetín ______________________
**3.** la pared ______________________
**4.** el gallo ______________________
**5.** la francesa ______________________
**6.** la habitación ______________________
**7.** la carnicería ______________________
**8.** el tigre ______________________
**9.** la canción ______________________
**10.** el lugar ______________________
**11.** el sillón ______________________
**12.** el mantel ______________________
**13.** la nación ______________________
**14.** la dictadura ______________________
**15.** el alemán ______________________
**16.** la estación ______________________
**17.** el borrador ______________________
**18.** el lápiz ______________________
**19.** el dólar ______________________
**20.** el botón ______________________

**B.** Write in the singular.

**1.** los actores ____________________
**2.** los claveles ____________________
**3.** los labios ____________________
**4.** las explicaciones ____________________
**5.** los relojes ____________________
**6.** los ingleses ____________________
**7.** los pasos ____________________
**8.** las mitades ____________________
**9.** los dolores ____________________
**10.** los aviones ____________________
**11.** los reyes ____________________
**12.** los jardines ____________________
**13.** los limones ____________________
**14.** los hoteles ____________________
**15.** los minutos ____________________
**16.** las asignaturas ____________________
**17.** los ferrocarriles ____________________
**18.** los ladrones ____________________
**19.** las actrices ____________________
**20.** las direcciones ____________________

**C.** Complete each sentence by writing **de, del, de la, de los,** or **de las** in the first blank space, and **al, a la, a los,** or **a las** in the second.

**1.** El dueño __________________ perro dio agua __________________ animal.

**2.** La esposa __________________ músico no asistió __________________ concierto.

**3.** Dio un par __________________ guantes __________________ chófer.

**4.** Viajó __________________ Perú __________________ Estados Unidos.

**5.** En la sala __________________ clase el maestro habla __________________ jóvenes.

**6.** Compró medias __________________ nilón y las dio __________________ niña.

**7.** Los abuelos __________________ chicas fueron __________________ América Central.

**8.** Varios hombres __________________ tienda llevaron los muebles __________________ alcoba.

**9.** Trajeron una docena __________________ huevos __________________ playa.

**10.** Enseña la fotografía ________________ palacio ________________ gente.

**11.** El sueño ________________ niña parece interesante ________________ padres.

**12.** El mozo sirve un poco ________________ pescado ________________ señoras.

**13.** La nieta ________________ señora Gómez sabe jugar ________________ tenis.

**14.** De la América ________________ Norte viajaron ________________ países de Europa.

**15.** Los colores ________________ trajes le gustan ________________ señorita.

**D.** In each sentence, indicate the reason for the use of the article by writing the letter *a*, *b*, *c*, *d*, *e*, *f*, or *g*, in accordance with the following key:

*a.* day of the week
*b.* name of a subject of study
*c.* preposition followed by **clase, escuela,** or **iglesia**
*d.* special geographic name
*e.* translates the article *the*, *a*, or *an*
*f.* modified noun expressing profession
*g.* title

_______ **1.** *El* sábado no asistimos a *la* clase.

_______ **2.** *El* señor García enseña *el* latín.

_______ **3.** En esta clase *los* estudiantes no aprenden *la* historia.

_______ **4.** *El* jueves aprendo *la* música.

_______ **5.** Buenos Aires es *la* capital de *la* Argentina.

_______ **6.** Tiene *una* casa particular en *el* Canadá.

_______ **7.** Voy a *la* iglesia *el* domingo.

_______ **8.** *El* señor Álvarez vive en *la* América del Sur.

_______ **9.** Estudiamos *la* química en *la* escuela.

_______ **10.** *El* doctor Gómez es *un* dentista bueno.

**E.** Complete each sentence correctly by writing one of the following forms: the preposition **a,** the contraction **al,** or the article **el.** If none of these forms is required, leave the blank empty.

**1.** Reconozco __________ Anita.

**2.** Celebré __________ cumpleaños de mi abuela.

**3.** El guía condujo __________ automóvil.

**4.** La mujer busca __________ su esposo.

**5.** Tienen __________ una criada en casa.

**6.** No tengo __________ enemigos.

**7.** Un ladrón robó __________ carnicero.

**8.** Admiro __________ los franceses.

**9.** ¿Ves __________ José?

**10.** Dejaron __________ los papeles en el escritorio.

**11.** Ayer llamé __________ mi sobrina.

**12.** Hice una pregunta __________ científico.

13. Pago ___________ zapatero.
14. ¿Conoce Vd. ___________ Enrique Molina?
15. Al salir, besó ___________ su hija.
16. No encontraron ___________ nadie en la bodega.
17. Vds. no deben hablar ___________ piloto.
18. Visité ___________ barbero el viernes pasado.
19. Espero ___________ alguien aquí.
20. ¿___________ quién escuchó Antonio?

**F.** Answer the following questions in Spanish.

1. ¿Cómo se llama su maestro (maestra) de español? ___________
___________
2. ¿Asiste Vd. a las fiestas a menudo? ___________
3. ¿Adónde va Vd. para comprar medicinas? ___________
___________
4. ¿Va Vd. al parque los domingos? ___________
5. ¿Sabe Vd. los meses del año? ___________
6. ¿Qué asignaturas estudia Vd. en la escuela? ___________
___________
7. ¿Tiene Vd. muchos hermanos? ___________
8. ¿Cómo va Vd. a la escuela? ___________
9. ¿Sabe Vd. hablar portugués? ___________
10. ¿A quién espera Vd. al salir de la escuela? ___________
___________
11. ¿Cuál es la capital de la Argentina? ___________
12. ¿Es abogado su padre? ___________
13. ¿Cuáles son los muebles de la alcoba? ___________
___________
14. ¿Hace frío en los meses del verano? ___________
15. ¿Visita Vd. a alguien durante las vacaciones? ___________
___________
16. ¿Qué país está al sur del Canadá? ___________
17. ¿Da Vd. regalos a los amigos? ___________
18. ¿A qué hora comienza la clase de español? ___________
___________
19. ¿Respeta Vd. a sus padres? ___________
20. ¿Quién enseña la lección a la clase? ___________

**G.** Translate into Spanish.

1. John's newspaper ______
2. the teacher's questions ______
3. Alfred's work ______
4. the book's author ______
5. the nation's history ______
6. her friend's relatives ______
7. the pupil's pen ______
8. my uncle's birthday ______
9. the museum's pictures ______
10. Mary's brothers ______
11. Miss García's letter ______
12. the king's soldiers ______
13. the traveler's story ______
14. the doctor's sisters ______
15. the thief's crime ______
16. the child's gift ______
17. his mother's hat ______
18. the city's library ______
19. the girl's parents ______
20. our neighbor's family ______

**H.** Translate into Spanish.

1. She bought a coat in the store. ______
2. My friend is a German; she speaks English very well. ______
______
3. He has a brother and two sisters. ______
4. The authors describe (the) life in the country. ______
______
5. The class is studying the history of the United States. ______
______
6. A young man opened the door. ______
7. The travelers don't believe the guide. ______
______
8. They repeat all the words of the sentences. ______
______

**9.** We traveled through the United States and Mexico. ________________

________________

**10.** The pupils do not understand the words of the lesson. ________________

________________

**11.** The women and the men arrive at the museum. ________________

________________

**12.** Mr. Gómez is in Argentina now. ________________

**13.** The mother gave an apple to the child. ________________

________________

**14.** Is the Spanish lesson interesting, Mr. Godfrey? ________________

________________

**15.** Whom does he want to see? ________________

**Many missions were established by the Spanish friars who accompanied the explorers to the New World. The missionaries dedicated themselves to the task of civilizing the native Indians and converting them to Christianity. In many instances they acted as protectors of the Indians against the cruelty of the conquerors. The missions were constructed of stone and adobe. Many of them still exist in the United States: in Texas, New Mexico, Arizona, and California.**

## 7. AGREEMENT AND POSITION OF ADJECTIVES

Adjectives agree in number (singular or plural) and gender (masculine or feminine) with the nouns they modify.

### FEMININE FORMS OF ADJECTIVES

1. Adjectives whose masculine singular form ends in **-o** change the **-o** to **-a** when used with a feminine singular noun.

| | |
|---|---|
| El **libro** es **rojo.** | The book is red. |
| Tengo una **pluma roj*a*.** | I have a red pen. |

2. Adjectives expressing nationality whose masculine singular form ends in a consonant add **-a** when used with a feminine singular noun.

| | |
|---|---|
| Tengo un **amigo francés.** | I have a French friend. |
| **María** es **frances*a*.** | Mary is French. |

3. Other adjectives have the same form for the masculine and feminine singular.

| | |
|---|---|
| **El edificio (La casa)** es ***grande.*** | The building (The house) is large. |
| **El ejercicio (La lección)** es ***fácil.*** | The exercise (The lesson) is easy. |

### PLURAL FORMS OF ADJECTIVES

Adjectives must be in the plural when used with plural nouns. The plural forms of adjectives are formed in the same way as the plural forms of nouns.

1. Adjectives whose singular form ends in a vowel add **-s** to form the plural.

| | |
|---|---|
| **El libro** es **rojo.** | **Los libros** son **rojo*s*.** |
| Compré **una pluma roja.** | Compré **dos plumas roja*s*.** |
| **El edificio** es **grande.** | **Los edificios** son **grande*s*.** |
| **La casa** es **grande.** | **Las casas** son **grande*s*.** |

2. Adjectives whose singular form ends in a consonant add **-es** to form the plural.

| | |
|---|---|
| **El muchacho** es **español.** | **Los muchachos** son **español*es*.** |

3. An adjective that modifies two or more nouns of different gender is used in the masculine plural form.

| | |
|---|---|
| **Juan** y su **hermana** son alt***os*.** | John and his sister are tall. |

*Note*

A. Adjectives whose masculine singular ends in **-o** and adjectives expressing nationality have four forms.

**rojo, roja, rojos, rojas**
**francés, francesa, franceses, francesas**

B. Other adjectives have two forms, one for the singular and one for the plural.

**grande** (*m.* & *f. sing.*), **grandes** (*m.* & *f. pl.*)
**fácil** (*m.* & *f. sing.*), **fáciles** (*m.* & *f. pl.*)

C. If an adjective expressing nationality has a written accent mark on the last syllable of the masculine singular, the accent mark is dropped in all other forms.

inglé*s*, inglesa, ingleses, inglesas
francé*s*, francesa, franceses, francesas
alemá*n*, alemana, alemanes, alemanas

## POSITION OF ADJECTIVES

1. Adjectives that *describe* the noun usually follow the noun.

| | |
|---|---|
| un **libro** ***rojo*** | a red book |
| una **escuela** ***grande*** | a large school |
| una **muchacha** ***española*** | a Spanish girl |

2. Adjectives that express *number*, *quantity*, or *amount* usually come before the noun.

| | |
|---|---|
| ***algunos*** **alumnos** | some pupils |
| ***mucho*** **dinero** | much money |
| ***cada*** **año** | each year |
| ***tres*** **muchachas** | three girls |

### *EXERCISES*

**A.** Underline the correct form of the adjective.

**1.** Las pruebas son (fácil, fáciles).

**2.** El hierro y la madera son (duro, dura, duros, duras).

**3.** Las actrices son (inglés, inglesa, ingleses, inglesas).

**4.** Los pañuelos son (blanco, blanca, blancos, blancas).

**5.** La falda es (rojo, roja, rojos, rojas).

**6.** Los mozos son (francés, francesa, franceses, francesas).

**7.** La cortina es (azul, azules).

**8.** Tomás es (bueno, buena, buenos, buenas).

**9.** La planta es (verde, verdes).

**10.** Juana es (español, española, españoles, españolas).

**11.** La camisa y los pantalones son (pardo, parda, pardos, pardas).

**12.** Sus hijos son (fuerte, fuertes).

**13.** Luis pone (mucho, mucha, muchos, muchas) pimienta en la sopa.

**14.** Anita y Antonio son (simpático, simpática, simpáticos, simpáticas).

**15.** Tengo (alguno, alguna, algunos, algunas) dólares en el bolsillo.

**B.** Replace the adjective in italics with the correct forms of the adjectives in parentheses.

| | | |
|---|---|---|
| **1.** Se peina el pelo *rubio.* | (corto, gris) | ______________________________ |
| **2.** Sirve postres *fríos.* | (fresco, dulce) | ______________________________ |
| **3.** Halló una botella *llena.* | (pequeño, vacío) | ______________________________ |
| **4.** Saben los verbos *fáciles.* | (español, alemán) | ______________________________ |

5. Tiene la cara *bonita*. (triste, feo) ______________________________
6. Se sentó en un asiento *bajo*. (alto, grande) ______________________________
7. No hacen las cosas *difíciles*. (imposible, malo) ______________________________
8. Caminamos por una avenida *ancha*. (hermoso, largo) ______________________________
9. Volvió después de *pocos* días. (mucho, alguno) ______________________________
10. Son alumnos y alumnas *diligentes*. (perezoso, débil) ______________________________

**C.** Change to the feminine.

1. nuestro tío rico ______________ tía __________________________
2. un ciudadano sincero ______________ ciudadana__________________________
3. el señor enfermo ______________ señora __________________________
4. un americano feliz ______________ americana __________________________
5. el nieto favorito ______________ nieta __________________________
6. ese criado inteligente ______________ criada __________________________
7. un camarero joven ______________ camarera __________________________
8. el actor famoso ______________ actriz __________________________
9. este inglés pobre ______________ inglesa __________________________
10. mi vecino alto ______________ vecina __________________________

**D.** Change to the masculine.

1. aquella portuguesa vieja ______________ portugués______________________
2. una chica morena ______________ chico ______________________
3. la alumna ausente ______________ alumno ______________________
4. varias enemigas fuertes ______________ enemigos ______________________
5. una mujer débil ______________ hombre ______________________
6. mi hija mayor ______________ hijo ______________________
7. una viajera contenta ______________ viajero______________________
8. la mexicana alegre ______________ mexicano ______________________
9. la esposa diligente ______________ esposo ______________________
10. la muchacha cansada ______________ muchacho ______________________

**E.** Change to the plural.

1. la promesa sincera ____________________________________________
2. el pupitre estrecho ____________________________________________
3. la oreja grande ____________________________________________
4. la rosa amarilla ____________________________________________
5. el río importante ____________________________________________
6. la manzana verde ____________________________________________
7. la muela blanca ____________________________________________

8. el paso largo ______________________

9. la asignatura fácil ______________________

10. el traje gris ______________________

**F.** Place the correct form of each adjective in its proper position in the sentence (either before or after the noun).

1. (bonito) Escuchan una __________ canción __________
2. (guapo) Marta es una __________ muchacha __________
3. (alguno) Deseo comprar __________ violetas y claveles __________
4. (seis) Tengo __________ cuchillos __________
5. (mucho) El profesor no da __________ exámenes __________
6. (libre) Somos __________ hombres __________
7. (derecho) Trabaja con el __________ brazo __________
8. (todo) El director habló a __________ los alumnos __________
9. (negro) La __________ blusa __________ es para Luisa.
10. (poco) Hay __________ taxis __________ en la calle.

**G.** Answer the following questions in Spanish.

1. ¿Cuál es su flor favorita? ______________________
2. ¿Tiene Vd. ojos azules? ______________________
3. ¿Tiene Vd. amigos españoles? ______________________
4. ¿Es Vd. un muchacho alto (una muchacha alta)? ______________________
______________________
5. ¿Lleva Vd. una corbata roja hoy? ______________________
6. ¿Hay una bandera americana en la clase? ______________________
______________________
7. ¿Compra Vd. ropa en una tienda grande? ______________________
______________________
8. ¿Vive Vd. en una casa pequeña? ______________________
9. ¿Hay muchos restaurantes en esta ciudad? ______________________
______________________
10. ¿Es Vd. un alumno aplicado (una alumna aplicada)? ______________________
______________________

**H.** Complete the following sentences in Spanish.

1. El presidente gobierna *a large country.* ______________________
2. Ana es *a pretty girl.* ______________________
3. El señor Gómez es *a young man.* ______________________
4. ¿Cuánto vale aquella *blue bicycle*? ______________________

5. México y Chile son *important countries.* ____________________

6. Decidió comprar *a green dress and blouse.* ____________________

7. *Many classes* son *interesting.* ____________________

8. *All the girls and boys* están presentes. ____________________

9. *Each gift* es caro. ____________________

10. María tiene *blond hair.* ____________________

11. Hay *many seats* en la clase. ____________________

12. El clavel es *a beautiful flower.* ____________________

13. *All the stores* son *large.* ____________________

14. Necesitan dos *small tables.* ____________________

15. *Some boys* son aplicados. ____________________

**Charles V (1500–1558), the grandson of King Ferdinand and Queen Isabella, was the most powerful monarch in Europe. He ruled Spain from 1516 to 1556. His empire, which included possessions throughout Europe and America, was so vast that it was said "En su imperio nunca se ponía el sol" (The sun never set on his empire). In 1556 he retired to a monastery, and his son Philip II assumed the throne.**

## 8. POSSESSIVE ADJECTIVES

| | SINGULAR | PLURAL |
|---|---|---|
| my | **mi** amigo(-a) | **mis** amigos(-as) |
| your (*fam. sing.*) | **tu** amigo(-a) | **tus** amigos(-as) |
| your (*polite*)<br>his, her, its, their | **su** amigo(-a) | **sus** amigos(-as) |
| our | **nuestro** amigo<br>**nuestra** amiga | **nuestros** amigos<br>**nuestras** amigas |
| your (*fam. pl.*) | **vuestro** amigo<br>**vuestra** amiga | **vuestros** amigos<br>**vuestras** amigas |

*Note*

A. Possessive adjectives agree in gender (masculine or feminine) and number (singular or plural) with the person or thing possessed, *not* with the possessor.

**nuestr*a*** madre — our mother
**su*s*** libro*s* — your (his, her, its, their) books

B. Adding an **-s** to the possessive adjective does not change its translation.

**mi** libro, my book; **mis** libros, my books

C. **Nuestro** and **vuestro** have four forms. The other possessive adjectives have two forms.

*EXERCISES*

**A.** Underline the correct form of the possessive adjective in parentheses, and translate each sentence into English.

**1.** Felipe y Tomás son *her* nietos. (su, sus)

------------------------------------------------------------

**2.** *Their* burro es viejo. (Su, Sus)

------------------------------------------------------------

**3.** Cada nación tiene *its* bandera. (su, sus)

------------------------------------------------------------

**4.** *My* vecinos son simpáticos. (Mi, Mis)

------------------------------------------------------------

**5.** Hay seis personas en *my* familia. (mi, mis)

------------------------------------------------------------

**6.** ¿Vives cerca de *your* abuelos? (sus, tus)

------------------------------------------------------------

**7.** ¿Por qué no habláis a *your* amigos? (sus, vuestros)

------------------------------------------------------------

**8.** ¿Dónde está *my* reloj? (mi, nuestro)

------------------------------------------------------------

**9.** *His* silla está allí. (Su, Sus)

------------------------------------------------------------

**10.** *Our* tierra es hermosa. (Nuestra, Nuestro)

------------------------------------------------------------

**B.** Complete each expression with the correct Spanish form of the possessive adjective in italics.

**1.** *your (fam. sing.)*: ________________ lámpara; ________________ baúl; ________________ orejas

**2.** *our*: ________________ falta; ________________ silencio; ________________ labios

**3.** *your (fam. pl.)*: ________________ perro; ________________ promesa; ________________ tareas

**4.** *his*: ________________ violín; ________________ calcetines; ________________ patria

**5.** *its*: ________________ montañas; ________________ bosques; ________________ templos

**6.** *their*: ________________ ayuda; ________________ cuadros; ________________ maletas

**7.** *her*: ________________ faldas; ________________ juguetes; ________________ pañuelo

**8.** *your (pol.)*: ________________ apartamiento; ________________ fotografía; ________________ sobrinas

**9.** *her*: ________________ bondad; ________________ billetes; ________________ discos

**10.** *my*: ________________ dirección; ________________ hambre; ________________ errores

**C.** Complete each sentence with the possessive adjective that corresponds to the subject, and translate each sentence.

EXAMPLES: El alumno estudia *su* lección. Yo leo *mis* libros.

*The pupil studies his lesson.* *I read my books.*

**1.** Ella conduce ________________ automóvil.

------------------------------------------------------------

**2.** Vosotros debéis almorzar en ________________ comedor.

------------------------------------------------------------

**3.** Nosotros luchamos contra ________________ enemigos.

------------------------------------------------------------

**4.** Alfredo conserva ________________ salud.

------------------------------------------------------------

**5.** El presidente gobierna ________________ país.

------------------------------------------------------------

6. Mi tío pintó ____________ casa.

______________________________________

7. No voy a perder ____________ guantes.

______________________________________

8. Nosotras expresamos ____________ dolor.

______________________________________

9. Los padres juegan con ____________ hijos.

______________________________________

10. No puedo leer ____________ revista.

______________________________________

11. ¿Acompañas tú a ____________ padre?

______________________________________

12. Entendemos a ____________ profesores.

______________________________________

13. ¿Quiere Vd. llenar ____________ copa otra vez?

______________________________________

14. Los campesinos cultivan ____________ tierras.

______________________________________

15. ¿Cuándo baja Vd. ____________ muebles?

______________________________________

**D.** Change the expressions in italics to the plural.

EXAMPLE: Por la tarde juego con *mi amigo*.
Por la tarde juego con *mis amigos*.

1. El niño juega con *su regalo*. ____________
2. No podemos resolver *nuestro problema*. ____________
3. ¿Obedecéis a *vuestro abuelo*? ____________
4. Enrique cuida a *su hermano*. ____________
5. La muchacha baila con *su primo*. ____________
6. ¿Pone Vd. *su vestido* en el armario? ____________
7. ¿Esperas a *tu prima*? ____________
8. El estudiante aprende *su lección*. ____________
9. ¿Cuándo vas a limpiar *tu blusa*? ____________
10. Siempre completo *mi tarea*. ____________

**E.** Change the expressions in italics to the singular.

EXAMPLE: Por la tarde juego con *mis amigos.*
Por la tarde juego con *mi amigo.*

1. La señora paga a *sus criados* cada mes. ______
2. Los padres aman a *sus hijos.* ______
3. ¿Admiráis a *vuestras tías*? ______
4. ¿Dónde compraste *tus camisas*? ______
5. Olvidé traer *mis lápices.* ______
6. ¿Escribes mucho en *tus cuadernos*? ______
7. Enrique usa *sus brazos fuertes* para trabajar. ______
8. Hacemos muchas preguntas a *nuestros maestros.* ______
9. Con *mis llaves* abrí la puerta. ______
10. ¿Quién compra *mis violetas*? ______

**F.** Answer the following questions in Spanish.

1. ¿Cuántas personas hay en su familia? ______
2. ¿Escuchan Vds. con atención cuando su maestro (maestra) habla? ______
3. ¿Vive Vd. cerca de sus compañeros de clase? ______
4. ¿Quién pone la mesa en su casa? ______
5. ¿Cómo saluda Vd. a sus amigos por la mañana? ______
6. ¿Sale Vd. mal en sus exámenes? ______
7. ¿Dónde está su abrigo? ______
8. ¿Quiere Vd. a su patria? ______
9. ¿Charla Vd. a menudo con su papá? ______
10. ¿Cuál es su estación favorita? ______
11. ¿Vuelve Vd. a su casa a pie? ______
12. ¿Tienen Vds. sus vacaciones la semana que viene? ______
13. ¿Qué hora es en su reloj? ______
14. ¿Cómo se llama su actor favorito? ______
15. ¿A qué hora entran Vds. en su clase de español? ______

**G.** Complete the following sentences in Spanish.

1. *Our uncles* son ricos. ______________________
2. ¿Vas a leer *your letters*? ______________________
3. *Our school* es grande. ______________________
4. *Their houses* son pequeñas. ______________________
5. ¿Dónde compraste *your hat*? ______________________
6. *My automobile* es nuevo. ______________________
7. ¿Cuándo celebra ella *her birthday*? ______________________
8. Vaya Vd. a *your seat*. ______________________
9. *Her children* no comen carne. ______________________
10. Encontró *his bicycle* en el sótano. ______________________
11. *Their mother* prepara las comidas. ______________________
12. *His parents* escondieron el regalo. ______________________
13. ¿Por qué no bailáis con *your cousins* (*fem.*)? ______________________
14. *My teachers* llegan a tiempo. ______________________
15. Compramos *our shirts* en una tienda de ropa. ______________________

**Many elegant restaurants in Madrid and other Spanish cities entertain their guests with performances of Flamenco songs and dances, which are popular throughout Spain.**

## 9. DEMONSTRATIVE ADJECTIVES

Demonstrative adjectives, like other adjectives, agree with their nouns in gender (masculine or feminine) and number (singular or plural).

| | MASCULINE | FEMININE |
|---|---|---|
| this | **este** libro | **esta** casa |
| these | **estos** libros | **estas** casas |
| that (*near you*) | **ese** libro | **esa** casa |
| those (*near you*) | **esos** libros | **esas** casas |
| that (*at a distance*) | **aquel** libro | **aquella** casa |
| those (*at a distance*) | **aquellos** libros | **aquellas** casas |

*EXERCISES*

**A.** Underline the correct form of the adjective in parentheses, and translate the sentence into English.

**1.** (Esta, Esos, Aquellas) cerezas todavía están verdes.

--------------------------------------------------------------------------------

**2.** (Esta, Ese, Aquellas) pimienta es muy fuerte.

--------------------------------------------------------------------------------

**3.** (Estos, Esas, Aquel) asientos están ocupados.

--------------------------------------------------------------------------------

**4.** (Estos, Esa, Aquel) viaje no fue largo.

--------------------------------------------------------------------------------

**5.** ¿De quién es (estos, ese, aquella) sombrero?

--------------------------------------------------------------------------------

**6.** ¿Inventó Vd. (esta, esas, aquel) instrumento?

--------------------------------------------------------------------------------

**7.** No quiero comer (este, esos, aquella) queso.

--------------------------------------------------------------------------------

**8.** ¿Le gustan a Vd. (estos, esas, aquella) patatas?

--------------------------------------------------------------------------------

**9.** (Estas, Ese, Aquella) ascensor no sube.

--------------------------------------------------------------------------------

**10.** ¿Cuál es la capital de (este, esas, aquella) nación?

--------------------------------------------------------------------------------

11. (Estas, Esos, Aquellos) revistas son baratas.

_______________

12. ¿Quién es (este, esa, aquellas) actriz?

_______________

13. El señor Galindo vive en (este, esa, aquellos) hotel.

_______________

14. (Estas, Esos, Aquel) científicos son famosos.

_______________

15. Hay pocos taxis en (esta, ese, aquellas) calle.

_______________

**B.** Translate the English words into Spanish.

1. ¿Cuánto cuesta *that* [near] blusa? _______________
2. *These* gallos valen mucho. _______________
3. ¿Quién pintó *those* [distant] cuadros? _______________
4. *This* prueba es fácil. _______________
5. Yo tomo *that* [near] tren por la tarde. _______________
6. *These* cuartos son estrechos. _______________
7. ¿Sabe Vd. el nombre de *those* [near] árboles? _______________
8. *This* palacio es muy viejo. _______________
9. *These* rosas son de mi jardín. _______________
10. *That* [near] viento viene del oeste. _______________
11. *These* naranjas no son dulces. _______________
12. *That* [distant] planta es hermosa. _______________
13. *Those* [near] corbatas son muy caras. _______________
14. *This* pueblo es pequeño. _______________
15. *This* niña sabe coser. _______________

**C.** Change the expressions in italics to the plural.

1. El barbero canta *esa canción.* El barbero canta _______________.
2. *Este abogado* es español. _______________ son españoles.
3. El estudiante no entiende *este ejercicio.* El estudiante no entiende _______________.
4. *Aquella taquígrafa* es muy bonita. _______________ son muy bonitas.
5. ¿Quién vive en *ese apartamiento*? ¿Quiénes viven en _______________?
6. *Aquel mozo* sirve la comida. _______________ sirven la comida.
7. *Ese hombre* es mexicano. _______________ son mexicanos.
8. *Aquel panadero* es mi vecino. _______________ son mis vecinos.
9. *Este perro* no es inteligente. _______________ no son inteligentes.

10. *Esa enfermera* trabaja en el hospital. ____________________ trabajan en el hospital.

**D.** Change the expressions in italics to the singular.

1. *Aquellos comerciantes* conocen a mucha gente. ____________________ conoce a mucha gente.
2. *Estos brazos* son para defender a Vd. ____________________ es para defender a Vd.
3. *Esas máscaras* cubren bien la cara. ____________________ cubre bien la cara.
4. *Estas copas* están llenas. ____________________ está llena.
5. *Estas alemanas* son rubias. ____________________ es rubia.
6. *Estos caballos* no corren rápidamente. ____________________ no corre rápidamente.
7. *Aquellas vacas* dan poca leche. ____________________ da poca leche.
8. ¿Son buenos *esos dentistas*? ¿Es bueno ____________________?
9. *Aquellas avenidas* son anchas. ____________________ es ancha.
10. *Estos zapateros* no son ricos. ____________________ no es rico.

**E.** Translate into Spanish.

1. these flowers ____________________
2. those pies (near) ____________________
3. those cows (distant) ____________________
4. those blouses (near) ____________________
5. these newspapers ____________________
6. those cars (near) ____________________
7. that park (distant) ____________________
8. those roses (distant) ____________________
9. that king (distant) ____________________
10. that waiter (near) ____________________
11. this afternoon ____________________
12. that street (distant) ____________________
13. this restaurant ____________________
14. those oranges (near) ____________________
15. that store (near) ____________________
16. these shoes ____________________
17. this summer ____________________
18. this morning ____________________
19. those countries (distant) ____________________
20. these trees ____________________

**F.** Translate into Spanish.

1. I don't believe these stories. ____________________

2. Those windows (distant) are (están) open. ____________________

____________________

3. Did you (vosotros) complete this exercise? ____________________

____________________

4. This author works at home. ____________________

5. That child (near) always cries. ____________________

6. When did you (tú) find this coin? ____________________

7. That bicycle (near) is new. ____________________

8. I cannot write with this pen. ____________________

9. These apples are green. ____________________

10. Those dresses (near) are pretty. ____________________

**The jarabe tapatío, commonly called the Mexican Hat Dance, is a well-known folk dance of Mexico. It is lively, with a variety of steps performed by a man and woman dressed in native costumes. The highlight of the dance is the finale in which the man throws his hat at the feet of his partner. She dances gaily around the brim, picks up the hat and dons it. The couple then dance away together.**

## 10. SHORTENING OF ADJECTIVES

1. The following adjectives drop the final **-o** when used before a masculine singular noun.

| *Adjective* | *Shortened Form Before a Masculine Singular Noun* | |
|---|---|---|
| **uno,** a, an, one | **un** centavo | a (one) cent |
| **primero,** first | el **primer** piso | the first floor |
| **tercero,** third | el **tercer** mes | the third month |
| **bueno,** good | un **buen** muchacho | a good boy |
| **malo,** bad | un **mal** año | a bad year |
| **alguno,** some | **algún** dinero | some money |
| **ninguno,** no, none, not . . . any | **ningún** dinero | no money |

*Note*

A. The complete form of the adjective is used when (*a*) it follows a masculine singular noun, (*b*) it modifies a feminine or plural noun, or (*c*) a preposition comes between the adjective and the noun:

| | |
|---|---|
| (*a*) un muchacho **malo** | a bad boy |
| (*b*) una **buena** muchacha | a good girl |
| (*b*) **algunos** libros | some books |
| (*c*) el **primero** de junio | June 1 |

B. In the short forms of **alguno** and **ninguno,** the **u** has a written accent: **algún, ningún.**

2. **Ciento** becomes **cien** before any plural noun, and before the numbers **mil** (*thousand*) and **millón** (*million*). When combined with any other number, the full form is used.

| | |
|---|---|
| **cien** asientos | one (a) hundred seats |
| **cien** mesas | one (a) hundred tables |
| **cien** mil | one (a) hundred thousand |
| **cien** millones | one (a) hundred million |
| *but* | |
| ***ciento*** treinta asientos | one (a) hundred thirty seats |

*EXERCISES*

**A.** Underline the correct form of the adjective in parentheses.

1. No podemos encontrar un (bueno, buen) camino.
2. ¿Es verdad que ocurrió (alguno, algún) accidente?
3. ¿Cuál es el (primero, primer) día de la semana?
4. Su traje cuesta (ciento, cien) cincuenta dólares.
5. En la pared hay (uno, un) cuadro.
6. Francisco (Primero, Primer) fue un rey de Francia.
7. (Ninguno, Ningún) periódico omite la noticia del crimen.
8. Los estudiantes olvidaron el nombre del (tercero, tercer) mes del año.
9. Es una ciudad de (ciento, cien) mil personas.

10. ¿Necesita Vd. (alguna, algún) cosa?
11. (Algunos, Algún) meses tienen treinta días.
12. (Una, Un) noche el gato desapareció.
13. Hace (malo, mal) tiempo ahora.
14. Enrique Octavo fue un rey (malo, mal).
15. La señorita Gómez es una (buena, buen) actriz.

**B.** Complete each sentence with the correct form of the adjective in parentheses.

1. (uno) El Perú es ______________________ país de la América del Sur.
2. (tercero) Subimos al ______________________ piso.
3. (alguno) Hicieron un viaje a ______________________ lugar histórico.
4. (uno) Arturo es el número ______________________ de la clase.
5. (malo) El dentista sacó el diente ______________________.
6. (uno) Busco ______________________ docena de naranjas.
7. (primero) Traducen la ______________________ página.
8. (malo) El tigre es un ______________________ animal.
9. (ninguno) ______________________ muchacho sabe nadar.
10. (alguno) ______________________ tareas son fáciles.
11. (ninguno) Esta muchacha no tiene ______________________ enfermedad.
12. (ciento) El precio de la cortina es ______________________ dólares.
13. (bueno) ______________________ días, señor Pereda.
14. (alguno) Regresó después de ______________________ minutos.
15. (bueno) José posee un ______________________ tocadiscos.

**C.** Complete each sentence with the correct form of one of the following adjectives: **alguno, bueno, ciento, malo, ninguno, primero, tercero, uno.**

1. Domingo es el ______________________ día de la semana.
2. Invitó a ______________________ amigos a la fiesta.
3. Mi primo es un ______________________ abogado; sabe mucho.
4. ¿Oye Vd. ______________________ ruido?
5. ¿No hay ______________________ camarero para servir la comida?
6. México es ______________________ república de la América del Norte.
7. Buenos Aires es la ______________________ ciudad de la Argentina.
8. Hay muchos animales ______________________ en el bosque.
9. Hace ______________________ tiempo hoy; llueve mucho.
10. Sesenta centavos y cuarenta centavos son ______________________ centavos.
11. Esta moneda es ______________________; vale mucho.
12. El turista desea ver ______________________ catedrales.

13. No conoce a ______________________ norteamericanas.
14. Marzo es el ______________________ mes del año.
15. Aquel campesino tiene ______________________ veinte gallinas.

**D.** Answer the following questions in Spanish.

1. ¿Cuántos centavos hay en un dólar? ______________________
2. ¿Desea Vd. vivir hasta cien años? ______________________
3. ¿Tiene Vd. un reloj? ______________________
4. ¿Toca Vd. algún instrumento músico? (Answer negatively.) ______________________
______________________
5. ¿Tiene Vd. algunos problemas? (Answer negatively.) ______________________
______________________
6. ¿Tiene su familia un buen médico? ______________________
7. ¿Vio Vd. una película mala recientemente? ______________________
______________________
8. ¿Tiene Vd. buenos amigos? ______________________
9. ¿Son aplicados algunos alumnos? ______________________
10. ¿Hace buen tiempo hoy? ______________________
11. ¿Cuál es el tercer día de la semana? ______________________
12. ¿Quién es el primer alumno de esta clase? ______________________
13. ¿Tiene Vd. algún dinero en el bolsillo? (Answer negatively.) ______________________
______________________
14. ¿Cuál es el primer mes del año? ______________________
15. ¿Es Vd. un muchacho bueno (una muchacha buena)? ______________________
______________________

**E.** Complete the following sentences in Spanish.

1. Hice *some* errores. ______________________
2. Domingo es el *first* día de la semana. ______________________
3. Aquellos niños no tienen *any* juguetes. ______________________
4. Su número de teléfono es cinco, seis, cuatro, *one*. ______________________
5. Lea Vd. el párrafo *third*. ______________________
6. Ayer fue el *first* día de agosto. ______________________
7. Hoy es un *bad* día. ______________________
8. No hay *no* borrador para limpiar la pizarra. ______________________
9. Felipe es un *good* hijo. ______________________
10. Febrero no es el *third* mes. ______________________

**11.** Tengo *a hundred* diez dólares en mi cartera. ----------------------------------------

**12.** Escondí *one hundred* dólares en mi dormitorio. ----------------------------------------

**13.** Vd. pintó un cuadro muy *good.* ----------------------------------------

**14.** Es una *good* universidad. ----------------------------------------

**15.** ¿Quiere Vd. dar *some* explicación? ----------------------------------------

**16.** *No* tienda está abierta. ----------------------------------------

**17.** Los viajeros desean subir *some* monte. ----------------------------------------

**18.** Tengo solamente *one* sobrina. ----------------------------------------

**19.** Es una *bad* camarera. ----------------------------------------

**20.** ¿Tiene Vd. *one* nieto o dos? ----------------------------------------

**F.** Translate into Spanish.

**1.** a bad king ----------------------------------------

**2.** some cities ----------------------------------------

**3.** no store ----------------------------------------

**4.** one million ----------------------------------------

**5.** no gardens ----------------------------------------

**6.** two good doctors ----------------------------------------

**7.** a good party ----------------------------------------

**8.** a hundred million ----------------------------------------

**9.** a hundred pupils ----------------------------------------

**10.** the first tree ----------------------------------------

**11.** some day ----------------------------------------

**12.** the third Saturday ----------------------------------------

**13.** the first thing ----------------------------------------

**14.** the third house ----------------------------------------

**15.** a good guide ----------------------------------------

# 11. ADVERBS

1. Adverbs are regularly formed from adjectives by adding **-mente** to the feminine singular form of the adjective.

| *Adjective (fem. sing.)* | *Adverb* |
|---|---|
| **correcta,** correct | **correctamente,** correctly |
| **fácil,** easy | **fácilmente,** easily |

2. The adjectives **bueno** and **malo** have special adverb forms:

| | |
|---|---|
| **bueno(-a),** good | **bien,** well |
| **malo(-a),** bad | **mal,** badly |

*Note*

A. Adverbs do not vary in form, either for gender or number.

B. Adjectives that bear a written accent mark keep the accent when changed to adverbs (**fácil, fácilmente**).

C. The above adverbs, and all other adverbs ending in **-mente,** are concerned with the question *how*? or *in what way*? Other common adverbs expressing *how*? are **despacio** (*slowly*) and **¿cómo?** (*how*?). Adverbs are also concerned with the question *why*? (**¿por qué?**), *when*?, and *where*?

3. Many other adverbs have special forms. Some of the more common are:

*Adverbs of Time (When?)*

| | |
|---|---|
| **ahora,** now | **mañana,** tomorrow |
| **anoche,** last night | **nunca,** never |
| **ayer,** yesterday | **pronto,** soon |
| **¿cuándo?,** when? | **siempre,** always |
| **entonces,** then | **tarde,** late |
| **hoy,** today | **temprano,** early |
| **luego,** then, next | **todavía,** still, yet |

*Adverbs of Place (Where?)*

| | |
|---|---|
| **abajo,** below, downstairs | **aquí,** here |
| **¿adónde?,** (to) where? | **arriba,** above, upstairs |
| **allí,** there | **¿dónde?,** where? |

*EXERCISES*

**A.** Form adverbs from the following adjectives by adding **-mente.**

| | |
|---|---|
| **1.** alegre ____________________ | **7.** feliz ____________________ |
| **2.** correcto ____________________ | **8.** fuerte ____________________ |
| **3.** débil ____________________ | **9.** inmediato ____________________ |
| **4.** diligente ____________________ | **10.** libre ____________________ |
| **5.** dulce ____________________ | **11.** perezoso ____________________ |
| **6.** fácil ____________________ | **12.** rápido ____________________ |

**13.** reciente ---------------------------- **15.** triste ----------------------------

**14.** sincero ----------------------------

**B.** In each group, underline the adverb that is *not* related to the others in meaning (*how?*, *when?*, *where?*, *why?*).

1. ayer, siempre, correctamente, entonces
2. alegremente, libremente, temprano, fuertemente
3. débilmente, ahora, luego, nunca
4. ¿adónde?, dulcemente, bien, rápidamente
5. ¿cuándo?, hoy, nunca, tristemente
6. diligentemente, tarde, sinceramente, perezosamente
7. pronto, aquí, abajo, ¿dónde?
8. allí, arriba, ¿dónde?, fácilmente
9. ¿por qué?, anoche, todavía, mañana
10. felizmente, mal, rápidamente, ¿cuándo?

**C.** To the left of each adverb in column *A*, write the letter of the adverb or expression in column *B* that has the same or related meaning.

| | *Column A* | *Column B* |
|---|---|---|
| ------- | **1.** luego | *a.* sin hacer faltas |
| ------- | **2.** correctamente | *b.* muchas veces |
| ------- | **3.** felizmente | *c.* el día antes de hoy |
| ------- | **4.** ¿dónde? | *d.* todo el tiempo |
| ------- | **5.** a menudo | *e.* en seguida |
| ------- | **6.** ¿cuándo? | *f.* ¿a qué hora? |
| ------- | **7.** ayer | *g.* alegremente |
| ------- | **8.** aquí | *h.* en esta ciudad |
| ------- | **9.** inmediatamente | *i.* ¿en qué lugar? |
| ------- | **10.** siempre | *j.* entonces |

**D.** Complete in Spanish.

1. Yo *never* salgo mal en las pruebas. ------------------------------------
2. Anuncian una noticia importante *today*. ------------------------------------
3. Pueden entender a la maestra *easily*. ------------------------------------
4. Los viajeros llegaron *soon* al museo. ------------------------------------
5. Francisco completa sus tareas *diligently*. ------------------------------------
6. Comió *quickly* y salió del restaurante. ------------------------------------
7. ¿Estudiaron Vds. el vocabulario *last night*? ------------------------------------
8. Su nieta cantó *sweetly*. ------------------------------------

9. Los pájaros vuelan *freely* en el aire. ______________________________
10. ¿A qué hora quiere Vd. despertarse *tomorrow*? ______________________________
11. Habló a los ciudadanos *sincerely*. ______________________________
12. Antonio borra la pizarra *lazily*. ______________________________
13. La niña lloró *sadly*. ______________________________
14. Mi vecino conduce *badly* su coche. ______________________________
15. El campesino caminó *slowly*. ______________________________
16. ¿Desean Vds. desayunarse *now*? ______________________________
17. Los soldados lucharon *forcefully* contra los enemigos. ______________________________
18. ¿*How* saludas tú a tus amigos? ______________________________
19. Entramos en la escuela *early*. ______________________________
20. ¿*Why* grita Vd.? ______________________________

**Montezuma II (1480?–1520) was emperor of the Aztecs when Cortés arrived in Mexico (1519). Because Montezuma was imprisoned by Cortés, the Aztecs rose in revolt. Montezuma pleaded with his people not to attack the palace, but the Aztecs, believing that he had turned traitor, stoned him to death.**

## 12. MASTERY EXERCISES

(LESSONS 7–11)

**A.** Write: (*a*) the masculine plural, (*b*) the feminine singular, and (*c*) the adverb form **(-mente)** of the following adjectives. Translate each adverb into English. (See Grammar Lessons 7, 11.)

| | (*a*) | (*b*) | (*c*) |
|---|---|---|---|
| EXAMPLE: *rico* | *ricos* | *rica* | *ricamente*, richly |
| **1.** alegre | ________________ | ________________ | ________________________________ |
| **2.** correcto | ________________ | ________________ | ________________________________ |
| **3.** débil | ________________ | ________________ | ________________________________ |
| **4.** diligente | ________________ | ________________ | ________________________________ |
| **5.** dulce | ________________ | ________________ | ________________________________ |
| **6.** fácil | ________________ | ________________ | ________________________________ |
| **7.** feliz | ________________ | ________________ | ________________________________ |
| **8.** frío | ________________ | ________________ | ________________________________ |
| **9.** fuerte | ________________ | ________________ | ________________________________ |
| **10.** histórico | ________________ | ________________ | ________________________________ |
| **11.** imposible | ________________ | ________________ | ________________________________ |
| **12.** inmediato | ________________ | ________________ | ________________________________ |
| **13.** interesante | ________________ | ________________ | ________________________________ |
| **14.** libre | ________________ | ________________ | ________________________________ |
| **15.** necesario | ________________ | ________________ | ________________________________ |
| **16.** perezoso | ________________ | ________________ | ________________________________ |
| **17.** pobre | ________________ | ________________ | ________________________________ |
| **18.** rápido | ________________ | ________________ | ________________________________ |
| **19.** sincero | ________________ | ________________ | ________________________________ |
| **20.** triste | ________________ | ________________ | ________________________________ |

**B.** Place the correct form of the adjective in parentheses in its proper position in the sentence (either before or after the noun). Use the *short* form of the adjective *wherever possible.* (See Grammar Lessons 7, 10.)

**1.** (azul) Mi madre llenó la ________________ botella ________________.

**2.** (ninguno) ¿No halló Vd. ________________ plata ________________?

**3.** (bueno) En el almuerzo comió ________________ queso ________________.

**4.** (aplicado) ¿Cómo se llaman los ________________ muchachos ________________?

**5.** (uno) Ofrece ________________ helado ________________ a la niña.

**6.** (alguno) Decidió ir allí ________________ día ________________.

**7.** (primero) Empiezan el ________________ semestre ________________.

8. (ciento) La fábrica vale ________________ millones ________________ de dólares.
9. (fácil) Comenzaron unas ________________ tareas ________________.
10. (cerrado) El maestro sacó un ________________ sobre ________________.
11. (tercero) Regresó al ________________ pupitre ________________.
12. (ninguno) No pienso tomar ________________ postre ________________.
13. (ciento) Contó ________________ treinta sillas ________________.
14. (malo) Parece un ________________ sobrino ________________.
15. (mucho) Bebieron ________________ vino ________________ con la cena.
16. (francés) ¿Aprendió Vd. los ________________ verbos ________________?
17. (alguno) ¿Hay ________________ servilletas ________________ en la mesa?
18. (ciento) Las gallinas cuidan ________________ pollos ________________.
19. (dulce) Prefieren los ________________ refrescos ________________.
20. (duro) Cayó al ________________ suelo ________________.
21. (caliente) Voy a beber ________________ leche ________________.
22. (cada) Juegan al béisbol ________________ jueves ________________.
23. (rosado) ¿Cuánto cuesta la ________________ lana ________________?
24. (gris) Se ponen las ________________ faldas ________________.
25. (poco) Mi abuela tiene ________________ dientes ________________.

**C.** Complete each sentence, using the correct form of the adjectives in parentheses. (See Grammar Lessons 8, 9.)

1. (mi) Voy a llamar a ____________________ nietos ahora.
2. (aquel) En ____________________ supermercado venden muchas cosas.
3. (este) ____________________ naranja cayó del árbol.
4. (vuestro) ¿Cuándo ocurrió ____________________ accidente?
5. (este) No compre Vd. ____________________ peras baratas.
6. (ese) ¿Están frescas ____________________ legumbres?
7. (tu) ¿Cuál es ____________________ dirección?
8. (aquel) ____________________ nubes son blancas.
9. (nuestro) Wáshington es la capital de ____________________ país.
10. (nuestro) ____________________ asignaturas son interesantes.
11. (mi) ____________________ alcoba es muy bonita.
12. (nuestro) ____________________ abuelos hicieron un viaje largo el año pasado.
13. (vuestro) ¿Quién robó ____________________ bicicletas anoche?
14. (su) Dejó ____________________ pañuelo en el sofá.
15. (su) Tomás perdió ____________________ libros otra vez.
16. (este) No creo ____________________ cuento.

17. (ese) ______________________ mozo no preparó la comida.
18. (este) ______________________ pantalones son muy anchos.
19. (ese) ______________________ campana suena cada hora.
20. (su) El rey no está en ______________________ palacio.
21. (aquel) ______________________ mexicana baila muy bien.
22. (tu) ¿Dónde compraste ______________________ zapatos?
23. (ese) ______________________ labios siempre dicen la verdad.
24. (aquel) ¿Por qué trajo Vd. ______________________ discos viejos?
25. (nuestro) ______________________ bandera es roja, blanca, y azul.

**D.** Answer the following questions in Spanish.

1. ¿Tienen Vds. sus vacaciones la semana próxima? ______________________
______________________
2. ¿Es fuerte su papá? ______________________
3. ¿Es Vd. un alumno perezoso (una alumna perezosa)? ______________________
______________________
4. ¿Están abiertas algunas ventanas? (Answer negatively.) ______________________
______________________
5. ¿Hace buen tiempo hoy? ______________________
6. ¿Desea Vd. asistir a la universidad algún día? ______________________
______________________
7. ¿Contesta Vd. en voz alta o en voz baja? ______________________
______________________
8. ¿Escriben Vds. muchos dictados en esta clase? ______________________
______________________
9. ¿Tenemos un alcalde bueno en esta ciudad? ______________________
______________________
10. ¿Cuál es su estación favorita? ______________________
11. ¿Escribe Vd. con tinta negra o roja? ______________________
12. ¿Tiene Vd. el pelo corto? ______________________
13. ¿Cuál es el primer mes del año? ______________________
14. ¿Contesta Vd. las preguntas correctamente? ______________________
______________________
15. ¿Hace mucho viento ahora? ______________________
16. ¿Toma Vd. la sopa con mucha pimienta? ______________________
______________________

17. ¿Pone Vd. la mesa para las comidas en su casa? ______________________

______________________

18. ¿Cuántos años tiene Vd.? ______________________
19. ¿Cuál es el tercer día de la semana? ______________________
20. ¿Hay una cómoda en su dormitorio? ______________________

**E.** Complete the following sentences in Spanish. (See Grammar Lessons 7, 8, 9, 10.)

1. Copiaron *the first paragraph.* ______________________
2. ¿Cuándo vas a pintar *that table* [near]? ______________________
3. Luis, *your* (*fam.*) *cousins* son hermosas. ______________________
4. Ayer compró *a green blouse.* ______________________
5. Francisco es *a bad boy.* ______________________
6. José y María son *good pupils,* ¿verdad? ______________________
7. El señor García va a hablar *this afternoon.* ______________________
8. ¿A quién invitas a *your party* el sábado que viene? ______________________
9. *The first hour* pasó despacio. ______________________
10. Es necesario limpiar *that window* [distant]. ______________________
11. La profesora examinó *our work* el viernes pasado. ______________________
12. Buscan *a good automobile.* ______________________
13. *These spoons* no son de plata. ______________________
14. Las violetas son de *her garden.* ______________________
15. Posee *some money.* ______________________
16. *This waiter* sirve perezosamente. ______________________
17. Voy a almorzar en *the new restaurant.* ______________________
18. No deseo llevar *those shirts* [near]. ______________________
19. *Our sisters* conocen a muchas niñas. ______________________
20. No tiene *any illness.* ______________________
21. *His family* se desayuna a las siete en el comedor. ______________________
22. Salí de *my bedroom* y bajé la escalera. ______________________
23. *Those women* [distant] cosen vestidos. ______________________
24. No completan *any exercise.* ______________________
25. José se sentó en *the third seat.* ______________________
26. Entraron en la casa por *the open door.* ______________________
27. ¿Por qué se quita ella *that coat*? [distant] ______________________
28. *That train* [near] llegó tarde. ______________________
29. *Those soldiers* [near] lucharon fuertemente. ______________________
30. Anita cortó *her blond hair.* ______________________

**F.** Complete the following sentences in Spanish, using the **-mente** form of the adverb wherever possible. (See Grammar Lesson 11.)

1. Pronunciamos *badly* las palabras. ____________________
2. Yo *never* olvido la lección. ____________________
3. Subió la escalera *lazily*. ____________________
4. Celebra su cumpleaños *tomorrow*. ____________________
5. Llueve mucho *today*. ____________________
6. Andan por la calle *slowly*. ____________________
7. El ladrón desapareció *yesterday*. ____________________
8. Yo *often* charlo con mis vecinos. ____________________
9. El autor describe *very well* la vida española. ____________________
10. Cultiva su jardín *diligently*. ____________________
11. Vd. no expresó la frase *correctly*. ____________________
12. ¿*Why* llora la niña? ____________________
13. El dueño gritó *forcefully* a la taquígrafa. ____________________
14. Traducen las frases *easily*. ____________________
15. Los aviones vuelan *quickly*. ____________________
16. Ese niño *always* obedece a su mamá. ____________________
17. Gastan su dinero *freely*. ____________________
18. ¿*When* partió el tren? ____________________
19. Necesito veinte y cinco dólares *immediately*. ____________________
20. La familia cena *early*. ____________________

## 13. CARDINAL NUMBERS 0—99; ARITHMETIC EXPRESSIONS

### 0–10

| | | | |
|---|---|---|---|
| 0 | **cero** | 6 | **seis** |
| 1 | **uno (un), una** | 7 | **siete** |
| 2 | **dos** | 8 | **ocho** |
| 3 | **tres** | 9 | **nueve** |
| 4 | **cuatro** | 10 | **diez** |
| 5 | **cinco** | | |

### 11–20

| | | | |
|---|---|---|---|
| 11 | **once** | 16 | **diez y seis (dieciséis)** |
| 12 | **doce** | 17 | **diez y siete (diecisiete)** |
| 13 | **trece** | 18 | **diez y ocho (dieciocho)** |
| 14 | **catorce** | 19 | **diez y nueve (diecinueve)** |
| 15 | **quince** | 20 | **veinte** |

### 21–99

| | | | |
|---|---|---|---|
| 21 | **veinte y uno (veintiuno)** | 30 | **treinta** |
| 22 | **veinte y dos (veintidós)** | 31 | **treinta y uno** |
| 23 | **veinte y tres (veintitrés)** | 40 | **cuarenta** |
| 24 | **veinte y cuatro (veinticuatro)** | 50 | **cincuenta** |
| 25 | **veinte y cinco (veinticinco)** | 60 | **sesenta** |
| 26 | **veinte y seis (veintiséis)** | 70 | **setenta** |
| 27 | **veinte y siete (veintisiete)** | 80 | **ochenta** |
| 28 | **veinte y ocho (veintiocho)** | 90 | **noventa** |
| 29 | **veinte y nueve (veintinueve)** | 99 | **noventa y nueve** |

*Note*

A. Compound numbers from 16 to 99 are connected by **y.**

B. Numbers 16 to 19 and 21 to 29 may be written as one word. When this is done, **y** becomes **i,** and **z** becomes **c.**

C. The numbers **dieciséis, veintidós, veintitrés,** and **veintiséis** have an accent mark.

D. **Uno** and combinations of **uno (veinte y uno, treinta y uno,** etc.) become **un** before a masculine noun and **una** before a feminine noun.

| | |
|---|---|
| **un** libro | one book (a book) |
| **una** mesa | one table (a table) |
| veinte y ***un*** (veinti***ún***) asientos | twenty-one seats |
| treinta y ***una*** sillas | thirty-one chairs |

### ARITHMETIC EXPRESSIONS

**y,** plus (+)
**menos,** minus (−)
**por,** multiplied by, "times" (×)
**son,** equal(s) (=)

*EXERCISES*

**A. ¿Sí o No?** If the statement is true, write **sí;** if it is false, correct it by changing the words in italics, writing the correct words in the blank.

**1.** Hay *noventa y cinco* alumnos en esta clase. ____________________

**2.** En una docena de huevos hay *diez* huevos. ____________________

**3.** Hay *treinta* días en el mes de mayo. ____________________

**4.** Tenemos *once* dedos en las dos manos. ____________________

**5.** Hay *ochenta* asientos en la clase de español. ____________________

**6.** Veinte y cinco dólares y quince dólares son *cuarenta* dólares. ____________________

**7.** El gato tiene *cinco* pies. ____________________

**8.** El mes de noviembre tiene *treinta* días. ____________________

**9.** Cuarenta centavos y veinte centavos son *ochenta* centavos. ____________________

**10.** Hay *veinte* días en un mes. ____________________

**11.** Hay *doce* meses en un año. ____________________

**12.** En los Estados Unidos hay *cincuenta* estados. ____________________

**13.** Hay *veinte y cuatro* horas en un día. ____________________

**14.** Hay *setenta* minutos en una hora. ____________________

**15.** Hay *seis* días en una semana. ____________________

**B.** Write the following numbers in Spanish words.

**1.** 4____________________
**2.** 6____________________
**3.** 7____________________
**4.** 9____________________
**5.** 11____________________
**6.** 13____________________
**7.** 16____________________
**8.** 18____________________
**9.** 22____________________
**10.** 24____________________
**11.** 25____________________
**12.** 31____________________
**13.** 42____________________
**14.** 53____________________
**15.** 57____________________
**16.** 64____________________
**17.** 66____________________
**18.** 69____________________
**19.** 76____________________
**20.** 83____________________
**21.** 89____________________
**22.** 91____________________
**23.** 95____________________
**24.** 97____________________
**25.** 99____________________

**C.** Complete the following sentences with the correct form of **uno (uno, un,** or **una).**

**1.** Tomamos la sopa con ________________ cuchara.

**2.** Francisco tiene veinte y ________________ años.

**3.** Veinte y siete y catorce son cuarenta y ________________.

**4.** En julio hay treinta y ________________ días.

**5.** Hay cincuenta y ________________ lecciones en el libro.

**6.** Necesito solamente ________________ silla.

**7.** Trece por siete son noventa y ________________.

8. Perdí ________________ dólar.
9. Tomás vive en la calle Main, número sesenta y ________________.
10. Las frutas cuestan cincuenta y ________________ centavos.

**D.** Write in Spanish, supplying the correct answers.

1. 87 − 22 = ? ________________
2. 27 + 38 = ? ________________
3. 31 + 64 = ? ________________
4. 98 − 35 = ? ________________
5. 76 − 67 = ? ________________
6. 25 × 3 = ? ________________
7. 11 × 9 = ? ________________
8. 10 + 31 = ? ________________
9. 47 + 51 = ? ________________
10. 32 − 13 = ? ________________

**E.** Answer the following questions in complete Spanish sentences. (Write all numbers in Spanish words, not as numerals.)

1. ¿Cuántas banderas americanas hay en la clase? ________________
2. ¿Cuántos son ochenta y ocho menos treinta y cinco? ________________
3. ¿Cuál es su número de teléfono? ________________
4. ¿Cuántas personas hay en su familia? ________________
5. ¿Cuántos son ocho por seis? ________________
6. ¿Cuántas manzanas hay en una docena? ________________
7. ¿Cuántos alumnos hay en la clase de español? ________________
8. ¿Cuántos son muchachos? ¿Cuántas son muchachas? ________________
9. ¿Cuántos son sesenta menos veinte y cinco? ________________
10. ¿Cuál es el número de esta lección? ________________

11. ¿Cuántos son cuarenta y cincuenta y nueve? ______________________

______________________

12. ¿Cuál es el número de su casa? ______________________

______________________

13. ¿Cuántos días tiene el mes de diciembre? ______________________

______________________

14. ¿Cuántos estados hay en los Estados Unidos? ______________________

______________________

15. ¿Cuántos relojes hay en la clase? ______________________

______________________

16. ¿Cuántas estaciones hay en un año? ______________________

______________________

17. ¿Cuántos guantes hay en un par de guantes? ______________________

______________________

18. ¿Cuántas horas pasa Vd. en la escuela cada día? ______________________

______________________

19. ¿Cuántos minutos hay en una hora? ______________________

______________________

20. ¿Cuántas preguntas hay en este ejercicio? ______________________

______________________

**F.** Translate into Spanish.

1. forty-one pages ______________________
2. twenty-four hours ______________________
3. seventy-five cents ______________________
4. eighty-seven books ______________________
5. twenty-one dresses ______________________
6. sixty minutes ______________________
7. thirty-eight seats ______________________
8. one week ______________________
9. thirty-one oranges ______________________
10. six months ______________________
11. thirteen stores ______________________
12. thirty-two travelers ______________________
13. fifty soldiers ______________________
14. eighty-three days ______________________
15. ninety-four pictures ______________________

## 14. CARDINAL NUMBERS 100 TO 1,000,000

### 100–999

| | | | |
|---|---|---|---|
| **100** | **ciento (cien)** | **600** | **seiscientos, -as** |
| **200** | **doscientos, -as** | **700** | ***setecientos, -as*** |
| **300** | **trescientos, -as** | **800** | **ochocientos, -as** |
| **400** | **cuatrocientos, -as** | **900** | ***novecientos, -as*** |
| **500** | ***quinientos, -as*** | **999** | **novecientos noventa y nueve** |

### 1,000–1,000,000

| | | | |
|---|---|---|---|
| **1,000** | **mil** | **100,000** | **cien mil** |
| **2,000** | **dos mil** | **1,000,000** | **un millón (de)** |
| **2,500** | **dos mil quinientos** | | |

*Note*

A. **Ciento** becomes **cien** before a masculine or feminine noun, and before the numbers **mil** and **millones.**

| | |
|---|---|
| **cien** libros | one hundred books |
| **cien** casas | one hundred houses |
| **cien mil** habitantes | one hundred thousand inhabitants |
| **cien millones** | one hundred million |

B. If another number comes between **ciento** and the noun, or if no noun follows, the full form (**ciento**) is used.

| | |
|---|---|
| **ciento veinte** libros | one hundred twenty books |
| Sé contar hasta **ciento.** | I can count till one hundred. |

C. The numbers **doscientos, trescientos,** etc., become **doscient*as*, trescient*as*,** etc., before a feminine noun.

| | |
|---|---|
| doscient***as*** muchachas | two hundred girls |
| novecient***as*** páginas | nine hundred pages |

D. Numbers beyond a thousand (1,100, 1,200, etc.) must be expressed in Spanish by thousands and hundreds, and not by hundreds, as in English.

| *English* | | *Spanish* |
|---|---|---|
| 1,200 | twelve hundred | **mil doscientos** (one thousand two hundred) |
| 1970 | nineteen (hundred) seventy | **mil novecientos setenta** (one thousand nine hundred seventy) |
| 2500 | twenty-five hundred | **dos mil quinientos** (two thousand five hundred) |

E. The English word *a* or *one* is not translated before **ciento** and **mil,** but must be translated before **millón.** The preposition **de** is used when a noun follows **millón** (*pl.*, **millones**).

| | |
|---|---|
| **ciento** diez alumnos | a (one) hundred ten pupils |
| **mil** dólares | a (one) thousand dollars |

*but*

| | |
|---|---|
| **un** millón ***de*** dólares | a (one) million dollars |
| dos millon***es de*** habitantes | two million inhabitants |

*EXERCISES*

**A.** Write the numbers for the following Spanish words.

**1.** cien mil ----------

**2.** quince mil ciento once ----------

**3.** setecientos cuarenta ----------

**4.** setenta mil seiscientos ----------

**5.** treinta y dos mil ochocientos ----------

**6.** quinientos catorce ----------

**7.** novecientos noventa y nueve ----------

**8.** dos mil doscientos veinte y dos ----------

**9.** doce mil cuatrocientos ----------

**10.** mil novecientos trece ----------

**11.** mil ochocientos sesenta y uno ----------

**12.** mil ciento cincuenta ----------

**13.** cuatro mil doscientos ----------

**14.** un millón quinientos mil ----------

**15.** siete millones trescientos cuarenta y tres mil ----------

**B.** Write the Spanish words for the following numbers.

**1.** 176 ----------

**2.** 245 ----------

**3.** 359 ----------

**4.** 478 ----------

**5.** 514 ----------

**6.** 692 ----------

**7.** 781 ----------

**8.** 867 ----------

**9.** 933 ----------

**10.** 1,066 ----------

**11.** 1,492 ----------

**12.** 1,571 ----------

**13.** 1,605 ----------

**14.** 1,776 ----------

**15.** 1,968 ----------

**16.** 2,400 ----------

**17.** 5,000 ----------

**18.** 10,250 ----------

**19.** 25,000 ----------

**20.** 100,000 ----------

**C.** Complete each sentence with the correct form of **ciento** (**ciento** or **cien**).

**1.** Setenta y treinta son ----------.

**2.** Vivo en la calle ---------- cuarenta y nueve.

**3.** Es un país de ---------- millones de habitantes.

**4.** Hay asientos para ---------- personas.

**5.** Leyeron ---------- páginas.

**6.** Este reloj vale ---------- dólares.

**7.** Tengo ---------- veinte dólares en el bolsillo.

**8.** Hay ---------- gorras en cada caja.

**9.** Hay ---------- ochenta y tres páginas en el libro.

**10.** Hay ---------- profesores en nuestra escuela.

**D.** Write in Spanish words.

**1.** $700 + 300 = 1{,}000$ ----------

**2.** $400 + 500 = 900$ ----------

3. 200 + 300 = 500 ____
4. 600 + 200 = 800 ____
5. 900 – 350 = 550 ____
6. 900 + 800 = 1,700 ____
7. 110 + 115 = 225 ____
8. 743 – 243 = 500 ____
9. 1,500 – 500 = 1,000 ____
10. 100 × 200 = 20,000 ____
11. 2,000 + 8,000 = 10,000 ____
12. 125,000 + 75,000 = 200,000 ____
13. 800,000 + 200,000 = 1,000,000 ____
14. 1,400,000 + 600,000 = 2,000,000 ____
15. 3,000,000 – 2,000,000 = 1,000,000 ____

**E.** Answer the following questions in complete Spanish sentences. (Write all numbers in Spanish words.)

1. ¿Cuántas páginas hay en este libro? ____
2. ¿Cuántas personas hay en los Estados Unidos? ____
3. ¿Cuántos años hay en un siglo? ____
4. ¿Cuántos son un millón y dos millones? ____
5. ¿En qué año comenzó Vd. a estudiar el español? (Comencé a . . .) ____
6. ¿En qué año entraron los moros (Moors) en España? (711) ____
7. ¿Cuántos alumnos hay en esta escuela? ____
8. ¿En qué página está este ejercicio? ____
9. ¿Cuántas personas viven en esta ciudad? ____

10. ¿Cuánto dinero necesita Vd. para hacer un viaje a la América del Sur? ____________________

______________________________________________________________________________

11. ¿Cuántos son 465 y 714? ____________________________________________________

______________________________________________________________________________

12. ¿Cuánto cuesta el automóvil de su papá? ______________________________________

______________________________________________________________________________

13. ¿Cuántos días hay en un año? _______________________________________________

______________________________________________________________________________

14. ¿Cuántos centavos hay en un dólar? _________________________________________

15. ¿Cuántas plumas son cien plumas y doscientas plumas? __________________________

______________________________________________________________________________

**F.** Complete the following sentences in Spanish.

1. La ciudad tiene *ten thousand inhabitants.* ______________________________________
2. Más de *three million families* viven en el estado de Nueva York. ______________________________________
3. En esta escuela hay *seventeen hundred pupils.* ______________________________________
4. Hay *one hundred sixty-eight hours* en una semana. ______________________________________
5. *A million soldiers* buscaron a los soldados enemigos. ______________________________________
6. El campesino tiene *one hundred fifty cows.* ______________________________________
7. *Two hundred boys* jugaron en el parque. ______________________________________
8. El hotel nuevo tiene *five hundred bedrooms.* ______________________________________
9. En aquella biblioteca hay *one million books.* ______________________________________
10. Esa fábrica produce *four thousand blouses* cada día. ______________________________________
11. El alcalde recibió *three hundred letters.* ______________________________________
12. En ese párrafo hay *one hundred ninety words.* ______________________________________
13. En noviembre ganó *one hundred dollars.* ______________________________________
14. ¿Sabe Vd. que hay *fourteen hundred forty minutes* en un día? ______________________________________
15. Aquel niño nació en el año *1968.* ______________________________________

## 15. ORDINAL NUMBERS

| | | | |
|---|---|---|---|
| 1st | **primero, -a (primer)** | 6th | **sexto, -a** |
| 2nd | **segundo, -a** | 7th | **séptimo, -a** |
| 3rd | **tercero, -a (tercer)** | 8th | **octavo, -a** |
| 4th | **cuarto, -a** | 9th | **noveno, -a** |
| 5th | **quinto, -a** | 10th | **décimo, -a** |

*Note*

A. All ordinal numbers agree in gender (masculine or feminine) and number (singular or plural) with the nouns to which they refer.

**el séptimo mes** — the seventh month
**la séptima semana** — the seventh week

B. The numbers **primero** and **tercero** drop the final **-o** when they come before a masculine singular noun. (See Grammar Lesson 10, Short Forms of Adjectives.)

el ***primer*** hombre — the first man
el ***tercer*** mes — the third month

*but*

la **primera** semana — the first week
el libro **tercero** — the third book

C. If a preposition comes between **primero** or **tercero** and the noun, the full form is used.

el **primero de** mayo — May 1

D. Ordinal numbers are used only through the *tenth.* Beyond the *tenth,* cardinal numbers are used, and generally follow the noun. The word **número** is understood.

la **sexta** lección — the sixth lesson
Felipe **Segundo** — Philip II (Philip the Second)

*but*

la lección (número) ***catorce*** — the fourteenth lesson *or* lesson (number) fourteen
Alfonso (número) ***doce*** — Alphonse XII (Alphonse the Twelfth)

*EXERCISES*

**A.** Underline the form of the word in parentheses that correctly translates the number in italics.

1. Felipe *IV* fue un rey de España. (Cuatro, Cuarto)
2. Salí mal en la *3rd* prueba. (tercer, tercera)
3. Lincoln fue presidente en el siglo *19th.* (diez y nueve, décimo y nueve)
4. Junio es el *6th* mes del año. (sexto, seis)
5. Siéntese Vd. en el *3rd* asiento. (tercer, tercero)
6. Caminaron por la *5th* Avenida. (Quince, Quinta)

7. Viven en un apartamiento en el *1st* piso. (primero, primer)
8. Buenos Aires es la *1st* ciudad de la América del Sur. (primer, primera)
9. Hoy es el *1st* de octubre. (primero, primer)
10. El *7th* día de la semana es sábado. (séptimo, setenta)
11. Estudiamos el *2nd* semestre de español. (segundo, dos)
12. Celebró su *9th* cumpleaños. (noventa, noveno)
13. Tome Vd. el autobús *18th*. (diez y octavo, diez y ocho)
14. La regla está en la *8th* página. (ocho, octava)
15. Esta lección es la lección *15*. (quince, quinta)

**B.** Answer the following questions in complete Spanish sentences. Use ordinal numbers wherever possible in your answers.

1. ¿Qué calle viene después de la Calle Octava? ______________________________

______________________________________________________________

2. ¿Cuál es su primera clase del día? ______________________________
3. ¿Qué lección estudia Vd. en este libro? ______________________________

______________________________________________________________

4. ¿Cuántos asientos hay en la tercera fila (row)? ______________________________

______________________________________________________________

5. ¿Cuál es el décimo mes del año? ______________________________
6. ¿Cuál es el séptimo día de la semana? ______________________________

______________________________________________________________

7. ¿Quién fue Felipe II? ______________________________
8. ¿Qué avenida viene antes de la Avenida Quinta? ______________________________

______________________________________________________________

9. ¿Cuál es el sexto mes del año? ______________________________
10. ¿Qué año de español estudia Vd. ahora? ______________________________

______________________________________________________________

**C.** Complete the following sentences in Spanish.

1. Es *the seventh picture* que el hombre rico dio al museo. ______________________________
2. *The sixth lesson* es muy fácil. ______________________________
3. No saben traducir *the eighth paragraph.* ______________________________
4. No puedo recordar *the tenth word* del vocabulario. ______________________________
5. Veo *the first flowers* de la primavera. ______________________________
6. Septiembre es *the ninth month* del año. ______________________________
7. El almuerzo es *the second meal* del día. ______________________________
8. *Charles V* fue un rey de España. ______________________________

9. Mis amigos viven en *the fourth house.* ______________________________

10. La taquígrafa copió *the first letter.* ______________________________

11. Mis abuelos viven en la *Fifty-sixth Street.* ______________________________

12. Abran Vds. los libros a *the fortieth page.* ______________________________

13. Alemania es *the third country* que visité. ______________________________

14. *The first train* pasó a las dos de la tarde. ______________________________

15. Cierre Vd. *the third window.* ______________________________

**D.** Translate into Spanish.

1. his eighth birthday ______________________________
2. the fifth house ______________________________
3. the third question ______________________________
4. the seventh man ______________________________
5. the sixth problem ______________________________
6. (the) Thirty-fourth Street ______________________________
7. the fourteenth sentence ______________________________
8. the second gift ______________________________
9. the tenth exercise ______________________________
10. the ninth week ______________________________
11. the fourth day ______________________________
12. Alphonse XIII ______________________________
13. the first thing ______________________________
14. the twelfth soldier ______________________________
15. the first dollar ______________________________

## 16. TELLING TIME

1. In expressing the time of day, *it is* is expressed by **es la** (for *one o'clock*), and **son las** for the other hours (*two o'clock*, *three o'clock*, etc.).

| | |
|---|---|
| **Es la** una. | It is one o'clock. |
| **Son las** dos (tres, etc.). | It is two (three, etc.) o'clock. |

2. Time *after* or *past* the hour (up to *half past*) is expressed by the hour + **y,** followed by the number of minutes. *Half past* is expressed by **y media;** *a quarter after* is expressed by **y cuarto.**

| | |
|---|---|
| Es la una **y diez.** | It is ten (minutes) after one. (It is 1:10.) |
| Son las seis **y media.** | It is half past six. (It is 6:30.) |
| Son las diez **y cuarto.** | It is a quarter after ten. (It is 10:15.) |

3. After *half past*, the time is expressed in terms of the *following* hour **menos** (minus) the minutes.

| | |
|---|---|
| Son las dos **menos veinte.** | It is twenty minutes to two. (It is 1:40.) |
| Son las nueve **menos cuarto.** | It is a quarter to nine. (It is 8:45.) |

*Note*

Instead of **media** and **cuarto** the number of minutes may be used **(treinta, quince).**

### OTHER TIME EXPRESSIONS

| | |
|---|---|
| **¿Qué hora es?** | What time is it? |
| **¿a qué hora?** | at what time? |
| **a las dos (tres,** etc.) | at two (three, etc.) o'clock |
| **de la mañana** | in the morning, A.M. |
| **de la tarde** | in the afternoon, P.M. |
| **Es mediodía.** | It is noon. |
| **a mediodía** | at noon |
| **Es medianoche.** | It is midnight. |
| **a medianoche** | at midnight |
| **Es tarde.** | It is late. |
| **Es temprano.** | It is early. |
| **a tiempo** | on time |
| **en punto** | exactly, sharp |

### *EXERCISES*

**A.** Translate into English.

**1.** Dice que ya es tarde. ______________________________

**2.** La clase empieza a las cuatro y cuarto. ______________________________

______________________________

**3.** Son las dos de la tarde. ______________________________

**4.** ¿A qué hora anuncian las noticias? ______________________________

______________________________

5. El accidente ocurrió a las dos en punto. ______________________________

6. Desean acostarse a las doce de la noche. ______________________________

7. Quiero almorzar; es mediodía. ______________________________

8. Francisco nunca se levanta a tiempo. ______________________________

9. Me despierto a las ocho de la mañana. ______________________________

10. Los dos amigos charlaron hasta las doce menos veinte. ______________________________

11. ¿Qué hora es en su reloj? ______________________________

12. Es la una y diez. ______________________________

13. Llegan a las tres y media. ______________________________

14. Creen que es temprano. ______________________________

15. Estoy cansado; es medianoche. ______________________________

**B.** Write in Spanish words the time shown on each clock face.

EXAMPLE:  Son las dos.

1. 2. 3. 4. 5.

6. 7. 8. 9. 10.

11. 12. 13. 14. 15.

1. ______________________________

2. ______________________________

3. ----------------------------------------
4. ----------------------------------------
5. ----------------------------------------
6. ----------------------------------------
7. ----------------------------------------
8. ----------------------------------------
9. ----------------------------------------
10. ----------------------------------------
11. ----------------------------------------
12. ----------------------------------------
13. ----------------------------------------
14. ----------------------------------------
15. ----------------------------------------

**C.** To the left of each sentence in column *A*, write the letter of the word or expression in column *B* that translates the italicized expression.

| | *A* | *B* |
|---|---|---|
| ------- | **1.** Son las *7:40.* | *a.* es |
| ------- | **2.** Todos duermen; *it is midnight.* | *b.* es temprano |
| ------- | **3.** ¿*At what time* partió el tren? | *c.* ocho menos veinte |
| ------- | **4.** Se sientan a cenar a las ocho *P.M.* | *d.* es tarde |
| ------- | **5.** Son las *5:10.* | *e.* a tiempo |
| ------- | **6.** *It is* las once. | *f.* a qué hora |
| ------- | **7.** Es *noon.* | *g.* es medianoche |
| ------- | **8.** *It is* la una y cuarto. | *h.* de la noche |
| ------- | **9.** Antonio no llega *on time.* | *i.* mediodía |
| ------- | **10.** Desean irse a las nueve *sharp.* | *j.* una y media |
| ------- | **11.** Es la *1:30.* | *k.* en punto |
| ------- | **12.** El avión sale a las seis *A.M.* | *l.* son |
| ------- | **13.** Ya *it is late* para ir allí. | *m.* de la mañana |
| ------- | **14.** No coman Vds. todavía; *it is early.* | *n.* de la tarde |
| ------- | **15.** La campana suena a las cuatro *P.M.* | *o.* cinco y diez |

In the following exercises, write all numerals as Spanish words.

**D.** Answer the following questions in complete Spanish sentences.

**1.** ¿Qué hora es en su reloj? ----------------------------------------

**2.** ¿A qué hora se levanta Vd.? ----------------------------------------

3. ¿A qué hora sale Vd. de casa? ____________________
4. ¿A qué hora llega Vd. a la escuela? ____________________
5. ¿Llega Vd. siempre a tiempo? ____________________
6. ¿Llega Vd. tarde a veces? ____________________
7. ¿A qué hora comienza su primera clase? ____________________
____________________
8. ¿A qué hora comienza la clase de español? ____________________
____________________
9. ¿A qué hora termina la clase de español? ____________________
____________________
10. ¿Cuándo toma Vd. el almuerzo? ____________________
11. ¿A qué hora regresa Vd. a casa? ____________________
12. ¿A qué hora empieza Vd. a estudiar? ____________________
____________________
13. ¿A qué hora cenan Vds. en su casa? ____________________
____________________
14. ¿A qué hora mira Vd. la televisión? ____________________
____________________
15. ¿A qué hora se acuesta Vd.? ____________________

**E.** Complete the following sentences in Spanish.

1. ¿*At what time* decidió Vd. ir allí? ____________________
2. ¿*What time* es? ____________________
3. El autobús partió *at ten P.M.* ____________________
4. Enrique terminó la comida *at 1:10.* ____________________
5. La familia no cena todavía; *it's early.* ____________________
6. Cierran el museo *at 5:30.* ____________________
7. Prometen estar aquí *at seven o'clock sharp.* ____________________
8. El niño debe tomar la medicina *at 2:20.* ____________________
9. Se desayunan *at nine A.M.* ____________________
10. Ese comerciante nunca paga *on time.* ____________________
11. El chófer apareció con el coche *at noon.* ____________________
12. La taquígrafa copió la carta *at 4:15.* ____________________
13. Vuelven *at midnight.* ____________________
14. El timbre suena *at three P.M.* ____________________
15. Salga Vd. en seguida; ya *it is late.* ____________________

**F.** Write the Spanish for the following time expressions.

1. It is seven o'clock. ------------------------------
2. It is a quarter past ten. ------------------------------
3. What time is it? ------------------------------
4. At what time? ------------------------------
5. at five o'clock ------------------------------
6. at one o'clock ------------------------------
7. at 11:00 P.M. ------------------------------
8. at half past four ------------------------------
9. It is five minutes to one. ------------------------------
10. It is early. ------------------------------
11. He arrives late. ------------------------------
12. It is midnight. ------------------------------
13. The train leaves on time. ------------------------------
14. at 8:25 A.M. ------------------------------
15. It is not late. ------------------------------

**General Porfirio Díaz (1830–1915) was dictator of Mexico for more than thirty years. His rule was harsh, and very little was done to improve the condition of the masses. As a result, the people revolted in 1910, forcing Díaz to flee the country.**

## 17. DAYS OF THE WEEK; MONTHS; SEASONS; DATES

### DAYS OF THE WEEK (*LOS DÍAS DE LA SEMANA*)

**lunes,** Monday
**martes,** Tuesday
**miércoles,** Wednesday
**jueves,** Thursday
**viernes,** Friday
**sábado,** Saturday
**domingo,** Sunday

*Note*

A. *On* before a day of the week is expressed by **el** for the singular and by **los** for the plural.

*el* lunes, on Monday
*el* viernes, on Friday
*el* sábado, on Saturday
*el* domingo, on Sunday

*los* lunes, on Mondays
*los* viernes, on Fridays
*los* sábados, on Saturdays
*los* domingos, on Sundays

B. Days of the week whose names end in **-s** do not change their form in the plural.

### MONTHS (*LOS MESES*)

**enero,** January
**febrero,** February
**marzo,** March
**abril,** April
**mayo,** May
**junio,** June
**julio,** July
**agosto,** August
**septiembre,** September
**octubre,** October
**noviembre,** November
**diciembre,** December

### SEASONS (*LAS ESTACIONES*)

**la primavera,** spring
**el verano,** summer
**el otoño,** autumn, fall
**el invierno,** winter

*Note*

A. The days and months are written with small letters, not capital letters.

B. The names of the seasons are usually written with the article, **el** or **la.**

| | |
|---|---|
| **La** primavera es mi estación favorita. | Spring is my favorite season. |
| Hace frío en **el** invierno. | It is cold in winter. |

### DATES (*LA FECHA*)

| | |
|---|---|
| **¿Cuál es la fecha (de hoy)?** | What is the date (today's date)? |
| **Es el primero de enero.** | It is January 1. |
| **Es el dos de febrero.** | It is February 2. |
| **Es el tres (cuatro,** etc.) **de mayo.** | It is May 3 (4, etc.). |
| **mil ochocientos doce** | 1812 |
| **el quince de abril de mil novecientos setenta y uno** | April 15, 1971 |

*Note*

A. In expressing the date in Spanish, *the first* is expressed by **el primero;** *the second, the third, the fourth,* etc., are expressed by **el dos, el tres, el cuatro,** etc.

B. The year is expressed in Spanish by thousands and hundreds, not by hundreds alone, as in English. (See Grammar Lesson 14: Numbers 100–1,000,000.)

C. The date and month are connected by the preposition **de.** The month and the year are also connected by **de.**

| | |
|---|---|
| el diez **de** junio **de** mil ochocientos cuarenta | (on) June 10, 1840 |

The article **el** may be translated by *on,* if necessary.

*EXERCISES*

**A. ¿Sí o No?** If the statement is true, write **sí**; if it is false, correct it by changing the words in italics, writing the correct words in the blank.

**1.** En *el invierno* nos divertimos en la playa. ----------------------------------

**2.** Abril es el *cuarto* mes del año. ----------------------------------

**3.** Si hoy es lunes, mañana es *sábado.* ----------------------------------

**4.** *Febrero* es el segundo mes del año. ----------------------------------

**5.** En *el invierno* muchas personas patinan en el hielo (ice). ----------------------------------

**6.** Hace *fresco* en el mes de julio. ----------------------------------

**7.** Bebemos muchas gaseosas en *el verano.* ----------------------------------

**8.** El otoño comienza en el mes de *septiembre.* ----------------------------------

**9.** En *julio* los pájaros vuelan al sur. ----------------------------------

**10.** En *la primavera* las hojas aparecen en los árboles. ----------------------------------

**B.** Complete the Spanish sentences.

**1.** El noveno mes del año es ----------------------------.

**2.** La Navidad ocurre en el mes de -------------------------.

**3.** Hay treinta y un días en los meses de enero, marzo, ----------------, ----------------, agosto, octubre, y diciembre.

**4.** Si hoy es martes, ayer fue ------------------.

**5.** --------------------------- es la estación en que hace calor.

**6.** Si hoy es el treinta y uno de mayo, mañana es -------------------------------------.

**7.** El mes de noviembre tiene ---------------------- días.

**8.** Colón (Columbus) descubrió a América en el año -----------------------------------.

**9.** No asistimos a la escuela los --------------------------- y los domingos.

**10.** El mes de ---------------------- tiene veinte y ocho días.

**11.** --------------------------- es la estación de las vacaciones largas.

12. Asistimos a la escuela los lunes, los ____________________, los miércoles, los ________________, y los viernes.
13. Si hoy es jueves, mañana es ______________________.
14. __________________________________ es la estación en que hace frío.
15. Las hojas caen de los árboles en el __________________.

**C.** Complete the following sentences in Spanish. (Write all numerals as Spanish words.)

1. Mi abuelo hace un viaje a México en *summer.* ______________________________
2. Celebramos la fiesta nacional de los Estados Unidos *on July 4.* ______________________________
3. ¿Va Vd. al teatro *on Saturday*? ______________________________
4. Colón descubrió el Nuevo Mundo *on October 12.* ______________________________
5. No piensan quedarse en casa *on Wednesdays.* ______________________________
6. José me invitó a un concierto *on March 18.* ______________________________
7. *Autumn* es mi estación favorita. ______________________________
8. El señor Bell inventó el teléfono en *1876.* ______________________________
9. Mucha gente va a la iglesia *on Sundays.* ______________________________
10. Pedro nació (was born) en *1959.* ______________________________
11. Llueve mucho en *spring.* ______________________________
12. El profesor da una prueba *every Friday.* ______________________________
13. El cumpleaños de mi papá es *April 25.* ______________________________
14. Vamos al campo *on August 1.* ______________________________
15. La dictadura cayó *on April 14.* ______________________________

**D.** Answer the following questions in complete Spanish sentences.

1. ¿Cuántas estaciones hay en un año? ¿Cuáles son? ______________________________
______________________________________________________________
2. ¿En qué fecha celebramos el Año Nuevo? ______________________________
______________________________________________________________
3. ¿En qué día va Vd. al cine? ______________________________
4. ¿En qué fecha celebra Vd. su cumpleaños? ______________________________
______________________________________________________________
5. ¿En qué mes celebramos la Navidad? ______________________________
______________________________________________________________

6. ¿Cuántos días asiste Vd. a la escuela cada semana? ________________

7. ¿En qué estación hay muchas flores en los jardines? ________________

8. ¿En qué mes termina este semestre? ________________

9. ¿Cuántos días hay en el mes de febrero? ________________

10. ¿Cuál es la fecha de hoy? ________________

11. ¿En qué estación hace mucho sol? ________________

12. ¿Ganó Vd. mucho dinero el verano pasado? ________________

13. ¿Tiene Vd. muchas tareas en el verano? ________________

14. ¿En qué estación hay nieve? ________________

15. ¿Cuál es el número del año que viene? ________________

16. ¿En qué estación llueve mucho? ________________

17. ¿En qué días no hay clases? ________________

18. ¿En qué año nació (was born) su padre? ________________

19. ¿Cuál es su estación favorita? ________________

20. ¿Cuántos meses tienen treinta días? ¿Cuáles son? ________________

**E.** Write the following dates in Spanish words.

1. September 9 ________________
2. November 30 ________________
3. June 21 ________________
4. October 1 ________________
5. January 18 ________________
6. March 27 ________________
7. May 31 ________________
8. August 16 ________________
9. September 3 ________________
10. July 11 ________________

**F.** Write the following dates in Spanish words.

1. March 15, 1271 ________________
2. February 2, 1588 ________________

3. April 17, 1942 ________________
4. May 23, 1848 ________________
5. July 4, 1776 ________________
6. January 30, 1660 ________________
7. July 18, 1395 ________________
8. December 13, 1969 ________________
9. June 22, 1453 ________________
10. March 25, 1124 ________________

**The bullfight (*la corrida de toros*) is a popular spectacle in Spain and in many parts of Spanish America. The struggle of bravery and skill against brute force has had an attraction for Spaniards for many centuries. The climax of the bullfight is the appearance of the matador, who exhibits his skill and daring by causing the enraged animal to charge, and avoiding the long sharp horns by a series of passes with the cape (*muleta*). He finally subdues the animal and kills it with a sword.**

## 18. MASTERY EXERCISES

(LESSONS 12–17)

**A.** Write the following numbers in Spanish words.

**1.** 12 ________________

**2.** 21 ________________

**3.** 87 ________________

**4.** 176 ________________

**5.** 645 ________________

**6.** 999 ________________

**7.** 1,000 ________________

**8.** 1,252 ________________

**9.** 3,730 ________________

**10.** 10,100 ________________

**11.** 53,000 ________________

**12.** 100,000 ________________

**13.** 500,500 ________________

**14.** 1,000,000 ________________

**15.** 100,000,000 ________________

**B.** Write in Spanish words.

**1.** $14 \times 9 = 126$ ________________

**2.** $151 + 29 = 180$ ________________

**3.** $362 + 497 = 859$ ________________

**4.** $61 + 76 = 137$ ________________

**5.** $63 \times 5 = 315$ ________________

**6.** $47 + 58 = 105$ ________________

**7.** $82 + 93 = 175$ ________________

**8.** $1,400 - 500 = 900$ ________________

**9.** $26 + 35 = 61$ ________________

**10.** $630 - 475 = 155$ ________________

**C.** Translate the English words into Spanish. (Express all Roman numerals in Spanish words.)

**1.** la *third* alcoba ________________

**2.** el *tenth* apartamiento ________________

**3.** Alfonso *XII* ________________

**4.** los *first* días ________________

5. el *fifth* pupitre ______
6. el *fourth* edificio ______
7. el libro *first* ______
8. la *eighth* fotografía ______
9. el presidente *thirty-third* ______
10. el *second* vaso ______
11. la *fifth* llave ______
12. la *ninth* silla ______
13. la *sixth* vaca ______
14. el *third* mapa ______
15. el cuadro *seventeenth* ______
16. Enrique *VIII* ______
17. el *seventh* cuento ______
18. José *I* ______
19. el *first* paso ______
20. la *third* corbata ______

**D.** Form correct Spanish sentences by underlining the appropriate expressions in parentheses.

1. (Es, Son) las cuatro (en la tarde, en punto).
2. Ellas aparecen (a medianoche, de la mañana).
3. Dispense Vd., no tengo reloj; ¿qué (tiempo, hora) es?
4. (Es la, Son las) una menos (quinta, quince).
5. Vd. debe pagar los zapatos nuevos (a veces, a tiempo).
6. Anuncian las noticias (a medianoche, a mediodía), mientras almorzamos.
7. Se despertó (son las diez, a las diez).
8. La clase comienza a las once y (diez, décimo).
9. Ellos deben regresar a casa porque ya (son, es) tarde.
10. No desean desayunarse todavía; es (por la tarde, temprano).

**E.** Translate into Spanish.

1. at 9:30 ______
2. It is late. ______
3. It is 11:30. ______
4. It is early. ______
5. at 3 P.M. ______
6. It is 1:40. ______
7. It is 8 P.M. ______
8. It is 1:15. ______

9. at 8:50 ________________
10. It is midnight. ________________
11. It is 7 A.M. ________________
12. It is 12:20. ________________
13. at noon ________________
14. What time is it? ________________
15. It is 5 o'clock sharp. ________________

**F.** Write the following dates in Spanish.

1. June 20, 1679 ________________
2. October 4, 1555 ________________
3. November 2, 1947 ________________
4. September 16, 1810 ________________
5. February 11, 1952 ________________
6. May 2, 1808 ________________
7. August 31, 1958 ________________
8. July 4, 1776 ________________
9. January 3, 1356 ________________
10. March 1, 1934 ________________
11. April 14, 1898 ________________
12. February 12, 1809 ________________
13. October 31, 1453 ________________
14. July 27, 1925 ________________
15. December 11, 1783 ________________

**G.** Answer the following questions in complete Spanish sentences.

1. ¿Qué día es hoy? ________________
2. ¿Cuál es la fecha? ________________
3. ¿Cuántos son ochenta por dos? ________________
4. ¿Qué fecha viene antes del dos de enero? ________________
________________
5. ¿En qué fecha descubrió Colón a América? (October 12, 1492) ________________
________________
6. ¿Qué mes viene antes de mayo? ________________
7. ¿Cuántos años hay en un siglo? ________________
8. ¿En qué estación hace mucho sol? ________________
9. ¿A qué hora llega Vd. a la escuela? ________________

10. ¿Cuántos son un millón menos cien mil? ______

11. ¿Qué mes es más corto, febrero o marzo? ______

12. ¿En qué fecha celebramos el cumpleaños de Wáshington? ______

13. ¿Cuántos son novecientos y seiscientos? ______

14. ¿Cuántos estados hay en los Estados Unidos? ______

15. ¿En qué mes comienza la primavera? ______

16. ¿Cuántos son cuatrocientos menos doscientos? ______

17. ¿Cuántos son diez por veinte? ______

18. Si hoy es lunes, ¿qué día es mañana? ______

19. ¿Qué avenida viene después de la Avenida Séptima? ______

20. ¿En qué estación hace frío? ______

21. ¿Cuál es su estación favorita? ¿Por qué? ______

22. ¿Cuántos alumnos hay en esta clase? ______

23. ¿En qué fecha celebra Vd. su cumpleaños? ______

24. ¿Cuál es el sexto mes del año? ______

25. ¿Qué hora es en su reloj? ______

**H.** Complete the following sentences in Spanish. (Write all numbers in Spanish words.)

1. Setenta y cuarenta y cinco son *115.* ______
2. Ese hotel tiene *200* habitaciones. ______
3. La clase de francés termina *at 2:30 P.M.* ______
4. Es la *second* vez que Carlos responde bien. ______
5. Celebramos la Navidad *on December 25.* ______
6. Vendieron *91* pares de guantes ayer. ______
7. Ya *it is 7:30 P.M.* y tengo hambre. ______
8. Hay *thirty-one* días en el mes de octubre. ______

9. Louis *XV* fue un rey de Francia. ----------------------------------------
10. Empezaron el viaje *on February 1.* ----------------------------------------
11. Toman el desayuno *at noon.* ----------------------------------------
12. Ochocientos treinta y seis menos quinientos trece son *323.* ----------------------------------------
13. El gallo comenzó a cantar *at 5:15 A.M.* ----------------------------------------
14. Esa fábrica cuesta *a million* dólares. ----------------------------------------
15. En *spring* y *summer* los campesinos cultivan la tierra. ----------------------------------------
16. *100,000,000* ciudadanos viven en ese país. ----------------------------------------
17. Los músicos nunca llegan *on time.* ----------------------------------------
18. No asistimos a la escuela *on Saturdays.* ----------------------------------------
19. Sus hijos volvieron a casa *at midnight.* ----------------------------------------
20. Si hoy es martes, mañana es *Wednesday.* ----------------------------------------
21. ¿*At what time* suena el timbre? ----------------------------------------
22. Hay *twelve* meses en un año. ----------------------------------------
23. Aquella ciudad tiene *2,000,000* habitantes. ----------------------------------------
24. El ascensor subió al *tenth* piso. ----------------------------------------
25. Hay mucha nieve en *winter.* ----------------------------------------
26. Caminan por la *Fifth Avenue.* ----------------------------------------
27. No copien Vds. la *83rd page.* ----------------------------------------
28. *January* es el primer mes del año. ----------------------------------------
29. El accidente ocurrió en *1968.* ----------------------------------------
30. Inglaterra es el *third country* que visité. ----------------------------------------

## 19. INTERROGATIVE (QUESTION) SENTENCES

| | |
|---|---|
| ¿**qué?**, what? | ¿**cuándo?**, when? |
| ¿**quién, -es?**, who? | ¿**cuánto, -a?**, how much? |
| ¿**a quién, -es?**, whom? to whom? | ¿**cuántos, -as?**, how many? |
| ¿**de quién, -es?**, whose? of whom? | ¿**cómo?**, how? |
| ¿**con quién, -es?**, with whom? | ¿**por qué?**, why? |
| ¿**cuál, -es?**, which? which one(s)? | ¿**dónde?**, where? |

*Note*

A. All interrogative words have a written accent.

B. **A dónde** (also written as one word: **adónde**) is used to indicate motion to a place, (*to*) *where.*

¿**Adónde** va Vd.? — Where are you going?

*but*

¿**Dónde** está Vd.? — Where are you?

### ¿*QUÉ*?—¿*CUÁL*?

1. **Qué** is used instead of **cuál** directly before a noun, to translate *which.*

¿**Qué corbata** prefiere Vd.? — Which necktie do you prefer?

*but*

¿**Cuál** de **estas corbatas** prefiere Vd.? — Which of these neckties do you prefer?

2. **Cuál** is used before the verb **ser** to translate *what*, except when asking for a definition or explanation.

¿**Cuál** es su dirección? — What is your address?
¿**Cuáles** son las ciudades importantes de México? — What (Which) are the important cities of Mexico?

*but*

¿**Qué** es un violin? — What is a violin?
¿**Qué** es esto? — What is this?

### ¿*QUIÉN*(-*ES*)?—¿*A QUIÉN*(-*ES*)?—¿*DE QUIÉN*(-*ES*)?

1. **Quién(-es)** (*who?*) is used as the subject of the sentence.

¿**Quién** es este alumno? — Who is this pupil?
¿**Quiénes** son estos alumnos? — Who are these pupils?

2. **A quién(-es)** (*whom? to whom?*) is used as the object of the verb (either direct or indirect object).

¿**A quién** vio Vd.? — Whom did you see?
¿**A quiénes** habló Vd.? — To whom did you speak?

3. **De quién(-es)** (*whose?*) is used to express possession.

| | |
|---|---|
| ¿**De quién** es el libro?<br>Of whom is the book? | Whose book is it? |
| ¿**De quién(-es)** son los libros?<br>Of whom are the books? | Whose books are they? |

*EXERCISES*

**A.** Complete the English sentences.

| | | |
|---|---|---|
| **1.** | ¿Qué pide vuestro sobrino? | __________ is your nephew asking for? |
| **2.** | ¿Adónde andan Vds.? | __________ are you walking? |
| **3.** | ¿A quién llama Vd.? | __________ are you calling? |
| **4.** | ¿Cuál desea Vd.? | __________ do you want? |
| **5.** | ¿Qué desea Vd.? | __________ do you want? |
| **6.** | ¿Por qué rompió Vd. los platos? | __________ did you break the dishes? |
| **7.** | ¿Cuánta plata produce esa tierra? | __________ silver does that land produce? |
| **8.** | ¿Cuántos alumnos se quedaron en la sala de clase? | __________ pupils remained in the classroom? |
| **9.** | ¿Qué es la vida? | __________ is life? |
| **10.** | ¿Dónde está la tiza? | __________ is the chalk? |
| **11.** | ¿Cuándo aprendió ella el ruso? | __________ did she learn Russian? |
| **12.** | ¿De quién es el baúl? | __________ is the trunk? |
| **13.** | ¿Cuál es la capital del Perú? | __________ is the capital of Peru? |
| **14.** | ¿Cómo le gusta el pollo? | __________ do you like chicken? |
| **15.** | ¿Quién toca el piano? | __________ is playing the piano? |

**B.** Underline the word or expression in parentheses that correctly completes each sentence.

**1.** ¿(Cuál, Qué) de los dos es comerciante?

**2.** ¿(A quién, De quién) es el paraguas negro?

**3.** ¿(Cuántas, Cuánto) faldas compró Anita?

**4.** ¿(A quién, De quién) acompañas al teatro?

**5.** ¿(Quién, De quién) confesó el crimen?

**6.** ¿(Cuál, Qué) periódico prefiere Vd.?

**7.** ¿(Cuál, Qué) es el Carnaval?

**8.** ¿(Cómo, Cuántos) está Alfonso?

**9.** ¿(Cuánto, Dónde) llueve mucho?

**10.** ¿(Adónde, Dónde) vuelan los pájaros?

11. ¿(Cuál, Qué) es esto?
12. ¿(Cuánto, Cuántos) habitantes tiene ese estado?
13. ¿(Cuándo, Cuánto) cuesta el vestido gris?
14. ¿(Quién, Quiénes) creen eso?
15. ¿(Cuál, Cuáles) son los meses del año?
16. ¿(Con quién, Quién) charla Anita?
17. ¿(Cuál, Qué) es su número de teléfono?
18. ¿(A quiénes, Quién) cuidan los criados?
19. ¿(Cuándo, Cuánta) desapareció la cartera?
20. ¿(Por qué, Porque) lloras?

**C.** Complete each sentence by writing either **qué, cuál,** or **cuáles.**

1. ¿------------------ chaleco prefiere Vd.?
2. ¿------------------ de los turistas son norteamericanos?
3. ¿------------------ es la capital de Alemania?
4. ¿------------------ es un mercado?
5. ¿------------------ hace Vd. esta noche?
6. ¿------------------ de estas bicicletas es de Vd.?
7. ¿------------------ es una bodega?
8. ¿------------------ de las blusas es más bonita?
9. ¿------------------ son los ríos importantes de la América del Sur?
10. ¿------------------ revistas leen Vds.?

**D.** Form questions from each of the following sentences, using an interrogative expression instead of the words in italics.

EXAMPLE: José vive *en Colorado*. — *¿Dónde* vive José?

1. *Pedro* es muy aplicado. — ¿---------------------- es muy aplicado?
2. El cuaderno es *de Tomás*. — ¿---------------------- es el cuaderno?
3. Mis refrescos favoritos son *helados y gaseosas*. — ¿---------------------- son tus refrescos favoritos?
4. Guatemala está *en la América Central*. — ¿---------------------- está Guatemala?
5. Hoy es *el catorce de noviembre*. — ¿---------------------- es la fecha de hoy?
6. El director va *a Italia*. — ¿---------------------- va el director?
7. Un resfriado es *una enfermedad*. — ¿---------------------- es un resfriado?
8. Pienso visitar *a Inglaterra*. — ¿---------------------- país piensa Vd. visitar?
9. La señora admira *la cortina de seda*. — ¿---------------------- de las cortinas admira la señora?
10. Hay *cien* años en un siglo. — ¿---------------------- años hay en un siglo?

11. Juana posee *dos* chaquetas. ¿---------------------- chaquetas posee Juana?
12. Da un paseo *con su hija.* ¿---------------------- da un paseo?
13. El caballo vale *trescientos dólares.* ¿---------------------- vale el caballo?
14. Los alumnos traducen *mal.* ¿---------------------- traducen los alumnos?
15. José besó *a su abuela.* ¿---------------------- besó José?
16. Almuerzan *porque tienen hambre.* ¿---------------------- almuerzan?
17. Pablo invitó *a Luisa y Alfredo.* ¿---------------------- invitó Pablo?
18. Francisco tiene *dolor de muelas.* ¿---------------------- tiene Francisco?
19. Mi abuelo cenó *a las seis y cuarto.* ¿---------------------- cenó tu abuelo?
20. *Los alumnos* abrieron la ventana. ¿---------------------- abrieron la ventana?

**E.** Complete the Spanish sentences.

1. Which suit do you intend to wear? ¿---------------------- traje piensa Vd. llevar?
2. Whom is Arthur looking for? ¿---------------------- busca Arturo?
3. Whose pencil is it? ¿---------------------- es el lápiz?
4. How do you know that? ¿---------------------- sabe Vd. eso?
5. Which one did you buy? ¿---------------------- compró Vd.?
6. How old is your younger brother? ¿---------------------- años tiene su hermano menor?
7. Where is the salt? ¿---------------------- está la sal?
8. With whom did Louis dance? ¿---------------------- bailó Luis?
9. Who governs that country? ¿---------------------- gobierna ese país?
10. Where are the dogs running? ¿---------------------- corren los perros?
11. When did he leave the building? ¿---------------------- salió del edificio?
12. What are the days of the week? ¿---------------------- son los días de la semana?
13. Which of your subjects is the easiest? ¿---------------------- de sus asignaturas es la más fácil?
14. What did he invent? ¿---------------------- inventó?
15. Who is your dentist? ¿---------------------- es tu dentista?

**F.** Translate into Spanish.

1. Which of the books is interesting? ----------------------------------------------
2. How many days are there (hay) in a week? ----------------------------------------------
3. What gifts did she receive? ----------------------------------------------
4. How much money do they need? ----------------------------------------------
5. Whose is the green dress? ----------------------------------------------
6. How do you pronounce this word? ----------------------------------------------
7. Why are you (*pl.*) studying Spanish? ----------------------------------------------

8. What are you (tú) eating? ______________________________

9. Where are you going tomorrow? ______________________________

10. Who are your neighbors? ______________________________

**Simón Bolívar (1783–1830), known as "El Libertador" (The Liberator) was one of the great heroes in the war for South American independence. He liberated Colombia, Venezuela, Ecuador and northern Peru from Spanish rule, and founded a new country, Bolivia, which was named in his honor. He has been called the "George Washington of South America."**

**Bolívar was also a great statesman. His plan to establish an organization of American republics to strengthen the peace and security of the Americas was realized years later with the formation of the Pan-American Union, now known as the Organization of American States.**

## 20. NEGATIVE SENTENCES

### COMMON NEGATIVE WORDS

**no,** not
**nadie,** no one, nobody; not anyone, not anybody
**nada,** nothing, not anything
**nunca,** never, not ever
**ninguno, -a, -os, -as (ningún),** no, none, not any
**ni . . . ni . . . ,** neither . . . nor . . . , not . . . either . . . or . . .

1. All negative sentences in Spanish have a negative word or expression before the verb.

| | |
|---|---|
| **No** es necesario. | It is not necessary. |
| **Nadie** habló. | No one spoke. |

2. Unlike English, a negative sentence in Spanish may have two negative words (**no** + another negative word). In such cases, **no** must come *before* the verb and the other negative word must *follow* the verb.

**Nadie** entra. *or* **No** entra **nadie.** — No one (Nobody) enters.

**Nada** sabe. *or* **No** sabe **nada.** — He knows nothing. (He doesn't know anything.)

*Note*

The negative word **no** may be used only before the verb, never after it.

3. When **nadie** is the object of a verb, it is preceded by the preposition **a.** (See Grammar Lesson 5: *Personal **a.***)

No veo **a nadie.** *or* **A nadie** veo. — I don't see anyone (anybody). *or* I see no one (nobody).

4. **Ninguno** drops the final **-o** if it comes immediately before a masculine singular noun. If a preposition comes between it and the noun, the full form is used.

| | |
|---|---|
| **Ningún** alumno está ausente. | No pupil is absent. |
| **Ninguno** de los alumnos está ausente. | None of the pupils is absent. |
| **Ninguna** casa tiene ascensor. | No house has an elevator. |

*EXERCISES*

**A.** Complete the Spanish sentences by underlining the correct negative word in parentheses.

**1.** He didn't chat with any inhabitant of the town.
No charló con (ningún, ningunos) habitante del pueblo.

**2.** She didn't appear either at two o'clock or three o'clock.
No apareció (ni, o) a las dos (ni, o) a las tres.

3. We don't know anyone.
No conocemos (a nadie, nadie).

4. No butcher shop is open today.
(Ningún, Ninguna) carnicería está abierta hoy.

5. I didn't have breakfast either yesterday or today.
No me desayuné (ni, o) ayer (ni, o) hoy.

6. The teacher doesn't explain anything.
El maestro no explica (nada, nadie).

7. The thief didn't steal anything from the house.
El ladrón no robó (nada, nadie) de la casa.

8. He doesn't like either history or chemistry.
No le gusta (ni, o) la historia (ni, o) la química.

9. None of the animals is thirsty.
(Ningún, Ninguno) de los animales tiene sed.

10. No pupils are absent today.
(Nadie, Ningunos) alumnos están ausentes hoy.

11. Upon going out, he didn't put on any coat.
Al salir no se puso (ningún, ninguno) abrigo.

12. We never have tests on Mondays.
(Ningunas, Nunca) tenemos pruebas los lunes.

13. Nobody offers help to the lazy boy.
(Nadie, Nunca) ofrece ayuda al chico perezoso.

14. I never ask questions in the Spanish class.
(Nada, Nunca) hago preguntas en la clase de español.

15. We didn't take anything out of the garden.
No sacamos (algo, nada) del jardín.

**B.** Complete the Spanish sentences.

1. He doesn't show the instruments to anyone.
No muestra los instrumentos a ______________________.

2. No pupil studied diligently.
______________________ alumno estudió diligentemente.

3. I never put sugar in my coffee.
______________________ pongo azúcar en el café.

4. Albert doesn't ever go to bed on time.
Alberto no se acuesta ______________________ a tiempo.

5. The servant heard nothing.
El criado no oyó ______________________.

6. That ticket isn't worth anything.
Ese billete _____________ vale.

7. She doesn't want to sit down in any seat.
   No desea sentarse en ______________________ asiento.
8. No one completed the exercise.
   ______________________ completó el ejercicio.
9. Last term I didn't fail in any tests.
   El semestre pasado no salí mal en ______________________ pruebas.
10. The baker never earns enough money.
    El panadero ______________________ gana bastante dinero.
11. None of the men walked slowly.
    ______________________ de los hombres caminó despacio.
12. He didn't wash either his hands or his face.
    No se lavó ______________________ las manos ______________________ la cara.
13. No dictatorship is good.
    ______________________ dictadura es buena.
14. Upon leaving they didn't say good-by to anyone.
    Al salir no dijeron adiós a ______________________.
15. Philip didn't paint any pictures yet.
    Felipe no pintó ______________________ cuadros todavía.

**C.** Rewrite each sentence in the opposite negative form.

EXAMPLE: *Nunca* trabaja. *No* trabaja *nunca.*
*No* tengo *ningún dinero.* *Ningún dinero* tengo.

1. Aquella fábrica no produce nada. ______________________
2. Nadie confesó el crimen. ______________________
3. No tiene ni frío ni hambre. ______________________
4. El mozo no aceptó ninguna propina. ______________________
5. En esa tierra no llueve nunca. ______________________
6. ¿Vio Vd. algunos leones? No vi ninguno. ______________________
7. Ni cuchillo ni cuchara tiene. ______________________
8. Nadie cultivó la tierra. ______________________
9. No comió ningunas cerezas. ______________________
10. Nada ocurrió la semana pasada. ______________________
11. No bajó nadie del autobús. ______________________
12. Nadie se levanta. ______________________
13. Alfonso nunca llega temprano. ______________________
14. No pasó por aquí ni hoy ni ayer. ______________________
15. Ninguno de sus hijos duerme. ______________________

**D.** Complete the answers to the following questions by using a negative word or expression in the blank space.

1. ¿Están cerrados los mercados?
   No, ______________________ de los mercados está cerrado.
2. ¿Conoce Vd. a algunos rusos?
   No conozco a ______________________ rusos.
3. ¿Quién comió el chocolate?
   ______________________ comió el chocolate.
4. ¿De quién recibió ella un favor?
   No recibió un favor de ______________________.
5. ¿Cuidó Vd. alguna vez a su hermana menor?
   No cuidé ______________________ a mi hermana menor.
6. ¿Qué dice ese autor de la vida española?
   Ese autor no dice ______________________ de la vida española.
7. ¿Quién anunció las noticias?
   ______________________ anunció las noticias.
8. ¿Qué dice Vd.?
   No digo ______________________.
9. ¿Cuándo suena la campana?
   La campana ______________________ suena.
10. ¿Va Vd. al concierto o al cine?
    No voy ______________________ al concierto ______________________ al cine.
11. ¿Cuándo juega Vd. al tenis?
    ______________________ juego al tenis.
12. ¿Tiene Vd. alguna revista interesante?
    No tengo ______________________ revista interesante.
13. ¿Desea Vd. comer carne o pescado?
    No deseo comer ______________________ carne ______________________ pescado.
14. ¿Qué haces a la una y cuarto?
    No hago ______________________ a la una y cuarto.
15. ¿Subió Vd. algún monte?
    No subí ______________________ monte.
16. ¿A quién acompañó Vd.?
    No acompañé a ______________________.
17. ¿Hablan dulcemente los maestros?
    ______________________ maestros hablan dulcemente.

**18.** ¿Quién es su actriz favorita?

______________________ actriz es mi actriz favorita.

**19.** ¿Se despertó Vd. tarde esta mañana?

No me despierto tarde ______________________.

**20.** ¿Conduce Vd. el coche de la familia?

No conduzco ______________________ coche.

**E.** Translate into Spanish, using one negative word or expression.

**1.** No store is open today. ______________________

**2.** I want nothing. ______________________

**3.** None of the boys dances. ______________________

**4.** She doesn't eat anything. ______________________

**5.** I have neither pen nor paper. ______________________

**6.** Nobody speaks Spanish here. ______________________

**7.** We never work on Sundays. ______________________

**8.** They don't help anyone. ______________________

**9.** He hasn't any interesting books. ______________________

**10.** He has no money in his pocket. ______________________

**F.** Translate into Spanish the sentences of exercise E, using *two* negative words or expressions.

**1.** ______________________

**2.** ______________________

**3.** ______________________

**4.** ______________________

**5.** ______________________

**6.** ______________________

**7.** ______________________

**8.** ______________________

**9.** ______________________

**10.** ______________________

## 21. PRONOUNS THAT FOLLOW PREPOSITIONS

1. The following pronouns are used after prepositions:

| SINGULAR | PLURAL |
|---|---|
| **mí,** me | **nosotros, -as,** us |
| **ti,** you (*familiar*) | **vosotros, -as,** you (*familiar*) |
| **Vd.,** you (*polite*) | **Vds.,** you (*polite*) |
| **él,** him, it | **ellos,** them (*persons or things*) |
| **ella,** her, it | **ellas,** them (*persons or things*) |

con **él** — with him
para **nosotros** — for us

*Note*

A. With the exception of **mí** and **ti,** these are the same in form as the subject pronouns.

B. The prepositions **a** and **de** do not combine with the pronoun **él.**

Leo el libro de **él.** — I read his book.
Hablé a **él** ayer. — I spoke to him yesterday.

2. The preposition **con** combines with the pronouns **mí** and **ti** to form **conmigo** and **contigo.** These forms do not vary for gender.

Están **conmigo.** — They are with me.
Vengo **contigo.** — I am coming with you.

3. COMMON PREPOSITIONS:

| | |
|---|---|
| **a,** to | **en,** in |
| **cerca de,** near | **entre,** between, among |
| **con,** with | **hacia,** toward |
| **contra,** against | **lejos de,** far from |
| **de,** of, from | **para,** for |
| **debajo de,** beneath, under | **por,** for |
| **delante de,** in front of | **sin,** without |
| **detrás de,** in back of, behind | **sobre,** on top of, over |

*EXERCISES*

**A.** Underline the word or expression in parentheses that correctly translates each English expression.

**1.** El caballo corre hacia *me.* (me, mí)

**2.** Prefiere quedarse lejos de *you.* (tu, ti)

**3.** Los niños lloran por *it.* (ellos, él)

**4.** Vio una tienda de ropa y entró en *it.* (ella, él)

**5.** La abuela refiere el cuento a *them.* (las, ellas)

6. Una señorita guapa está de pie delante de *us*. (nosotras, nos)
7. ¿Por qué no quiere Vd. desayunarse *with me*? (con mí, conmigo)
8. Haga Vd. el favor de comprar un billete para *me*. (yo, mí)
9. No deseo oír nada de *you*. (tú, Vds.)
10. No ponga Vd. los papeles sobre *it*. (él, lo)
11. ¿Desea Vd. irse sin *them*? (ellos, las)
12. Defendieron la patria contra *them*. (Vds., ellos)
13. Ella prometió charlar *with you* un cuarto de hora. (con tú, contigo)
14. Debajo de *it* hallé una moneda. (ella, la)
15. Empezó a jugar con *it*. (lo, él)
16. No puedo ir *with you* al museo. (con vosotros, con ti)
17. Una francesa está sentada entre *you and her*. (Vd. y ella, Vd. y la)
18. ¿Para qué quieres tú almorzar *with her*? (contigo, con ella)
19. ¿Le gusta a Vd. vivir cerca de *him*? (él, Vd.)
20. Alfonso se sienta detrás de *her*. (su, ella)

**B.** Write the Spanish pronoun that can be used to replace the expression in italics.

1. Muchos animales existen en *el bosque*. ________________
2. Los habitantes lucharon fuertemente contra *la dictadura*. ________________
3. Pongo la carta en *el sobre*. ________________
4. Setecientos alumnos asisten a *la escuela*. ________________
5. Ningún alumno hace preguntas a *la profesora*. ________________
6. El director entra en *la clase*. ________________
7. No saben los colores de *la bandera nacional*. ________________
8. Pide una fotografía de *su actriz favorita*. ________________
9. Anoche cené con *Antonio y Luis*. [one word] ________________
10. Papá compró una bicicleta para *mi hermana*. ________________
11. Hay varios puentes sobre *los ríos*. ________________
12. La madre va al campo sin *sus hijos*. ________________
13. Debajo de *esas montañas* hay mucho oro. ________________
14. Detrás de *mi casa* hay un patio grande. ________________
15. La enfermera entró sin *las medicinas*. ________________
16. Felipe llegó a la escuela con *su hermano mayor*. ________________
17. Vive lejos de *sus primas*. ________________
18. Anita no quiere jugar con *los niños*. ________________
19. Dejó el sofá cerca de *la pared*. ________________
20. ¿Quién está sentado delante de *Pablo*? ________________

**C.** Complete the answers to the following questions, using the correct pronoun.

EXAMPLE: ¿Va Luisa *con Vd.*? Sí, Luisa va *conmigo.*

1. ¿Mueren las plantas sin *agua*? Sí, las plantas mueren sin ____________.
2. ¿Qué hace ella lejos de *su hijo*? Ella sufre lejos de ____________.
3. ¿Trae Vd. un sillón para *Juana*? Sí, traigo un sillón para ____________.
4. ¿Cuánto tiempo pasó Vd. con *sus sobrinas*? Pasé la tarde alegremente con ____________.
5. ¿Vuelan los aviones sobre *las nubes*? Sí, los aviones vuelan sobre ____________.
6. ¿Quiénes van hacia *la catedral*? Los turistas van hacia ____________.
7. ¿Qué compraron los abuelos para *sus nietos*? Compraron buenos regalos para ____________.
8. ¿Recibe Vd. cartas de *Arturo*? No recibo ningunas cartas de ____________.
9. ¿Quién ofreció ir *con Vd.*? Mi tía ofreció ir ____________.
10. ¿Cuánto pagó el comerciante por *los edificios*? Pagó un millón de dólares por ____________.
11. ¿Quién tomó el almuerzo *con Vd.*? José tomó el almuerzo ____________.
12. ¿Va Vd. al teatro con *sus amigas*? Sí, voy al teatro con ____________.
13. ¿Salió él de la estación con *su esposa*? Sí, salió de la estación detrás de ____________.
14. ¿Quién está delante de *Vd.*? Tomás está delante de ____________.
15. ¿Cuándo pusieron las sillas en *el cuarto*? A las once pusieron las sillas en ____________.
16. ¿Son para *mí* estos claveles? Sí, señora, estos claveles son para ____________.
17. ¿A qué hora bajó Vd. *del autobús*? Bajé ____________ a las doce y media.
18. ¿Anda Luisa *con Vds.*? No, Luisa no anda ____________.
19. ¿Quién está en *el décimo asiento*? Francisco está en ____________.
20. ¿Quién viene entre *Ana y Luisa*? Otra muchacha viene entre ____________ [one word]

**D.** Complete the Spanish sentences, translating the English words into Spanish.

1. Por la tarde juega al béisbol *with us.* ____________
2. Ella corre hacia *you* (*fam. pl.*). ____________
3. Nosotros bajamos al sótano delante de *them.* ____________
4. Las medias de nilón son para *her.* ____________
5. No voy a la América Central *with you* (*fam. sing.*). ____________
6. El accidente ocurrió lejos de *him.* ____________
7. No desean hacer un viaje sin *you* (*pol. pl.*). ____________
8. Detrás de *me* está sentada una chica simpática. ____________
9. No viven cerca de *you* (*pol. sing.*). ____________
10. Mi tío va *with me.* ____________

**E.** Translate into Spanish.

**1.** from you (*pol. sing.*) ______________________

**2.** under it [cama] ______________________

**3.** in them [panaderías] ______________________

**4.** with you (*fam. sing.*) ______________________

**5.** for him ______________________

**6.** toward you (*pol. pl.*) ______________________

**7.** with me ______________________

**8.** far from us ______________________

**9.** without you (*fam. pl.*) ______________________

**10.** with them [norteamericanos] ______________________

**11.** behind me ______________________

**12.** near us ______________________

**13.** against them [enemigos] ______________________

**14.** in front of her ______________________

**15.** between him and her ______________________

**Francisco Goya (1746–1828) was one of the great masters of Spanish painting. He had a fiery temperament, and was brutally realistic in his art. In his paintings and etchings, he exposed the horrors of war, the stupidity of the Spanish rulers and the corrupt society of 18th and 19th century Spain. Among his better-known works are "Los Fusilamientos del Dos de Mayo," "La Familia de Carlos IV" and "Los Caprichos."**

## 22. DIRECT OBJECT PRONOUNS

| Singular | Plural |
|---|---|
| **me,** me | **nos,** us |
| **te,** you (*fam.*) | **os,** you (*fam.*) |
| **le,** him, you (*m.*) } | **los,** them, you (*m*). |
| **lo,** him, it (*m.*) } | |
| **la,** her, it, you (*f.*) | **las,** them, you (*f.*) |

*Note*

A. Either **le** or **lo** may be used to translate *him.*

B. The plural form of both **le** and **lo** is **los.**

1. The direct object pronoun is usually placed directly *before* the verb.

| | |
|---|---|
| El profesor **las pronuncia.** | The teacher pronounces them. |
| Alberto no **lo tiene.** | Albert doesn't have it. |

2. The direct object pronoun *follows* the verb and is attached to it, if the verb is:

*a.* an infinitive
*b.* an affirmative command

*a.* INFINITIVE

| | |
|---|---|
| Van a **visitarnos.** | They're going to visit us. |
| Ella no desea **verlo.** | She doesn't want to see it. |

*b.* AFFIRMATIVE COMMAND

| | |
|---|---|
| **Bórrela** Vd. | Erase it. |
| *but* | |
| No **la borre** Vd. | Don't erase it. |

*Note*

A. The direct object pronoun *follows* the affirmative command, but comes *before* the negative command.

B. When the direct object pronoun follows and is attached to the affirmative command, an accent mark is required on the stressed vowel.

### *EXERCISES*

**A.** Complete the English translations.

| | |
|---|---|
| **1.** Te amo sinceramente. | I love ______________ sincerely. |
| **2.** Gobiérnelo bien. | Govern ______________ well. |
| **3.** Ella los examina de nuevo. | She examines ______________ again. |
| **4.** Llénenlo Vds. de agua. | Fill ______________ with water. |

| | |
|---|---|
| **5.** Sus nietos le llaman. | His grandchildren are calling ______________. |
| **6.** No la devuelva Vd. a Francisco. | Don't return ______________ to Frank. |
| **7.** María no nos olvida. | Mary doesn't forget ______________. |
| **8.** Juan ofrece explicarla. | John offers to explain ______________. |
| **9.** No los fume Vd. | Don't smoke ______________. |
| **10.** ¿Para qué las conserva Vd.? | Why are you saving ______________? |
| **11.** No voy a completarlos esta noche. | I am not going to complete __________ tonight. |
| **12.** Los tocamos con los dedos. | We touch ______________ with our fingers. |
| **13.** Los habitantes no desean defenderla. | The inhabitants don't want to defend ______________. |
| **14.** ¿Dónde lo cultivan? | Where do they cultivate ______________? |
| **15.** ¿Cuándo le saludó Vd.? | When did you greet ______________? |
| **16.** Anúncielas en voz alta. | Announce ______________ in a loud voice. |
| **17.** Va a prestarlo a su sobrino. | He is going to lend ______________ to his nephew. |
| **18.** No la describe bien. | He doesn't describe ______________ well. |
| **19.** Arturo os ayuda algunas veces. | Arthur helps ______________ sometimes. |
| **20.** ¿Piensa Vd. acompañarme a la bodega? | Do you intend to accompany ________________ to the grocery store? |

**B.** Rewrite the following sentences using a direct object pronoun for the words in italics.

EXAMPLES:

| | |
|---|---|
| Uso *la pluma.* | *La* uso. |
| Use Vd. *la pluma.* | Úse*la* Vd. |
| Voy a usar *la pluma.* | Voy a usar*la.* |
| No use Vd. *la pluma.* | No *la* use Vd. |

**1.** El alumno halló *un periódico mexicano.* ________________________________

**2.** Visitaron *a Alfredo* el mes pasado. ________________________________

**3.** Cuide Vd. *a su hermana menor.* ________________________________

**4.** Antonio estudia *los verbos* diligentemente. ________________________________

**5.** No deseo limpiar *los platos.* ________________________________

**6.** No cierren Vds. *las ventanas.* ________________________________

**7.** ¿Admira Vd. a *Juana*? ________________________________

**8.** ¿Puede Vd. resolver *los problemas*? ________________________________

**9.** El ladrón debe confesar *el crimen.* ________________________________

**10.** Pablo busca *los guantes.* ________________________________

**11.** Escuchen Vds. *a las maestras* con atención. ________________________________

**12.** Enrique va a hacer *el trabajo.* ________________________________

**13.** El dentista sacó *tres muelas.* ________________________________

**14.** No repita Vd. *el mismo error.* ________________________________

**15.** Copiamos *la dirección* en el cuaderno. ________________________________

**16.** El profesor ayuda *al muchacho.* ----------

**17.** No acepte Vd. *esa propina.* ----------

**18.** Respetamos *a nuestros padres.* ----------

**19.** Compren Vds. *un piano.* ----------

**20.** El enfermo no puede llamar *a la enfermera.* ----------

**C.** Change the following commands to the affirmative form.

EXAMPLE: No lo vean Vds. *Véanlo Vds.*

**1.** No le inviten Vds. ----------

**2.** No lo decida Vd. inmediatamente. ----------

**3.** No las rompa Vd. ----------

**4.** No nos deje Vd. aquí. ----------

**5.** No la omitan Vds. ----------

**6.** No los cuente Vd. ----------

**7.** No le escuchen Vds. ----------

**8.** No los gasten Vds. ----------

**9.** No me ayude Vd. ----------

**10.** No las divida Vd. ----------

**D.** Rewrite each of the following sentences, translating the English pronoun and placing it in the correct position.

EXAMPLE: (them) Veo. [María y Carla]
*Las veo.*

**1.** (you, *fam. pl.*) Los muchachos admiran.
----------

**2.** (them) Mi abuelo pintó. [cuadros]
----------

**3.** (you, *m. sing.*) La camarera desea servir.
----------

**4.** (him) Tomás invita.
----------

**5.** (them) No acompañe Vd. [parientes]
----------

**6.** (you, *pol. sing.*) Señora, nosotros respetamos mucho.
----------

**7.** (it) ¿Quién conduce? [automóvil]
----------

**8.** (them) Mire Vd. [Marta y Ana]
----------

**9.** (it) El sastre va a cortar. [tela]

---

**10.** (us) Su tío no ve.

---

**11.** (it) Beba Vd. [agua]

---

**12.** (me) No reconoce.

---

**13.** (it) Mi madre cose. [una falda]

---

**14.** (her) Nadie puede ayudar.

---

**15.** (them) No necesito. [corbatas]

---

**E.** Answer the following questions, using a direct object pronoun instead of the words in italics.

EXAMPLE: ¿Tiene Vd. *el dinero?* Sí, *lo* tengo.

**1.** ¿Usa Vd. una llave para abrir *una puerta cerrada*? ______

**2.** ¿Contesta Vd. *las preguntas* correctamente? ______

**3.** ¿*Me* comprende Vd.? ______

**4.** ¿Espera Vd. recibir *regalos* para la Navidad? ______

**5.** ¿Recibe Vd. *buenas notas*? ______

**6.** ¿Piensa Vd. celebrar *su cumpleaños* este mes? ______

**7.** ¿Lee Vd. *el periódico* todos los días? ______

**8.** ¿Perdió Vd. *su cartera* recientemente? ______

**9.** ¿Lleva Vd. *un abrigo* en el invierno? ______

**10.** ¿Aprende Vd. a bailar *el tango*? ______

**11.** ¿Come Vd. *mucha carne*? ______

**12.** ¿Prepara Vd. *las tareas* por la noche? ______

**13.** ¿Estudia Vd. *el castellano*? ______

**14.** ¿Ayudan los profesores *a los alumnos*? ______

**15.** ¿Escucha Vd. *a la profesora*? ______

**F.** Complete the following sentences in Spanish.

**1.** ¿*Do you see him* por la mañana? ______

**2.** Si la blusa es bonita, *buy it.* ______

**3.** *Bring it* [receta] a la farmacia. ______

**4.** *I know it* muy bien. ______

5. *Do not close them* [libros]. ______________________
6. *She sold it* [casa] el año pasado. ______________________
7. Si la puerta está abierta, *don't close it.* ______________________
8. La maestra *opens them* [ventanas] fácilmente. ______________________
9. *He doesn't love her* sinceramente. ______________________
10. Si hay un ascensor, voy a *to take it.* ______________________
11. *He invited us* a su décimo cumpleaños. ______________________
12. Voy a *to see it* [película] la semana que viene. ______________________
13. Ella no quiere *to take it* [medicina]. ______________________
14. *We visit them* una vez cada mes. ______________________
15. Todavía no saben *to read it* [periódico]. ______________________
16. Muchas veces *he helps me.* ______________________
17. El muchacho *called you* (*fam. sing.*) a las cinco. ______________________
18. *I admire her* mucho. ______________________
19. *Do not invite them* a la fiesta. ______________________
20. *Show it* [cuadro] a la clase. ______________________

## 23. INDIRECT OBJECT PRONOUNS

| SINGULAR | PLURAL |
|---|---|
| **me,** to me | **nos,** to us |
| **te,** to you (*fam.*) | **os,** to you (*fam.*) |
| **le,** to you (*pol.*), to him, to her | **les,** to you (*pol.*), to them (*m.* and *f.*) |

*Note*

A. The forms **le** and **les** are used to express both *masculine* and *feminine* indirect object pronouns

B. Since **le** and **les** may have several meanings, the intended meaning may be made clear by adding after the verb **a Vd., a él, a ella, a Vds., a ellos** or **a ellas.**

**Le** hablé **a ella.** — I spoke to her.

C. The forms **me, te, nos,** and **os** are also used for direct object pronouns (see Grammar Lesson 22) and for reflexive pronouns (see Verb Lesson 20).

D. The indirect object pronoun may be identified in English by the preposition *to* + a person. The *to* may be expressed or implied.

**Les** da el dinero. — He gives the money to them. (He gives them the money.)

1. The indirect object pronoun is usually placed *before* the verb.

   Ana **le habla.** — Ann speaks to him.
   Ella **me escribe** una carta. — She writes a letter to me. (She writes me a letter.)

2. The indirect object pronoun follows the verb, and is attached to it, if the verb is:

   *a.* an infinitive
   *b.* an affirmative command

*a.* INFINITIVE

¿Quieres **decirme** la verdad? — Do you want to tell the truth to me? (Do you want to tell me the truth?)

*b.* AFFIRMATIVE COMMAND

**Escríbame** Vd. una carta. — Write a letter to me. (Write me a letter )

*but*

No **me escriba** Vd. una carta. — Don't write a letter to me. (Don't write me a letter.)

*Note*

A. The indirect object pronoun follows the affirmative command, but comes before the negative command.

B. When the indirect object pronoun follows and is attached to the affirmative command, a written accent mark is required on the stressed vowel.

*EXERCISES*

**A.** Complete the English translations.

**1.** Vd. me paga el precio mañana, ¿verdad?

You'll pay ________________ the price tomorrow, won't you?

**2.** No le vendan Vds. a ella la lana.

Don't sell ________________ the wool.

**3.** El profesor nos explica la regla.

The teacher explains the rule ________________.

**4.** Deseo hablaros en seguida.

I want to speak ________________ at once.

**5.** Su madre le da dinero y María compra una blusa bonita.

Her mother gives ________________ money and Mary buys a pretty blouse.

**6.** Te traigo un juguete esta noche.

I'll bring ________________ a toy tonight.

**7.** Os doy las gracias por esto.

I thank ________________ for this.

**8.** ¿No desean prestarte el mapa?

Don't they want to lend ________________ the map?

**9.** ¿Prestan Vds. atención cuando el maestro les habla?

Do you pay attention when the teacher speaks ________________?

**10.** La prima de los niños les lee un cuento.

The children's cousin reads ________________ a story.

**11.** Los maestros nos enseñan el francés y el español.

The teachers teach ________________ French and Spanish.

**12.** Mi amigo no me devuelve mi pluma.

My friend doesn't return my pen ________________.

**13.** Tráigame Vd. un vaso de leche.

Bring ________________ a glass of milk.

**14.** Alfonso tiene hambre, y la criada le sirve el desayuno.

Alphonse is hungry, and the maid serves ________________ breakfast.

**15.** Dígame Vd. solamente la verdad.

Tell ________________ only the truth.

**16.** La camarera no desea servirnos ni té ni café.

The waitress doesn't want to serve ________________ either tea or coffee.

**17.** Al ver a sus amigos, Felipe les habló.

Upon seeing his friends, Philip spoke ________________.

**18.** Déme Vd. un tenedor, por favor.

Give ________________ a fork, please.

**19.** Un muchacho nos mostró el periódico.

A boy showed ________________ the newspaper.

**20.** Les escribo a menudo porque ellos viven lejos de mí.

I write ________________ often because they live far from me.

**B.** Rewrite the following sentences using an indirect object pronoun for the words in italics.

EXAMPLES: Hablo *a Juan.* — *Le* hablo.
Hable Vd. *a Juan.* — Hábl*ele* Vd.
Voy a hablar *a Juan.* — Voy a hablar*le.*
No hable Vd. *a Juan.* — No *le* hable Vd.

**1.** Al llegar, el director hace preguntas *a los alumnos.* ________________________________________

________________________________________

**2.** El maestro describe *a nosotros* la vida española. ________________________________________

________________________________________

**3.** El muchacho tiene que referir *a sus abuelos* la historia. ________________________________________

________________________________________

**4.** El hombre pasa la sal *a su esposa.* ________________________________________

**5.** Anuncie Vd. esas noticias *a la gente.* ________________________________________

**6.** Vendieron el vestido de seda *a la señora.* ________________________________________

**7.** No digan Vds. eso *a sus compañeros de clase.* ________________________________________

**8.** Preste Vd. el paraguas *a Tomás y Luisa.* ________________________________________

**9.** Deseo dar flores *a todas las muchachas.* ________________________________________

**10.** No puedo prometer nada *a mi hijo.* ________________________________________

**11.** Aquella muchacha parece guapa *a Alberto.* ________________________________________

________________________________________

**12.** El actor canta alegremente *a las señoritas.* ________________________________________

**13.** Lleve Vd. su traje *al sastre.* ________________________________________

**14.** Francisco trae dulces *a Marta.* ________________________________________

**15.** Ella sirve el almuerzo *a su esposo.* ________________________________________

**16.** ¿Qué pregunta Vd. *a Juan*? ________________________________________

**17.** No confiese Vd. eso *a la señorita.* ________________________________________

**18.** El viernes pasado el panadero ofreció un pastel *a las niñas.* ________________________________________

________________________________________

**19.** Responde *a su hermana* perezosamente. ________________________________________

**20.** No hablen Vds. *a la inglesa rubia.* ________________________________________

**C.** Change the following commands to the affirmative form.

1. No le pidan Vds. los discos. ______________________________
2. No le ofrezca Vd. a ella el brazo. ______________________________
3. No les escriba Vd. con lápiz. ______________________________
4. No le venda Vd. a él la bicicleta vieja. ______________________________
5. No me sirva Vd. la cena. ______________________________
6. No nos lea Vd. el párrafo otra vez. ______________________________
7. No les confiese Vd. el crimen. ______________________________
8. No nos hable Vd. fuertemente. ______________________________
9. No le respondan Vds. en voz baja. ______________________________
10. No me traiga Vd. la medicina. ______________________________

**D.** Rewrite each of the following sentences, translating the pronoun in parentheses and placing it in the correct position.

1. (to me) Dé Vd. una copa de vino.

______________________________

2. (to you, *pol. sing.*) Debo pagar el dinero, pero no tengo ninguno.

______________________________

3. (to us) El mozo sirve los postres.

______________________________

4. (to me) Prometa Vd. bailar conmigo.

______________________________

5. (to you, *fam. pl.*) Voy a traer los billetes.

______________________________

6. (to her) Vende un par de zapatos.

______________________________

7. (to us) Nuestros hijos escriben pocas veces.

______________________________

8. (to you, *pol. pl.*) ¿Puedo hablar libremente?

______________________________

9. (to him) Escriba Vd. inmediatamente.

______________________________

10. (to her) No cante Vd. tristemente.

______________________________

11. (to me) Ofrece ochenta dólares por el sofá.

______________________________

12. (to him) Papá no dio una propina.

______________________________

13. (to you, *fam. sing.*) Enrique habla en alemán.

---

14. (to them) ¿Qué dices?

---

15. (to us) No dé Vd. un refresco.

---

**E.** Answer the following questions, using the correct indirect object pronoun instead of the words in italics.

1. ¿Pide Vd. dinero *a su abuelo*? ______
2. ¿Quién *le* presta *a Vd.* dinero? ______
3. ¿Quién enseña *a los alumnos*? ______
4. ¿Hace Vd. muchas preguntas *al profesor*? ______
______
5. ¿Escribe Vd. *a sus parientes*? ______
6. ¿*Le* gusta *a Vd.* mirar la televisión por la noche? ______
______
7. ¿Hace Vd. favores *a sus compañeros*? ______
8. ¿Promete Vd. *a sus padres* estudiar diligentemente? ______
______
9. ¿Contesta Vd. *al maestro* correctamente? ______
10. ¿Pide Vd. muchos regalos *a su tío*? ______
11. ¿Ofrece Vd. su ayuda *al piloto* cuando Vd. viaja en avión? ______
______
12. ¿Trae Vd. regalos *a su mamá*? ______
13. ¿Habla Vd. *a su amigo* por la mañana? ______
14. ¿Muestra Vd. sus buenas notas *a sus amigos*? ______
______
15. ¿*Les* da *a Vds.* el maestro muchas tareas? ______
______

**F.** Complete the following sentences in Spanish.

1. *I speak to them* mientras damos un paseo. ______
2. *He writes to her* todos los meses. ______
3. *Sing to her* Vd. una canción alegre. ______
4. *She serves them* un pastel de cerezas. ______
5. *Don't bring him* Vd. un vaso de leche. ______
6. ¿Quién *explains* la regla *to you* (*pol. sing.*)? ______

7. ¿No quieres *to tell me* la verdad? ______________________________
8. Al salir, nadie *speaks to him.* ______________________________
9. *It seems to me* muy feo. ______________________________
10. El profesor no va a *to lend me* ningún libro. ______________________________
11. El director *announces* la noticia *to us.* ______________________________
12. *Don't give her* Vds. la pluma. ______________________________
13. *Return* Vd. el libro *to him.* ______________________________
14. Alguien *brought me* el periódico. ______________________________
15. *She reads to us* un cuento interesante. ______________________________
16. *They write to me* muchas veces. ______________________________
17. ¿Qué *are you* (*pl.*) *bringing her* para la Navidad? ______________________________
18. Su tío *gave him* un reloj de oro. ______________________________
19. *Don't tell her* Vds. eso. ______________________________
20. Su hija *gives him* una camisa. ______________________________

**The Balearic Islands are situated in the Mediterranean Sea, off the eastern coast of Spain. Mallorca, the largest of the islands, is a favorite vacation resort for Spaniards and foreign travelers. Its picturesque setting, luxuriant vegetation, excellent beaches, and delightful climate attract tourists from all parts of the world.**

## 24. MASTERY EXERCISES

(LESSONS 19–23)

**A.** Complete the Spanish sentences by underlining the correct interrogative expression in parentheses. (See Grammar Lesson 19.)

| | |
|---|---|
| **1.** What season do you prefer? | ¿(Cuál, Qué) estación prefiere Vd.? |
| **2.** Where do you like to travel? | ¿(Cómo, Adónde) le gusta viajar? |
| **3.** Who regrets the accident? | ¿(Quién, Quiénes) siente el accidente? |
| **4.** At what time do you wake up? | ¿A (qué, cuál) hora se despierta Vd.? |
| **5.** When do you go to bed? | ¿(Cómo, Cuándo) se acuesta Vd.? |
| **6.** How many lives has a cat? | ¿(Cuántas, Cómo) vidas tiene un gato? |
| **7.** Whose silver watch is it? | ¿(De quién, Quiénes) es el reloj de plata? |
| **8.** Excuse me; what is your name? | Dispense Vd.; ¿(qué, cómo) se llama Vd.? |
| **9.** What are the days of the week? | ¿(Qué, Cuáles) son los días de la semana? |
| **10.** What does this mean? | ¿(Qué, Cuál) quiere decir esto? |
| **11.** Where do they enjoy themselves most? | ¿(Dónde, Adónde) se divierten más? |
| **12.** What is the matter with you? | ¿(Quién, Qué) tiene Vd.? |
| **13.** How much grass do the cows eat? | ¿(Cuánta, Cuántas) hierba comen las vacas? |
| **14.** Why does he bathe very early? | ¿(Por qué, Porque) se baña muy temprano? |
| **15.** What is the date? | ¿(Cuál, Qué) es la fecha? |

**B.** Rewrite the following sentences, changing the expressions in italics to object pronouns. (See Grammar Lessons 22, 23.)

**1.** ¿Inventó Vd. *ese instrumento*? ------------------------------------------

**2.** Haga Vd. el favor de repetir su promesa *a su tía*. ------------------------------

------------------------------------------------------------

**3.** Sufre *su dolor* en silencio. ------------------------------------------

**4.** Tenga Vd. la bondad de borrar *la pizarra*. ------------------------------

------------------------------------------------------------

**5.** No lea Vd. el dictado *a los estudiantes*. ------------------------------

**6.** Pregunte Vd. *al carnicero* el precio. ------------------------------

**7.** El dueño muchas veces grita *a la taquígrafa*. ------------------------------

------------------------------------------------------------

**8.** El campesino produce *muchas papas*. ------------------------------

**9.** Vendieron la alfombra *a la señorita*. ------------------------------

**10.** Devuelvan Vds. la tiza *al maestro*. ------------------------------

**11.** Pasó la sal y la pimienta *a su esposa*. ------------------------------

12. No pronuncien Vds. mal *la palabra.* ______________________________

13. Al saludar, anunció la noticia *a ti.* ______________________________

14. Quite Vd. *aquellos sillones* de aquí. ______________________________

15. Recibo *buenas notas* en todas las asignaturas. ______________________________

______________________________

16. Examinen Vds. *esta tela.* ______________________________

17. Alfonso desea conservar *la salud.* ______________________________

18. No preste Vd. el chaleco *a su sobrino.* ______________________________

______________________________

19. Anita tiene que mostrar las fotos *a sus abuelos.* ______________________________

______________________________

20. No llene Vd. *su plato.* ______________________________

**C.** Write the Spanish pronoun that can be used to replace the expression in italics. (See Grammar Lesson 21.)

1. Es necesario preparar la cena para *mi esposo.* ______________________________
2. Bajó la escalera, y salió con *sus amigos.* ______________________________
3. ¿Para qué entró Vd. en *el gimnasio*? ______________________________
4. Habló de *las iglesias y los templos.* [one word] ______________________________
5. Detrás de *las casas particulares* había patios bonitos. ______________________________
6. Después de *las fiestas* cayó débilmente en *la cama.* ______________________________
7. Todo el mundo se sentó debajo de *los árboles.* ______________________________
8. Cerca de *la cárcel* hay un parque. ______________________________
9. Había una silla ocupada entre *Juana y Arturo.* [one word] ______________________________
10. Los reyes viven felizmente en *sus palacios.* ______________________________
11. Los soldados lucharon fuertemente contra *la dictadura.* ______________________________
12. No tomo café sin *leche y azúcar.* [one word] ______________________________
13. Al salir, anda por *un camino estrecho.* ______________________________
14. Empezó a vestirse delante de *la cómoda.* ______________________________
15. Hizo un viaje a Europa en *un vapor grande.* ______________________________

**D.** Complete the Spanish sentences. (See Grammar Lesson 20.)

1. The scientists didn't answer anything.

   Los científicos no respondieron ______________________.

2. They don't play any musical instrument.

   No tocan ______________________ instrumento músico.

3. None of the trunks is full.

   ______________________ de los baúles está lleno.

4. He doesn't want either to wash or get dressed.

   No desea ___________ lavarse ___________ vestirse.

5. He doesn't ask questions of anyone.

   No hace preguntas a __________________.

6. There is no shoe store in this street.

   ____________________ zapatería hay en esta calle.

7. I don't owe anyone a cent.

   ____________________ debo un centavo.

8. Those girls never comb their hair.

   Aquellas muchachas ____________________ se peinan.

9. He takes off neither his hat nor coat.

   No se quita ___________ el sombrero ___________ el abrigo.

10. Everything is closed; nothing is open.

    Todo está cerrado; __________________ está abierto.

**E.** Rewrite the following sentences using the opposite negative form. (See Grammar Lesson 20.)

EXAMPLE: *Nunca* trabaja. — *No* trabaja *nunca.*
*No* tengo *ningún dinero.* — *Ningún dinero* tengo.

1. No hace ni frío ni fresco aquí en el otoño. ____________________

   ____________________________________________

2. Ni el alemán ni la química le gusta. ____________________

   ____________________________________________

3. No gritó a nadie. ____________________________________________
4. Ellos van conmigo, pero nadie desea ir contigo. ____________________

   ____________________________________________

5. Ningunos tenedores están en la mesa. ____________________

   ____________________________________________

6. Nada logró con su trabajo. ____________________________________________
7. Nunca viaja hacia el este. ____________________________________________
8. No expresa bien ninguna idea. ____________________________________________
9. No fuma nunca. ____________________________________________
10. Ella no salió a patinar con nadie. ____________________

    ____________________________________________

**F.** Complete the following sentences in Spanish.

1. ¿Puedes cortar el pan *with it*? [cuchillo] ____________________
2. Luisa *lends him* su bicicleta. ____________________
3. No pueden *to help her.* ____________________

4. ¿*Where* viaja el autor? ________________
5. Fueron a Italia *without us.* ________________
6. Mis amigos *accompany me* a la plaza. ________________
7. No podemos *either* dormir *or* comer. ________________
8. Desea *to offer her* su brazo izquierdo. ________________
9. Antonio no lleva corbata *ever.* ________________
10. ¿*What* es esto? ________________
11. Nuestro hijo vive *far from you* (*fam. pl.*). ________________
12. *Buy it* mañana. [tinta] ________________
13. El maestro *reads to us* en la clase. ________________
14. *No* llave puede abrir la maleta. ________________
15. ¿*Who* son aquellos señores? ________________
16. ¿Quiere Vd. ir a la playa *with me*? ________________
17. La actriz *speaks to them.* ________________
18. No respondieron *to anyone.* ________________
19. ¿*What* es la capital de España? ________________
20. *Over it* había una campana. [catedral] ________________
21. *Write to me* todos los días. ________________
22. *It seems to him* que hace mal tiempo. ________________
23. ¿*Which stories* prefiere Vd.? ________________
24. Recibí una caja de peras *from them.* ________________
25. ¿*Which one* de los dos vale menos? ________________
26. Francisco *gave them* los billetes recientemente. ________________
27. Te llamo porque quiero ir *with you* al concierto. ________________
28. No ocurrió *anything.* ________________
29. Sus hijos *love him.* ________________
30. *None* de los hoteles tiene un cuarto grande. ________________
31. Los alumnos *admire you* (*fam. sing.*). ________________
32. ¿*To whom* explica Vd. el párrafo? ________________
33. Por la mañana *we meet her.* ________________
34. *Don't sell them* sin un tocadiscos. [discos] ________________
35. *Nobody* está en el patio. ________________
36. Por favor, *don't describe to us* otra vez su traje nuevo. ________________
37. ¿*Whose* es la cartera? ________________
38. La sopa no tiene *any vegetables.* ________________
39. Compré un par de zapatos *for him.* ________________
40. ¿Quiénes están sentados *behind her*? ________________

**G.** Translate into Spanish.

1. Whose books are these? ____________________
2. She eats neither fruits nor bread. ____________________
3. Do not take it now. ____________________
4. He never studies. ____________________
5. He sells newspapers to them. ____________________
6. They aren't ever going. ____________________
7. Do you (vosotros) understand me? ____________________
8. None of the stores sells it. ____________________
9. I am not able to do it. ____________________
10. He doesn't invite anyone. ____________________
11. They live far from her. ____________________
12. How many friends are you inviting? ____________________
13. The teacher reads to her. ____________________
14. I don't want anything. ____________________
15. Speak to her tomorrow. ____________________
16. Which restaurant is good? ____________________
17. Are you coming with me? ____________________
18. What vegetables do you (tú) want? ____________________
19. We visit them. ____________________
20. She is writing a letter to him. ____________________

# Part III—Idioms

## 1. THE VERB *GUSTAR*

***Me gusta*** el reloj.
To me is pleasing the watch
I like the watch.

***Me gustan*** los relojes.
To me are pleasing the watches
I like the watches.

¿***Te gustó*** esa canción?
To you was pleasing that song
Did you like that song?

¿***Te gustaron*** esas canciones?
To you were pleasing those songs
Did you like those songs?

***Le gusta*** el regalo.
To you / To him / To her is pleasing the gift
You (He, She) like(s) the gift.

***Le gustan*** los regalos.
To you / To him / To her are pleasing the gifts
You (He, She) like(s) the gifts.

***No nos gusta*** esta corbata.
Not to us is pleasing this necktie
We don't like this necktie.

***No nos gustan*** estas corbatas.
Not to us are pleasing these neckties
We don't like these neckties.

¿***Os gusta*** la flor?
To you is pleasing the flower
Do you (*fam. pl.*) like the flower?

¿***Os gustan*** las flores?
To you are pleasing the flowers
Do you (*fam. pl.*) like the flowers?

***Les gusta*** leer.
To you / To them is pleasing to read
You (They) like to read.

***Les gustan*** las naranjas.
To you / To them are pleasing the oranges
You (They) like the oranges.

*Note*

A. The verb **gustar** (*to be pleasing*) is used to express the English verb *to like.* "I like the watch" is expressed in Spanish by "The watch is pleasing to me"; "He likes the neckties" is expressed by "The neckties are pleasing to him."

B. The verb **gustar** usually occurs only in the third person, singular or plural.

C. The English subject (I, you, he, we, etc.) becomes the indirect object in Spanish. The English object (gift, watch, flower, to read, etc.) becomes the subject in Spanish, and causes the verb to be either singular or plural.

D. The Spanish subject usually follows **gustar.**

E. The various meanings of **le** and **les** may be clarified by adding **a él, a ella, a Vd., a ellos(-as), a Vds.** after the verb. (See Grammar Lesson 23, Note B.)

*EXERCISES*

**A.** Translate into English.

**1.** ¿Os gusta el pescado? ------------------------------

**2.** Me gusta la música española. ------------------------------

3. ¿Te gusta el béisbol? ______________________________

4. Les gusta a ellos divertirse en la playa. ______________________________

5. ¿No le gustan a Vd. las camisas de algodón? ______________________________

______________________________

6. No me gustan las patatas. ______________________________

7. ¿Por qué no les gusta a Vds. estudiar? ______________________________

8. Le gusta a ella bañarse temprano. ______________________________

9. Nos gustan los pasteles. ______________________________

10. No nos gustó la película. ______________________________

**B.** Complete the following sentences with **gusta** or **gustan.**

1. ¿Te ______________________ la primavera?
2. No nos ______________________ fumar.
3. Les ______________________ acostarse tarde.
4. No me ______________________ los limones.
5. ¿Te ______________________ la química?
6. Me ______________________ charlar contigo.
7. Le ______________________ los calcetines grises.
8. ¿Te ______________________ mis zapatos nuevos?
9. Me ______________________ tus ideas.
10. No nos ______________________ ese actor.
11. ¿Le ______________________ a Vd. acompañarme?
12. No les ______________________ los conciertos.
13. Nos ______________________ la casa nueva.
14. No me ______________________ aquellas corbatas.
15. Le ______________________ a ella comer mucho.

**C.** Complete the Spanish sentences.

| | |
|---|---|
| 1. We like the history class. | ________________ gusta la clase de historia. |
| 2. Do you like this suit? | ¿Os ________________ este traje? |
| 3. I don't like to fight. | No ________________ gusta luchar. |
| 4. She did not like the hat. | No ________________ gustó el sombrero. |
| 5. Do you like this salad? | ¿Te ________________ esta ensalada? |
| 6. We like Christmas. | Nos ________________ la Navidad. |
| 7. Does she like to spend money? | ¿________________ gusta gastar dinero? |
| 8. They liked the food in the cafeteria. | ________________ gustó la comida de la cafetería. |
| 9. I do not like cheap toys. | No me ________________ los juguetes baratos. |

10. Do you (*fam. sing.*) like apple pie? ¿__________________ gusta pastel de manzanas?
11. He likes to paint. __________________ gusta pintar.
12. I like my new bicycle. Me __________________ mi bicicleta nueva.
13. She likes to sew. Le __________________ coser.
14. Do you like your apartment? ¿Les __________________ a Vds. su apartamiento?
15. He didn't like to skate. No __________________ gustó patinar.

**D.** Translate the English words into Spanish.

1. *He likes* los programas de televisión. ________________________________________
2. *She likes* nadar. ________________________________________
3. *We didn't like* la prueba. ________________________________________
4. *She liked* las rosas. ________________________________________
5. *He doesn't like* el frío. ________________________________________
6. *They do not like* esas plantas. ________________________________________
7. *We don't like* el pollo. ________________________________________
8. Alberto y Luis, ¿*do you* (*fam. pl.*) *like* los huevos? ________________________________________
9. *They like* jugar al aire libre. ________________________________________
10. *She doesn't like* el tenis. ________________________________________
11. *We like* viajar por avión. ________________________________________
12. *They like* el chocolate. ________________________________________
13. *I don't like* los dulces. ________________________________________
14. ¿*Do you* (*pol. sing.*) *like* almorzar conmigo? ________________________________________
15. *I like* tu chaqueta nueva. ________________________________________
16. *They like* levantarse tarde. ________________________________________
17. ¿*Do you* (*fam. sing.*) *like* estos cuadros? ________________________________________
18. *She doesn't like* subir la escalera. ________________________________________
19. *I do not like* el otoño. ________________________________________
20. *They don't like* despertarse temprano. ________________________________________

**E.** Answer the following questions in Spanish.

1. ¿Les gusta a Vds. estudiar el vocabulario? ________________________________________
________________________________________________________________________________
2. ¿Le gusta a Vd. tocar un instrumento músico? ________________________________________
________________________________________________________________________________
3. ¿Le gustan a Vd. las legumbres? ________________________________________
4. ¿Les gusta a Vds. recibir buenas notas? ________________________________________
________________________________________________________________________________
5. ¿Le gusta a Vd. visitar la Argentina? ________________________________________

6. ¿Le gusta a Vd. pasar mucho tiempo en la biblioteca? ______________________________

______________________________

7. ¿Le gustan a Vd. las cerezas? ______________________________
8. ¿Le gusta a Vd. comer en un restaurante? ______________________________
9. ¿Le gusta a Vd. bailar? ______________________________
10. ¿Les gustan a Vds. las vacaciones? ______________________________

______________________________

11. ¿Qué le gusta a Vd. comer en el desayuno? ______________________________

______________________________

12. ¿Le gusta a Vd. hacer un viaje por vapor? ______________________________

______________________________

13. ¿Le gusta a Vd. dar un paseo por la tarde? ______________________________

______________________________

14. ¿Qué estación del año le gusta a Vd. más? ______________________________

______________________________

15. ¿Les gustan a Vds. los exámenes? ______________________________

**F.** Translate into Spanish.

1. Do you (*pol. pl.*) like to receive gifts? ______________________________
2. She liked to dance the tango. ______________________________
3. They don't like pies. ______________________________
4. Do you (*pol. sing.*) like to travel by train? ______________________________
5. I like to read the newspaper. ______________________________
6. We don't like the large cities. ______________________________
7. We like (la) Spanish music. ______________________________
8. They like the country. ______________________________
9. Do you (*fam. sing.*) like oranges? ______________________________
10. He likes the month of August. ______________________________

## 2. IDIOMS WITH *HACER*

### WEATHER EXPRESSIONS

| | |
|---|---|
| 1. **¿Qué tiempo hace?** | How is the weather? |
| 2. **Hace buen tiempo.** | The weather is good. |
| 3. **Hace mal tiempo.** | The weather is bad. |
| 4. **Hace calor.** | It is hot (warm). |
| 5. **Hace frío.** | It is cold. |
| 6. **Hace fresco.** | It is cool. |
| 7. **Hace sol.** | It is sunny. |
| 8. **Hace viento.** | It is windy. |

*Note*

In weather expressions 4 to 8 (above), *very* is expressed by **mucho,** not by **muy.**

| | |
|---|---|
| Hace **mucho** calor. | It is very hot. |
| Hace **mucho** viento. | It is very windy. |

### OTHER EXPRESSIONS WITH *HACER*

9. **hacer una pregunta,** to ask a question

| | |
|---|---|
| El muchacho ***hace una pregunta.*** | The boy asks a question. |
| Pedro ***hace muchas preguntas.*** | Peter asks many questions. |

10. **hacer un viaje,** to take a trip

| | |
|---|---|
| ***Hacen un viaje*** cada verano. | They take a trip each summer. |

11. **hacer una visita,** to pay a visit

| | |
|---|---|
| ***Hizo una visita*** a su abuela. | He paid a visit to his grandmother. |

12. **haga(n) Vd(s). el favor de** + *infinitive*, please

| | |
|---|---|
| ***Haga Vd. el favor de*** abrir la ventana. | Please open the window. |

### *EXERCISES*

**A. ¿Sí o No?** If the statement is true, write **sí;** if it is false, correct it by changing the words in italics, writing the correct words in the blank.

**1.** Muchos americanos hacen un viaje durante *las vacaciones.* ______________________

**2.** Hace sol a las nueve de *la noche.* ______________________

**3.** Hace mal tiempo cuando *llueve.* ______________________

**4.** Las personas débiles y enfermas deben quedarse en casa cuando *hace mucho viento.* ______________________

**5.** Hace *frío* en el mes de julio. ______________________

6. Hace *buen* tiempo en la primavera y el verano. ______________________

7. Hace calor en *el invierno*. ______________________

8. Es *bueno* dar un paseo cuando hace fresco. ______________________

9. Cuando hace sol y no hace frío decimos que hace *mal* tiempo. ______________________

10. Para aprender es necesario *hacer preguntas*. ______________________

**B.** Complete each sentence with one of the following words. (Each word may be used only once.)

| | | | | |
|---|---|---|---|---|
| **buen** | **favor** | **hace** | **preguntas** | **viaje** |
| **calor** | **frío** | **mal** | **tiempo** | **visita** |

1. ¿Qué ______________ hace hoy?
2. Haga Vd. el ______________ de cubrir el libro.
3. Hace ______________ en julio y agosto.
4. Hacemos muchas ______________ en la clase.
5. Paso mucho tiempo al aire libre cuando hace ______________ tiempo.
6. Hicieron un ______________ a Europa el mes pasado.
7. Cuando hace ______________ tiempo no salgo de casa.
8. Hace ______________ en el mes de enero.
9. ______________ mucho viento esta noche.
10. Por la noche hice una ______________ a mis amigos.

**C.** To the left of each sentence in column *A*, write the letter of the sentence in column *B* that has the closest related thought.

| | *A* | *B* |
|---|---|---|
| EXAMPLE: | Hace buen tiempo. | Voy a la playa. |

*A*

_______ 1. Tiene que quitarse el abrigo.

_______ 2. Llueve y nieva en la calle.

_______ 3. ¿Desea Vd. dar un paseo ahora?

_______ 4. Vemos el sol.

_______ 5. Cada semana ella hace una visita a sus sobrinas.

_______ 6. Es necesario ponerse un buen abrigo.

_______ 7. La ventana está cerrada.

_______ 8. No sé si debo llevar mi abrigo.

_______ 9. El maestro hace muchas preguntas.

_______ 10. Hago un viaje todos los veranos.

*B*

*a.* Charla con sus parientes.

*b.* Hace calor.

*c.* Hace sol.

*d.* Pregunto: —¿Qué tiempo hace?

*e.* Haga Vd. el favor de abrir la ventana.

*f.* Deseo ver otros lugares.

*g.* Hace mal tiempo.

*h.* Yo doy respuestas correctas.

*i.* Sí, hace buen tiempo y no hace frío.

*j.* Hace frío.

**D.** Answer the following questions in Spanish.

1. ¿Hace mal tiempo hoy? ______________________

2. ¿Hace sol a mediodía? ______
3. ¿Qué tiempo hace hoy? ______
4. ¿Hace mucho viento en marzo? ______
5. ¿Hace buen tiempo en junio? ______
6. ¿En qué estación hace calor? ______
7. ¿Qué hace Vd. cuando hace mal tiempo? ______
8. ¿En qué estación hace frío? ______
9. ¿Qué tiempo hace en febrero? ______
10. ¿En qué meses hace buen tiempo? ______
11. ¿Hace fresco en el otoño? ______
12. ¿Lleva Vd. un abrigo de lana cuando hace frío? ______
13. ¿Va Vd. a hacer una visita a alguien el sábado que viene? ______
14. ¿En qué estación hace fresco? ______
15. ¿Se quita Vd. el abrigo cuando hace calor? ______
16. ¿Le gusta a Vd. salir de casa cuando hace viento? ______
17. ¿Hace sol por la noche? ______
18. ¿Quién hace más preguntas, Vd. o el maestro (la maestra)? ______
19. ¿Cuándo hace Vd. un viaje al campo? ______
20. ¿Hace Vd. muchas preguntas en la clase? ______

**E.** Complete the following sentences in Spanish.

1. Cuando *the weather is good* les gusta divertirse en la playa. ______
2. Cuando *it is hot* yo sufro mucho. ______
3. *Please* (Vd.) devolver mi paraguas. ______
4. *It is cool* debajo de los árboles. ______
5. ¿Por qué llevas abrigo? *It's not cold.* ______
6. Salen sin chaqueta porque *the weather is good.* ______

7. *The weather is bad* en las montañas. ________________
8. A las seis voy a *pay a visit* a mi tía. ________________
9. ¿*How is the weather* en España? ________________
10. Prefiero usar el ferrocarril cuando *I take a trip*. ________________
11. Mis padres *paid a visit* a mis abuelos anoche. ________________
12. ¿Desea Vd. *to take a trip* a la Argentina? ________________
13. El maestro *asks many questions*. ________________
14. *It isn't sunny* en el bosque. ________________
15. *It is very cold* en el invierno. ________________
16. A veces *it is windy* aquí. ________________
17. *Please* (Vds.) quitar esos papeles del suelo. ________________
18. Por todas partes *it is hot*. ________________
19. *It is sunny*, pero *it is very windy*. ________________
20. Ella se pone el abrigo cuando *it is cold*. ________________

**F.** Translate into Spanish.

1. How is the weather today? ________________
2. It is windy in the street. ________________
3. The weather is good this afternoon. ________________
4. It is sunny in the park. ________________
5. It is not warm in their house. ________________
6. I want to take a trip in March. ________________
7. Please (Vd.) read the letter. ________________
8. It is cool in September. ________________
9. Is it cold in (the) school? ________________
10. They asked many questions. ________________

## 3. IDIOMS WITH *TENER*

### IDIOMS IN WHICH *TENER* = TO BE

1. **tener . . . años,** to be . . . years old

| | |
|---|---|
| ¿***Cuántos años tiene*** Juan? | How old is John? |
| Juan ***tiene diez años.*** | John is ten years old. |

2. **tener calor,** to be warm

| | |
|---|---|
| ¿***Tiene*** Vd. ***calor***? | Are you warm? |

3. **tener frío,** to be cold

| | |
|---|---|
| Los niños ***tienen frío.*** | The children are cold. |

4. **tener hambre,** to be hungry

| | |
|---|---|
| No ***tengo hambre.*** | I'm not hungry. |

5. **tener sed,** to be thirsty

| | |
|---|---|
| ***Tenemos sed*** ahora. | We're thirsty now. |

6. **tener sueño,** to be sleepy

| | |
|---|---|
| ¿***Tienen*** Vds. ***sueño***? | Are you sleepy? |

7. **tener razón,** to be right

| | |
|---|---|
| María siempre ***tiene razón.*** | Mary is always right. |

8. **no tener razón,** to be wrong

| | |
|---|---|
| Pablo ***no tiene razón.*** | Paul is wrong. |

9. **¿Qué tiene Vd.?,** What's the matter with you?

*Note*

In idioms 2 to 6 (above), *very* is expressed by **mucho (mucha)**, not by **muy.**

| | |
|---|---|
| Tengo **mucho** calor (frío). | I am very warm (cold). |
| Tenemos **mucha** hambre (sed). | We are very hungry (thirsty). |

### OTHER IDIOMS WITH *TENER*

10. **tener que** + *infinitive*, to have to, must

| | |
|---|---|
| Mi padre ***tiene que trabajar.*** | My father has to work. |

11. **tenga Vd. la bondad de** + *infinitive*, please

| | |
|---|---|
| ***Tenga Vd. la bondad de*** cerrar la puerta. | Please close the door. |

12. **tener dolor de cabeza,** to have a headache

| | |
|---|---|
| Ella ***tiene dolor de cabeza.*** | She has a headache. |

13. **tener dolor de muelas,** to have a toothache

| | |
|---|---|
| El dentista ***tiene dolor de muelas.*** | The dentist has a toothache. |

*EXERCISES*

**A.** Translate into English.

**1.** Tenga Vd. la bondad de mostrarme la foto. ______________________

______________________

**2.** ¿Cuántos años tiene el criado? ______________________

**3.** Es medianoche, y tengo sueño. ______________________

**4.** Mi dentista tiene dolor de muelas. ______________________

**5.** Cuando tengo dolor de cabeza no salgo de casa. ______________________

______________________

**6.** Alfonso tiene razón. ______________________

**7.** ¿Qué tiene su nieto? ______________________

**8.** Su abogado no tiene razón. ______________________

**9.** —Tengo sed—dijo el enfermo débilmente. ______________________

______________________

**10.** La criada tiene que limpiar la cocina. ______________________

______________________

**B.** Underline the word or expression in parentheses that best completes each sentence.

**1.** Cuando hace viento yo tengo (calor, frío).

**2.** No quiere comer porque no (es, tiene) hambre.

**3.** ¿Qué bebe Vd. cuando tiene (sed, sueño)?

**4.** Pedro habla muy bien; tiene (razón, sed).

**5.** Tengo (de, que) hacer una visita a mi tía.

**6.** Se quita la chaqueta porque tiene (calor, muchos años).

**7.** Anita confiesa que no tiene (la bondad, razón).

**8.** Al llegar, se sientan a comer porque tienen (frío, hambre).

**9.** Tenga Vd. (la bondad, sed) de vestirse pronto.

**10.** Juan se desayuna temprano porque tiene (mucha, muy) hambre.

**11.** Estoy enfermo. Tengo (dolor de cabeza, razón).

**12.** José es mayor que yo; tiene (quince años, sed).

**13.** Maria no lleva el abrigo porque tiene (calor, frío).

**14.** Los niños cierran los ojos cuando tienen (años, sueño), ¿verdad?

**15.** Pareces muy triste, hija. ¿(Cuántos años, Qué) tienes?

**C.** To the left of each sentence in column *A*, write the letter of the sentence in column *B* that has the closest related thought.

| *A* | *B* |
|---|---|
| EXAMPLE: Desea beber. | Tiene sed. |

| | A | B |
|---|---|---|
| ------- | 1. Perdí mi dinero. | *a.* Tiene hambre. |
| ------- | 2. Tiene dolor de muelas. | *b.* Tenga Vd. la bondad de prestarme treinta centavos. |
| ------- | 3. Hace frío, y él salió sin abrigo. | *c.* Debe acostarse. |
| ------- | 4. Tiene sueño. | *d.* Tiene que estudiar más. |
| ------- | 5. No comió en tres días. | *e.* No tiene razón. |
| ------- | 6. Ana llora. | *f.* Tengo mucho calor. |
| ------- | 7. No da la respuesta correcta. | *g.* Va al dentista. |
| ------- | 8. Salió mal en el examen. | *h.* Tiene muchos años. |
| ------- | 9. Es un hombre viejo. | *i.* Tiene frío. |
| ------- | 10. Hace calor y yo llevo abrigo. | *j.* ¿Qué tiene ella? |

**D.** Answer the following questions in complete Spanish sentences.

1. ¿Va Vd. al médico cuando tiene dolor de cabeza? ------------------------------------------------
2. ¿Confiesa Vd. su falta cuando no tiene razón? ------------------------------------------------
3. ¿Cuántos años tiene Vd.? ------------------------------------------------
4. ¿Desea Vd. beber cuando tiene hambre? ------------------------------------------------
5. ¿Tiene Vd. razón siempre? ------------------------------------------------
6. ¿Qué bebe Vd. cuando tiene sed? ------------------------------------------------
7. ¿En qué estación tiene Vd. calor? ------------------------------------------------
8. ¿Tienen Vds. que asistir a la escuela durante el mes de julio? ------------------------------------------------
9. ¿A qué hora de la noche tiene Vd. sueño? ------------------------------------------------
10. ¿Tiene Vd. mucho calor hoy? ------------------------------------------------
11. ¿Sufre Vd. mucho cuando tiene dolor de muelas? ------------------------------------------------
12. ¿Tiene Vd. dolor de cabeza muchas veces? ------------------------------------------------
13. ¿Qué lleva Vd. cuando tiene frío? ------------------------------------------------
14. ¿Come Vd. mucho cuando no tiene hambre? ------------------------------------------------
15. ¿Sale Vd. a divertirse cuando tiene sueño? ------------------------------------------------

**E.** Complete the following sentences in Spanish.

1. *Please* (Vd.) levantarse. ________________
2. ¿*How old is* tu gato? ________________
3. El guía *is thirsty*. ________________
4. Ella siempre *is sleepy* en la clase de química. ________________
5. *You* (tú) *are right*; no hace sol por la noche. ________________
6. Hace calor hoy, pero *I am cold*. ________________
7. El doctor *is fifty years old*. ________________
8. ¿*What is the matter with* el caballo? No puede correr. ________________
9. ¿*Do you have a headache* hoy? ________________
10. *They must* luchar contra el enemigo. ________________
11. Comen el pescado porque *they are very hungry*. ________________
12. *I am not very warm* en el otoño. ________________
13. No voy contigo porque *I have a toothache*. ________________
14. Juana *is wrong*; no nieva en el verano. ________________
15. La taquígrafa *has to* copiar tres páginas. ________________

**F.** Translate into Spanish.

1. I am fourteen years old today. ________________
2. When they are thirsty, they drink water. ________________
________________
3. We are very warm in summer. ________________
4. She is right; today is Wednesday. ________________
5. Please remain at home. ________________
6. You are wrong; it is very windy in March. ________________
________________
7. What is the matter with you? ________________
8. Do you have a headache now? ________________
9. We are cold in January. ________________
10. She has a toothache. ________________

## 4. VERBS FOLLOWED BY A PREPOSITION

### VERBS THAT REQUIRE A PREPOSITION BEFORE AN INFINITIVE

(Verb + **a** + infinitive)

1. Verbs that express (*a*) *beginning*, (*b*) *movement*, (*c*) *teaching*, and (*d*) *learning*, when followed by an infinitive, require the preposition **a** before the infinitive.

*a. Beginning*

**comenzar a** + *infinitive*
**empezar a** + *infinitive* } to begin to + verb

| | |
|---|---|
| ***Comienzan a cantar.*** | They begin to sing. |
| ***Empezamos a correr.*** | We began to run. |

*b. Movement*

**ir a** + *infinitive*, to go to + verb

| | |
|---|---|
| ***Va a tocar*** el piano. | She is going to play the piano. |

**correr a** + *infinitive*, to run to + verb

| | |
|---|---|
| ***Corren a cerrar*** las ventanas. | They run to close the windows. |

**venir a** + *infinitive*, to come to + verb

| | |
|---|---|
| ***Vengo a ver***te. | I'm coming to see you. |

*c. Teaching*

**enseñar a** + *infinitive*, to teach to + verb

| | |
|---|---|
| El maestro nos ***enseña a leer.*** | The teacher teaches us to read. |

*d. Learning*

**aprender a** + *infinitive*, to learn to + verb

| | |
|---|---|
| ***Aprendemos a hablar*** español. | We are learning to speak Spanish. |

2. The verb **ayudar** also requires the preposition **a** before an infinitive.

| | |
|---|---|
| Ella me **ayuda *a* bailar.** | She helps me dance. |

### VERBS THAT REQUIRE A PREPOSITION BEFORE A NOUN

**asistir a** + *noun*, to attend + noun (place)

| | |
|---|---|
| ***Asisto a la escuela.*** | I attend school. |

**bajar de** + *noun*, to get off + noun (vehicle)

| | |
|---|---|
| Él ***bajó del autobús.*** | He got off the bus. |

**entrar en** + *noun*, to enter + noun (place)

| | |
|---|---|
| Papá ***entró en el cuarto.*** | Dad entered the room. |

**jugar a** + *noun*, to play + noun (game)

| | |
|---|---|
| ***Juegan al tenis.*** | They play tennis. |

**querer a** + *noun*, to love + noun (person)

***Quiero a Luisa.*** I love Louise.

**salir de** + *noun*, to leave + noun (place)

***Salió de la escuela*** a las tres. She left school at three o'clock.

**subir a** + *noun*, to get on + noun (vehicle)

***Suben al tren.*** They get on the train.

*EXERCISES*

**A.** Translate into English.

**1.** Su amigo le enseña a usar el tocadiscos. ______________________

**2.** A las diez vienen a decirme las noticias. ______________________

**3.** Un criado le ayudó a quitarse el abrigo. ______________________

**4.** El chófer bajó del coche. ______________________

**5.** A mediodía el médico entró en el hospital. ______________________

**6.** Voy a tomar el desayuno a las siete. ______________________

**7.** Asistieron al concierto por la noche. ______________________

**8.** Comenzó a peinarse. ______________________

**9.** Juegan al tenis todas las tardes. ______________________

**10.** La gente salió de la catedral. ______________________

**B.** From the following list choose the word or expression that translates each of the English expressions.

| | | | | |
|---|---|---|---|---|
| **aprende** | **comenzó** | **entré en** | **no asistí** | **subió a** |
| **ayuda** | **corrimos** | **jugamos** | **quiere** | **vienen** |
| **bajar del** | **empieza** | **me enseñó** | **salí de** | **voy** |

**1.** Dos franceses *are coming* a tomar el almuerzo conmigo. ______________

**2.** A las doce *I entered* mi habitación. ______________

**3.** El abogado *begins* a contar el dinero. ______________

**4.** *I didn't attend* a la escuela el viernes pasado. ______________

**5.** El sastre *began* a coser el traje. ______________

**6.** *We play* al béisbol todos los sábados. ______________

7. El invierno pasado *he taught me* a patinar. ______________
8. Tienes que *get off the* autobús en la Quinta Avenida. ______________
9. Había varios trenes en la estación, y Luis *got on* uno de ellos. ______________
10. *We ran* para llegar a tiempo. ______________
11. Su sobrino *is learning* a tocar el violín. ______________
12. *I am going* a hacer un viaje a España. ______________
13. A la una *I left* mi apartamiento. ______________
14. Papá me *helps* a conservar mi dinero. ______________
15. La taquígrafa *loves* al dueño. ______________

**C.** Supply **a, al, de, del,** or **en.**

1. ¿Aprenden Vds. ______________ pronunciar bien?
2. Marta ayuda a su mamá ______________ poner la mesa.
3. Subí ______________ autobús a las nueve.
4. Un muchacho argentino me enseñó ______________ bailar el tango.
5. A medianoche bajó ______________ tren.
6. Al entrar, la criada comenzó ______________ limpiar los muebles.
7. En la playa jugamos ______________ la pelota.
8. Dos alumnos empezaron ______________ borrar la pizarra.
9. Los habitantes corrieron ______________ ver el accidente.
10. No asistimos ______________ la escuela durante la Navidad.
11. ¿Va Vd. ______________ lavarse las manos?
12. Todo el mundo entró ______________ el teatro.
13. ¿Quiere Vd. ______________ su tía?
14. Salgo ______________ la escuela a las tres de la tarde.
15. Nosotros venimos ______________ hablar con el alcalde.

**D.** Answer the following questions in complete Spanish sentences.

1. ¿Dónde aprendió Vd. a nadar? ______________
2. ¿Ayuda Vd. a su mamá a hacer el trabajo de casa? ______________

______________
3. ¿Viene Vd. a esta clase a aprender la historia? ______________

______________
4. ¿Para qué entra Vd. en un supermercado? ______________

______________
5. ¿Corre Vd. a abrir la puerta cuando el timbre suena? ______________

______________

6. ¿En qué calle sube Vd. al autobús cada mañana? ____________________

7. ¿Va Vd. a hacer una visita el sábado que viene? ____________________

8. ¿Juega Vd. a la pelota todas las tardes? ____________________

9. ¿Quiere Vd. a su familia? ____________________

10. ¿A qué hora de la noche empieza Vd. a estudiar la lección de español? ____________________

11. ¿Cuándo comienza Vd. a vestirse por la mañana? ____________________

12. ¿En qué días no asiste Vd. a la escuela? ____________________

13. ¿Sale Vd. de casa cuando nieva en la calle? ____________________

14. ¿Quién les enseña a Vds. a leer en español? ____________________

15. ¿Aprende Vd. a tocar el piano aquí? ____________________

**E.** Translate into Spanish.

1. The girls are learning to sew. ____________________
2. They got on the bus at De Soto Street. ____________________
3. I intend to leave the house at eleven o'clock. ____________________
4. I always help to prepare (the) breakfast. ____________________
5. He got off the train this afternoon. ____________________
6. They entered the library to (para) study. ____________________
7. We began to eat at eight o'clock. ____________________
8. I am going to play tennis tomorrow. ____________________
9. My sister taught me to dance. ____________________
10. Mary did not attend the chemistry class. ____________________

## 5. MISCELLANEOUS IDIOMS WITH VERBS

1. **¿Cómo se dice . . .?,** How do you (does one) say . . .?

   ¿***Cómo se dice*** "libro" en inglés? — How do you say "libro" in English?

2. **¿Cómo se llama Vd. (ella)?** — What's your (her) name? ("How do you call yourself?")

   **¿Cómo se llama?** — What's his (her, its) name? ("How does he call himself?")

3. **Me llamo** María. — My name is Mary. ("I call myself Mary.")

   **Se llaman** José y Ana. — Their names are Joseph and Anne. ("They call themselves Joseph and Anne.")

4. **creer que sí,** to think so

   ¿Va Vd. al cine? ***Creo que sí.*** — Are you going to the movies? I think so.

5. **creer que no,** to think not, not to think so

   ¿Es rico el médico? ***Creo que no.*** — Is the doctor rich? I think not (I don't think so).

6. **dar las gracias (a),** to thank, to say thanks (to)

   ***Doy las gracias a*** mi amigo. — I thank my friend.

7. **dar un paseo,** to take a walk

   Por la tarde ***dimos un paseo.*** — In the afternoon we took a walk.

8. **dar un paseo en coche (automóvil,** etc.), to take a ride

   Ayer ***di un paseo en coche.*** — Yesterday I took a ride.

9. **el año (el mes, la semana,** etc.) **que viene,** next year (month, week, etc.)

   Vamos al campo ***el mes que viene.*** — We're going to the country next month.

10. **hay que** + *infinitive*, one must, it is necessary to

    ***Hay que estudiar*** para aprender. — One must study in order to learn.

11. **no hay de qué,** you're welcome, don't mention it

    —Muchas gracias. —***No hay de qué.*** — "Thank you very much." "You're welcome."

12. **poner la mesa,** to set the table

    María ***pone la mesa.*** — Mary is setting the table.

13. **prestar atención,** to pay attention

    ***Prestamos atención*** en la clase. — We pay attention in class.

14. **querer decir,** to mean

    ¿Qué ***quiere decir*** esta palabra? — What does this word mean?

15. **salir bien (en),** to pass (a test, a subject)

    Siempre ***salgo bien en*** las pruebas. — I always pass the tests.

16. **salir mal (en),** to fail (a test, a subject)

    ***Salió mal en*** la química. — He failed in chemistry.

17. **tomar el desayuno,** to eat (have) breakfast

    ***Tomo el desayuno*** a las ocho. — I eat (have) breakfast at eight o'clock.

18. **tomar el almuerzo,** to eat (have) lunch

| | |
|---|---|
| ***Tomamos el almuerzo*** en la cafetería. | We ate (had) lunch in the cafeteria. |

19. **tomar la comida (la cena),** to eat (have) supper

| | |
|---|---|
| Ayer la familia ***tomó la comida*** en casa. | Yesterday the family ate (had) supper at home. |

*EXERCISES*

**A.** From the list below, choose the word or expression that correctly completes each sentence.

| | | | | |
|---|---|---|---|---|
| **atención** | **cómo** | **hay** | **que** | **tomar** |
| **bien** | **creo** | **las gracias** | **quiere** | **un paseo** |
| **comida** | **dar** | **pongo** | **salieron** | **viene** |

1. Le doy ____________ por su bondad.
2. ¿____________ se llama el tercer día de la semana?
3. Dan ____________ cuando hace fresco.
4. Al llegar a casa, ____________ la mesa pronto.
5. Cuando tiene calor, le gusta ____________ un paseo en coche.
6. Prestan ____________ mientras el maestro explica la lección.
7. La semana que ____________ voy a llamar de nuevo.
8. Me contestó: —No ____________ de qué.
9. Alfonso es aplicado, y sale ____________ en los exámenes.
10. ¿Está caliente el agua? ____________ que no.
11. Hay ____________ quitar los platos de la mesa.
12. Todos se sentaron a tomar la ____________.
13. ¿Qué ____________ decir esta página?
14. Después de vestirse, bajó a ____________ el desayuno.
15. Los dos primos ____________ mal en la prueba de latín.

**B.** Supply the missing word.

1. Tomo el ____________ a las siete y media de la mañana.
2. Hay ____________ comenzar el programa inmediatamente.
3. Yo ____________ la comida en mi propia casa.
4. —¿Hace mal tiempo?— ____________ que no.
5. Ella ____________ un paseo por la playa ahora.
6. No había mucho tiempo para ____________ el almuerzo.
7. Dio las ____________ sinceramente por el favor.
8. Al entrar en el comedor, ella empieza a ____________ la mesa.
9. ¿Qué ____________ decir la cuarta palabra?
10. El sábado que ____________ voy a hacer una visita a la capital.
11. Si no estudiamos, salimos ____________ en los exámenes, ¿verdad?

12. ¿________________ se dice "cuatrocientos" en inglés?

13. —¿Nieva mucho en el invierno? — ________________ que sí.

14. Yo ____________________ atención cuando ella toca el piano.

15. Me ______________________ Pedro.

**C.** To the left of each sentence in column *A*, write the letter of its English translation in column *B*.

*A*

_______ **1.** No deseo dar un paseo en coche esta tarde.

_______ **2.** Tomo el almuerzo a la una.

_______ **3.** ¿Cómo se dice "pelota" en inglés?

_______ **4.** Está muy ocupada en poner la mesa.

_______ **5.** Por la noche da un paseo corto.

_______ **6.** El año que viene voy a la América del Sur.

_______ **7.** ¿Tiene ella razón? Creo que sí.

_______ **8.** ¿Qué quiere Vd. decir?

_______ **9.** ¿Cuándo debe Vd. decir "No hay de qué"?

_______ **10.** Los viajeros dieron las gracias al piloto.

_______ **11.** Hay que conservar la salud.

_______ **12.** Hagan Vds. el favor de prestar atención.

_______ **13.** Su nieta se llama Elena.

_______ **14.** ¿Le gusta a Vd. la idea? Creo que no.

_______ **15.** El semestre pasado salí bien en todas las asignaturas.

*B*

*a.* In the evening he takes a short walk.

*b.* What do you mean?

*c.* His granddaughter's name is Helen.

*d.* Please pay attention.

*e.* Is she right? I think so.

*f.* When should you say "You're welcome"?

*g.* How do you say "pelota" in English?

*h.* Last term I passed in all my subjects.

*i.* She is very busy setting the table.

*j.* It's necessary to preserve one's health.

*k.* Next year I'm going to South America.

*l.* The travelers thanked the pilot.

*m.* Do you like the idea? I think not.

*n.* I don't want to take a ride this afternoon.

*o.* I have lunch at one o'clock.

**D.** Answer the following questions in complete Spanish sentences.

1. ¿Quién pone la mesa en su casa? ____________________________________________

2. ¿A qué hora toma Vd. el almuerzo? ________________________________________

________________________________________________________________________

3. ¿Cómo se dice "I think so" en español? ____________________________________

________________________________________________________________________

4. ¿Sale Vd. mal en los exámenes algunas veces? ______________________________

________________________________________________________________________

5. ¿Cómo se llama su perro? ______________________________

6. ¿Qué quiere decir la palabra "ferrocarril"? ______________________________

______________________________

7. ¿Da Vd. las gracias cuando alguien le da un regalo? ______________________________

______________________________

8. ¿Toma Vd. la cena por la mañana o por la noche? ______________________________

______________________________

9. ¿Hay que subir la escalera para llegar al segundo piso? ______________________________

______________________________

10. ¿Cuándo dice Vd. "no hay de qué"? ______________________________

______________________________

11. ¿Toma Vd. el almuerzo de pie o sentado? ______________________________

______________________________

12. ¿Cómo se dice "I think not" en español? ______________________________

______________________________

13. ¿Toma Vd. la comida en casa o en una cafetería? ______________________________

______________________________

14. ¿Va Vd. a dar un paseo más tarde? ______________________________

15. ¿Está Vd. triste o alegre si Vd. sale mal en un examen? ______________________________

______________________________

16. ¿Tiene Vd. hambre antes de tomar el desayuno? ______________________________

______________________________

17. ¿Sale Vd. bien en las pruebas si Vd. no sabe las respuestas correctas? ______________________________

______________________________

18. ¿Adónde va Vd. el domingo que viene? ______________________________

______________________________

19. ¿Da Vd. un paseo en coche muchas veces? ______________________________

______________________________

20. ¿Presta Vd. atención a las explicaciones del maestro? ______________________________

______________________________

**E.** Complete the following sentences in Spanish.

1. La palabra "desayunarse" *means* "tomar el desayuno." ______________________________
2. ¿Sabe Juan la dirección? *I think so.* ______________________________
3. El chófer *thanked* al viajero por la propina. ______________________________

4. Cuando papá habla nosotros tenemos que *pay attention.* ----------------------------------------

5. Pablo está muy alegre si *he passes* todas las asignaturas. ----------------------------------------

6. Cuando yo digo "gracias," él responde "*don't mention it.*" ----------------------------------------

7. Él no desea *to take a ride* cuando hace frío. ----------------------------------------

8. Ella siempre rompe varios platos cuando *she sets the table.* ----------------------------------------

9. Luisa sufre mucho cuando *she fails* una prueba. ----------------------------------------

10. ¿*What's the name of* el zapatero? ----------------------------------------

11. Me gusta *to take a walk* cuando hace buen tiempo. ----------------------------------------

12. *He has lunch* a las doce en punto. ----------------------------------------

13. ¿*How do you say* "hacer una pregunta" en inglés? ----------------------------------------

14. *Next Thursday* ellos van a Alemania. ----------------------------------------

15. *One must say thanks* al aceptar un regalo. ----------------------------------------

## 6. MASTERY EXERCISES

(LESSONS 1–5)

**A.** Complete the English sentences.

**1.** Hay que verlo otra vez.

______________________ see it again.

**2.** A las diez de la noche empezó a nevar.

At ten P.M. ______________________ to snow.

**3.** El joven tiene sueño.

The young fellow __________________________.

**4.** Vd. se llama Arturo, ¿verdad?

__________________________________ Arthur, isn't it?

**5.** ¿Aprendió Vd. a contar en español?

____________________________________ to count in Spanish?

**6.** Presten Vds. atención mientras yo hablo.

_______________________________ while I speak.

**7.** ¿Valen mucho las fotos? Creo que no.

Are the photos worth a lot? ________________________________________.

**8.** Hace fresco en el otoño.

__________________________ in the fall.

**9.** Ya dimos un paseo por la Quinta Avenida.

We already __________________________________ along Fifth Avenue.

**10.** La camarera pone la mesa.

The waitress ______________________________________.

**11.** Hace mucho viento en las montañas.

_______________________________________ in the mountains.

**12.** Antes de tomar la comida se lavan las manos.

Before ____________________________________ they wash their hands.

**13.** Entró en el cuarto sin decir "buenas tardes."

_______________________________ the room without saying "good afternoon."

**14.** Tengo que estar presente todos los días.

__________________________ be present every day.

**15.** Me gusta la música española.

________________________ Spanish music.

**16.** Ella pocas veces tiene razón.

She rarely ___________________________.

**17.** ¿Qué quiere decir eso?

What does that ______________________?

**18.** Cuando tengo calor no salgo de paseo.

When __________________________________ I don't go walking.

**19.** Carlos no asiste a la escuela en agosto.

Charles ____________________________________ school in August.

**20.** ¿Salió Vd. mal en el examen de historia?

____________________________________ the history test?

**B.** From the following list, choose a *synonym* (word or expression of similar meaning) for each of the expressions in italics.

| | |
|---|---|
| **dio las gracias** | **que viene** |
| **empezaron** | **tenga Vd. la bondad** |
| **hago un viaje** | **toma la cena** |
| **hay que** | **tomar el almuerzo** |
| **hizo Vd. una visita** | **tomó el desayuno** |

1. *Dijo* "*gracias*" a los habitantes por su ayuda. ______________________
2. La semana *próxima* no hay clases. ______________________
3. Al despertarse, *se desayunó*. ______________________
4. La familia *cena* en el comedor. ______________________
5. *Haga Vd. el favor* de aceptar esta propina. ______________________
6. ¿*Visitó Vd.* a sus parientes recientemente? ______________________
7. Los músicos *comenzaron* a tocar sus instrumentos. ______________________
8. *Es necesario* omitir el sexto párrafo. ______________________
9. *Viajo* a Alemania en junio. ______________________
10. Después de *almorzar* juego a la pelota. ______________________

**C.** Change the meaning of each sentence by choosing from the following list the *antonym* (opposite) of the expression in italics.

| | |
|---|---|
| **creo que no** | **responden** |
| **da un paseo** | **salí mal** |
| **hace frío** | **salió de** |
| **hace mal tiempo** | **subieron al** |
| **no tiene razón** | **tengo mucho frío** |

1. *Hace buen tiempo* en la Argentina. ______________________
2. *Salí bien* en todas las asignaturas. ______________________
3. ¿Es buena la idea?—*Creo que sí*. ______________________
4. Los maestros *hacen preguntas* en voz baja. ______________________
5. El enfermo *entró en* la farmacia. ______________________
6. *Hace calor* algunas veces en el norte. ______________________
7. *Bajaron del* tren a las tres en punto. ______________________

8. —*Tengo mucho calor*—dijo el niño tristemente. ------------------------------

9. Dice que hoy es lunes; *tiene razón.* ------------------------------

10. Ella *se queda en casa* todas las tardes. ------------------------------

**D.** Underline the word in parentheses that correctly completes the Spanish translation of the English sentence.

| | |
|---|---|
| 1. I like roses and carnations. | Me (gusta, gustan, gusto) las rosas y los claveles. |
| 2. No one helps him erase the blackboard. | Nadie le ayuda (a, de, que) borrar la pizarra. |
| 3. I am not thirsty yet. | No (estoy, soy, tengo) sed todavía. |
| 4. How do you say it in Russian? | ¿(Cómo, Cuándo, Qué) se dice en ruso? |
| 5. I can't eat; I have a toothache. | No puedo comer; (hago, llevo, tengo) dolor de muelas. |
| 6. His sister is fourteen years old. | Su hermana (es, está, tiene) catorce años. |
| 7. She should go to bed; she has a headache. | Debe acostarse; (hace, hay, tiene) dolor de cabeza. |
| 8. He takes an automobile ride for fifteen minutes. | (Da, Hace, Toma) un paseo en coche por quince minutos. |
| 9. She loves Alphonse. | Ella quiere (a, con, de) Alfonso. |
| 10. Please take off your hat. | (Haga, Ponga, Tenga) Vd. la bondad de quitarse el sombrero. |
| 11. He is always very hungry. | Siempre tiene (más, mucha, muy) hambre. |
| 12. It is sunny in the plaza. | (Es, Está, Hace) sol en la plaza. |
| 13. I must study tonight. | Tengo (a, de, que) estudiar esta noche. |
| 14. What is the matter with her husband? | ¿Qué (está, hay, tiene) su esposo? |
| 15. What is your teacher's name? | ¿(Cómo, Cuál, Qué) se llama vuestro profesor? |

**E.** Complete the following sentences in Spanish. (See Idiom Lesson 1.)

1. *He likes* quedarse de pie cuando habla. ------------------------------

2. Ahora *I like* beber una gaseosa fría. ------------------------------

3. *We like* los amigos simpáticos. ------------------------------

4. *I don't like* los limones. ------------------------------

5. *We like* su alfombra nueva. ------------------------------

6. ¿*Do you* (*pol. sing.*) *like* el queso? ------------------------------

7. *He likes* divertirse al aire libre. ------------------------------

8. *She likes* las medias de nilón. ------------------------------

9. *She doesn't like* poner pimienta en la sopa. ------------------------------

10. *I like* la falda amarilla. ------------------------------

**F.** Answer the following questions in complete Spanish sentences.

1. ¿Le gusta a Vd. más la carne o el pescado? ______________________________

2. ¿A qué hora de la noche tiene Vd. sueño? ______________________________

3. ¿Sale Vd. de casa cuando hace mal tiempo? ______________________________

4. ¿Viene alguien a visitarle a Vd. mañana? ______________________________

5. ¿Hace Vd. una visita al médico cuando Vd. tiene dolor de cabeza? ______________________________

6. ¿Qué quiere decir la palabra "algodón"? ______________________________

7. ¿Va Vd. a dar un paseo corto antes de tomar la comida? ______________________________

8. ¿Va Vd. a hacer un viaje a Europa durante las vacaciones? ______________________________

9. ¿Sale Vd. bien en todas las asignaturas? ______________________________

10. ¿Hace fresco en el mes de octubre? ______________________________

11. ¿En qué días asiste Vd. a la escuela? ______________________________

12. ¿Hace calor o frío en enero? ______________________________

13. ¿Aprende Vd. a bailar el tango? ______________________________

14. ¿Cuántos años tiene Vd.? ______________________________

15. ¿Quién le enseñó a Vd. a nadar? ______________________________

16. ¿Cómo se llama su hermano menor? ______________________________

17. ¿Bebe Vd. una gaseosa cuando Vd. tiene sed? ______________________________

18. ¿Ayuda Vd. a su mamá a poner la mesa en casa? ______________________________

19. ¿Presta Vd. atención cuando sus padres hablan? ______________________________

20. ¿Adónde le gusta a Vd. ir para tomar el almuerzo? ______________________________

21. ¿Juega Vd. a la pelota antes de tomar la cena? ______________________________

22. ¿Qué tiempo hace hoy? ______________________________

23. Si una persona dice "gracias," ¿qué dice Vd.? ______________________________

______________________________

24. ¿Corre Vd. a llegar a tiempo a la escuela? ______________________________

______________________________

25. ¿Hace Vd. preguntas al piloto cuando Vd. viaja en avión? ______________________________

______________________________

**G.** In Spanish, how would you . . .

1. ask someone how the weather is? ______________________________
2. ask someone if he is cold? ______________________________
3. say that you're learning to pronounce well? ______________________________

   ______________________________
4. ask someone if she is thirsty? ______________________________
5. ask someone if he has a toothache? ______________________________
6. tell someone that you think so (in answer to his question)? ______________________________

   ______________________________
7. tell your friend to please close the door? ______________________________
8. ask someone if it is windy today? ______________________________
9. ask a young lady if she plays tennis? ______________________________
10. ask your teacher if he (she) is going to explain the lesson? ______________________________

    ______________________________
11. tell someone that he is wrong? ______________________________
12. ask someone how old she is? ______________________________
13. say that someone is getting into the bus? ______________________________

    ______________________________
14. tell someone that it isn't sunny today? ______________________________
15. tell your mother that you're hungry? ______________________________
16. say that one must eat to (para) live? ______________________________
17. tell someone that the weather is fine? ______________________________
18. say that you got out of the car easily? ______________________________
19. ask a sick man what's the matter with him? ______________________________
20. ask your friend if she likes this dress? ______________________________

## 7. IDIOMS WITH *A* AND *DE*

### IDIOMS WITH *A*

1. **a casa,** (to) home

   Vuelve ***a casa*** por la tarde. — She returns home in the afternoon.

2. **a la escuela (iglesia,** etc.), to school (church, etc.)

   No voy ***a la escuela*** hoy. — I'm not going to school today.

3. **a la una (las dos,** etc.), at one (two, etc.) o'clock

   Estuvieron aquí ***a las dos.*** — They were here at two o'clock.

4. **a menudo,** often

   Yo le hablo ***a menudo.*** — I speak to him often.

5. **a pie,** on foot, walking

   Viajan ***a pie.*** — They travel on foot.

6. **¿a qué hora?,** at what time?

   ***¿A qué hora*** vienen? — At what time are they coming?

7. **a tiempo,** on time

   El tren salió ***a tiempo.*** — The train left on time.

8. **al** + *infinitive*, on, upon (entering, returning, etc.)

   ***Al entrar,*** me saludó. — Upon entering, he greeted me.

9. **al aire libre,** in the open air, outdoors

   Por la tarde jugamos ***al aire libre.*** — In the afternoon we play outdoors.

10. **al fin,** at last, finally

    ***Al fin*** encontró el libro. — Finally he found the book.

### IDIOMS WITH *DE*

1. **de casa,** (from) home

   No sale ***de casa*** hoy. — He isn't leaving home (going out) today.

2. **de la mañana (tarde, noche),** in the morning, A.M. (afternoon, evening, P.M.)

   A las ocho ***de la mañana*** me levanto. — At 8 A.M. (At 8 o'clock in the morning) I get up.

   La clase termina a las tres ***de la tarde.*** — The class ends at 3 P.M. (at 3 o'clock in the afternoon).

   Ella volvió a las siete ***de la noche.*** — She returned at 7 P.M. (at 7 o'clock in the evening).

*Note*

The expressions **de la mañana, de la tarde,** and **de la noche** are used only when the hour is mentioned. If the hour is not mentioned, **por** is used instead of **de.** (See Idiom Lesson 8.)

3. **de nada,** you're welcome, don't mention it

   —Muchas gracias. —***De nada.*** — "Thank you very much." "You're welcome."

4. **de nuevo,** again
   Me visitó ***de nuevo.*** — He visited me again.
5. **de paseo,** strolling, "for a walk"
   Salgo ***de paseo*** cuando hace fresco. — I go for a walk when it's cool.
6. **de pie,** standing
   El maestro está ***de pie.*** — The teacher is standing.

*EXERCISES*

**A.** To the left of each sentence in column *A*, write the letter of its translation in column *B*.

| | *A* | *B* |
|---|---|---|
| _______ | **1.** Es necesario ir a pie a la capital. | *a.* On going away, he told me goodbye. |
| _______ | **2.** Me despierto temprano y voy de paseo. | *b.* He raised his left arm again. |
| _______ | **3.** A menudo ella baila conmigo. | *c.* The elevator finally arrived upstairs. |
| _______ | **4.** El programa comienza a las ocho y media de la noche. | *d.* The pilot didn't arrive on time. |
| _______ | **5.** El piloto no llegó a tiempo. | *e.* The children enjoy themselves in the open air. |
| _______ | **6.** Levantó de nuevo el brazo izquierdo. | *f.* It's necessary to go to the capital on foot. |
| _______ | **7.** Al irse, me dijo adiós. | *g.* I wake up early and go for a walk. |
| _______ | **8.** Está de pie delante de la clase. | *h.* At what time does he leave home? |
| _______ | **9.** ¿A qué hora sale de casa? | *i.* She often dances with me. |
| _______ | **10.** Al fin el ascensor llegó arriba. | *j.* She is standing in front of the class. |
| _______ | **11.** Los niños se divierten al aire libre. | *k.* The man answered: "You're welcome." |
| _______ | **12.** Voy a la iglesia la semana que viene. | *l.* He's returning home later. |
| _______ | **13.** Se acuestan a las doce. | *m.* I'm going to church next week. |
| _______ | **14.** Vuelve a casa más tarde. | *n.* The program starts at 8:30 P.M. |
| _______ | **15.** El hombre contestó: —De nada. | *o.* They go to bed at twelve o'clock. |

**B.** From the list below, choose the expression that correctly completes each sentence. (Each expression may be used only once.)

| | | |
|---|---|---|
| **a casa** | **al aire libre** | **de nada** |
| **a menudo** | **de la mañana** | **de nuevo** |
| **a pie** | **de la tarde** | **de pie** |
| **a tiempo** | | |

**1.** La luna salió ________________________________ anoche.

**2.** ________________________________ mi mamá me habla dulcemente.

**3.** Estaba ________________________________ cerca de la ventana abierta.

**4.** Juegan a la pelota todas las tardes ________________________________.

**5.** A las tres ________________________________ el avión salió de Buenos Aires.

6. A las siete ________________________________ había silencio en la calle.
7. Luego comenzó a nevar ________________________________.
8. Yo le di las gracias y él me contestó:— ________________________________.
9. La señora todos los días anda ________________________________ a la carnicería.
10. Hay que tomar un taxi para llegar ________________________________.

**C.** Complete each sentence by supplying one missing word or expression.

1. ¿A qué ________________ fue Vd. a la zapatería?
2. ___________ fin entraron en la catedral.
3. ______________________________ bañarse, comenzó a vestirse.
4. A __________________ cantan felizmente.
5. A las cuatro de la __________________ tengo que estar en la farmacia.
6. No salgo ___________ paseo cuando tengo sueño.
7. Van a la ______________________ los domingos.
8. El sastre no terminó el traje a ______________________.
9. Voy a la ______________________ para aprender.
10. Salió __________________ casa después de cenar, y fue al gimnasio.

**D.** Answer the following questions in complete Spanish sentences.

1. ¿Celebra Vd. la fiesta nacional al aire libre o en casa? ________________________________
________________________________________________________________________
2. ¿Visita Vd. a un amigo (una amiga) por la tarde antes de volver a casa? __________________
________________________________________________________________________
3. ¿Cuándo dice Vd. "de nada"? ________________________________________________
________________________________________________________________________
4. ¿Está Vd. sentado(-a) o de pie ahora? ____________________________________________
5. ¿Sale Vd. de casa antes de tomar el desayuno? ____________________________________
________________________________________________________________________
6. ¿A qué hora de la mañana canta el gallo? __________________________________________
________________________________________________________________________
7. ¿Le gusta a Vd. ir de paseo cuando hace calor? ____________________________________
________________________________________________________________________
8. ¿Asiste Vd. a la escuela el séptimo día de la semana? ______________________________
________________________________________________________________________
9. ¿Qué clase tiene Vd. a la una de la tarde? __________________________________________
________________________________________________________________________

**10.** ¿Va Vd. a la iglesia el martes o el domingo? ____________________

____________________

**E.** Complete the following sentences in Spanish.

**1.** Deseo recibir cartas de ti *often.* ____________________

**2.** Salió (*from*) *home at 8 A.M.* ____________________

**3.** ¿*At what time* lograron abrir la puerta cerrada? ____________________

**4.** *Upon receiving* la receta, corrió a la farmacia. ____________________

**5.** Anda despacio y nunca llega a la escuela *on time.* ____________________

**6.** Celebraron el Carnaval *outdoors.* ____________________

**7.** A veces vuelve (*to*) *home* tristemente. ____________________

**8.** Me contestó débilmente: —*Don't mention it.* ____________________

**9.** El niño tiene un resfriado *again.* ____________________

**10.** El sexto día todos fueron al templo *walking.* ____________________

**11.** *At 9 P.M.* dijo "buenas noches" y se acostó. ____________________

**12.** El domingo pasado, por la tarde, salimos *for a walk.* ____________________

**13.** Unos alumnos están *standing,* otros están sentados. ____________________

**14.** Bajó del tren *at 3 P.M.* ____________________

**15.** En la cárcel, el ladrón *finally* confesó su crimen. ____________________

## 8. IDIOMS WITH *EN* AND *POR*

### IDIOMS WITH *EN*

1. **en casa,** at home

   El señor Pérez no está ***en casa.*** — Mr. Pérez isn't at home.

2. **en frente de,** in front of, opposite

   Había un parque ***en frente de*** la biblioteca. — There was a park in front of the library.

3. **en lugar de,** instead of, in place of

   Miró la televisión ***en lugar de*** estudiar. — He watched television instead of studying.

4. **en punto,** exactly, sharp

   Llegó a las tres ***en punto.*** — She arrived at three o'clock sharp.

5. **en seguida,** at once, immediately

   Hágalo Vd. ***en seguida.*** — Do it at once.

6. **en voz alta,** aloud, in a loud voice

   El maestro lee la lección ***en voz alta.*** — The teacher reads the lesson aloud.

7. **en voz baja,** in a low voice

   No hablen Vds. ***en voz baja.*** — Don't speak in a low voice.

### IDIOMS WITH *POR*

1. **por avión,** by (air)plane

   Viaja mucho ***por avión.*** — He travels a lot by plane.

2. **por ejemplo,** for example

   ***Por ejemplo,*** Pedro estudia mucho. — For example, Peter studies a lot.

3. **por eso,** therefore

   Estudia mucho, y ***por eso,*** aprende mucho. — He studies a lot, and therefore he learns a lot.

4. **por favor,** please

   Lea Vd. despacio, ***por favor.*** — Read slowly, please.

5. **por la mañana (tarde, noche),** in the morning (afternoon, evening)

   ***Por la mañana*** no trabajo. — In the morning I don't work.
   Juego con mis amigos ***por la tarde.*** — I play with my friends in the afternoon.
   Estudiamos ***por la noche.*** — We study at night.

*Note*

The expressions **por la mañana, por la tarde,** and **por la noche** are used only if the hour is not mentioned. If the hour is mentioned, **de** is used instead of **por.** (See Idiom Lesson 7.)

6. **por todas partes,** everywhere

   Vieron tiendas ***por todas partes.*** — They saw stores everywhere.

## *EXERCISES*

**A.** To the left of each sentence in column *A*, write the letter of the sentence in column *B* that has the closest related thought.

EXAMPLE: Hace calor en casa. Salgo de casa en seguida.

*A*

_______ **1.** Los dos salen alegremente de la escuela.

_______ **2.** Hay un parque en frente del gimnasio.

_______ **3.** El chófer no oye bien.

_______ **4.** No presta atención en la clase.

_______ **5.** Ayer fue el día de fiesta nacional.

_______ **6.** Hace calor en el sur.

_______ **7.** Vuelve a casa muy tarde.

_______ **8.** Anita tiene la voz dulce.

_______ **9.** Tengo mucha sed.

_______ **10.** Es un alumno diligente.

_______ **11.** El viajero sabe mucho de la vida en Rusia.

_______ **12.** Es temprano todavía.

_______ **13.** No va a hacer una visita al Perú la semana próxima.

_______ **14.** Se levanta por la mañana.

_______ **15.** Mi amigo vive en el séptimo piso.

*B*

*a.* Por eso, desea vivir en el norte.

*b.* Duerme en lugar de escuchar.

*c.* Por la tarde juegan a la pelota.

*d.* Son las ocho en punto.

*e.* Viajó allí por avión.

*f.* La hierba y las hojas son verdes.

*g.* Un vaso de agua, por favor.

*h.* Por ejemplo, ayer entró a las doce.

*i.* Por la noche estudia las asignaturas.

*j.* Es necesario gritar en voz alta.

*k.* Siempre canta en voz baja.

*l.* Por todas partes había banderas y música.

*m.* Con el ascensor llegamos arriba en seguida.

*n.* Va a quedarse en casa.

*o.* Antes de salir de casa toma el desayuno.

**B.** Complete the English sentences.

**1.** Présteme Vd. quinientos dólares, *por favor*.

Lend me five hundred dollars, _________________.

**2.** Hay que irse *en seguida*.

It is necessary to go _____________________________.

**3.** Fueron a la América Central *por avión*.

They went to Central America _____________________.

**4.** —¿Desea Vd. borrar esto? —preguntó el maestro *en voz alta*.

"Do you want to erase this?" asked the teacher __________________________________.

**5.** Llegan a la una y cuarto *en punto*.

They arrive at 1:15 ___________________.

**6.** El alumno aplicado escucha; *por eso* sale bien en las pruebas.

The diligent pupil listens; _________________________ he passes the tests.

7. Pasó la tarde felizmente *en casa.*

   She spent the afternoon happily __________________________.

8. *Por la mañana* se lava y se peina.

   ____________________________________ he washes and combs his hair.

9. A veces habla débilmente y *en voz baja.*

   At times she speaks weakly and ______________________________________.

10. Buscó un taxi *por todas partes.*

    He looked for a taxi _________________________________.

**C.** Complete each sentence with one of the following words. (Each word may be used only once.)

| | | | | |
|---|---|---|---|---|
| **baja** | **ejemplo** | **favor** | **lugar** | **seguida** |
| **casa** | **eso** | **frente** | **partes** | **voz** |

1. Anuncian las noticias perezosamente, en voz _______________________.
2. El programa empieza el jueves, a las ocho en _______________________ de a las nueve.
3. Tengo calor; por ______________________ no llevo abrigo.
4. Es perezoso; por ______________________, nunca hace sus tareas.
5. Pase Vd. la sal y la pimienta, por ______________________.
6. La gente desea dar un paseo en coche por todas ______________________.
7. En ______________________ de mi casa hay una avenida ancha y hermosa.
8. Bajó del autobús, y en ______________________ comenzó a andar hacia el este.
9. Lee el cuarto párrafo en ______________________ alta.
10. En ______________________ nunca dejo los libros en el escritorio.

**D.** Answer the following questions in complete Spanish sentences.

1. ¿Toma Vd. el almuerzo por la mañana o a mediodía? ____________________________________

   ________________________________________________________________________

2. ¿Le gusta a Vd. quedarse en casa cuando tiene un resfriado? ____________________________

   ________________________________________________________________________

3. ¿Contesta Vd. todas las preguntas en voz alta? ______________________________________

   ________________________________________________________________________

4. ¿Hace sol por la tarde o por la noche? ____________________________________________
5. ¿Le gusta a Vd. divertirse en lugar de trabajar? _____________________________________

   ________________________________________________________________________

6. ¿Qué hay en frente de su casa? __________________________________________________
7. Después de vestirse, ¿se peina Vd. en seguida? ______________________________________

   ________________________________________________________________________

8. Si Vd. desea pedir un favor, ¿dice Vd. "por ejemplo" o "por favor"? ____________________

   ________________________________________________________________________

9. Para hacer un viaje a Francia, ¿prefiere Vd. ir por avión o por vapor? ____________________

____________________________________________________________

10. ¿Piensa Vd. viajar alguna vez por todas partes de la América del Norte? ____________________

____________________________________________________________

**E.** From the following list, choose the expression that correctly translates each of the English expressions.

| | | |
|---|---|---|
| **en casa** | **en voz baja** | **por favor** |
| **en lugar de** | **por avión** | **por la noche** |
| **en punto** | **por eso** | **por todas partes** |
| **en voz alta** | | |

1. ¿Cuánto tiempo va Vd. a quedarse *at home*? ____________________
2. La semana próxima van a Italia *by plane.* ____________________
3. Hace mucho fresco hoy, *therefore* no salgo de casa. ____________________
4. ¿Va Vd. a salir *at night*? Creo que no. ____________________
5. El tren partió el martes pasado a las dos *sharp.* ____________________
6. Lo buscó *everywhere*, pero no descubrió ni oro ni plata. ____________________
7. Haga Vd. el favor de leer *in a low voice.* ____________________
8. Tenga Vd. la bondad de escuchar *instead of* hablar. ____________________
9. En la sala de clase todos los alumnos hablan *aloud.* ____________________
10. Deseo ver un par de calcetines negros, *please.* ____________________

**F.** Translate into Spanish.

1. We want to learn; therefore we study diligently. ____________________

____________________________________________________________

2. The teacher reads the dictation in a low voice. ____________________

____________________________________________________________

3. Lend me nine hundred dollars at once. ____________________

____________________________________________________________

4. The children listened to the music instead of going out. ____________________

____________________________________________________________

5. He opened the shoe store at nine o'clock sharp. ____________________

____________________________________________________________

6. Repeat (Repitan Vds.) the words in a loud voice, please. ____________________

____________________________________________________________

7. In the morning she drinks a glass of cold milk. ____________________

____________________________________________________________

8. In this city it is windy in the afternoon. ____________________

____________________________________________________________

9. Today the family decides to remain at home. ________________

________________

10. Opposite the house was (había) a large tree. ________________

________________

**Cuzco, the capital of the ancient Inca empire, is today a picturesque city in Peru. It is situated more than 11,000 feet above sea level and is surrounded by the majestic Andes Mountains. Gigantic ruins of palaces, fortresses, and other structures bear witness to the one-time greatness of the Inca civilization. Of special interest to scientists and travelers are the nearby ruins of Macchu-Pichu.**

## 9. MISCELLANEOUS IDIOMATIC EXPRESSIONS—PART I

### EXPRESSIONS OF GREETING, FAREWELL, AND COURTESY

1. **buenos días,** good morning

   ***Buenos días,*** señor Ortiz. — Good morning, Mr. Ortiz.

2. **buenas tardes,** good afternoon

   Al entrar, dije "***buenas tardes.***" — Upon entering, I said "good afternoon."

3. **buenas noches,** good evening, good night

   Dijo ***"buenas noches"*** antes de acostarse. — She said "good night" before going to bed.

4. **¿qué tal?,** how are things (with you)?, what's new?

   Buenos días, Pablo. ***¿Qué tal?*** — Good morning, Paul. What's new?

5. **sin novedad,** same as usual, nothing new

   —¿Qué tal? —***Sin novedad.*** — "How are things?" "Same as usual."

6. **hasta la vista,** goodbye (till I see you again)

   ***Hasta la vista,*** Juan. — Goodbye (till I see you again), John.

7. **hasta luego,** goodbye (see you later)

   Tengo que salir. ***Hasta luego.*** — I have to leave. See you later.

8. **hasta mañana,** goodbye (see you tomorrow)

   Al irse, dijo: —***Hasta mañana.*** — On leaving, he said: "See you tomorrow."

9. **muchas gracias,** thank you very much

   —***Muchas gracias.***—No hay de qué. — "Thank you very much." "You're welcome."

10. **con mucho gusto,** with great pleasure, gladly

    —Lea Vd. la frase. —***Con mucho gusto,*** señor. — "Read the sentence." "Gladly, sir."

11. **con (su) permiso,** excuse me (when going before or passing in front of someone)

    ***Con su permiso;*** yo deseo hablar primero. — Excuse me; I want to speak first.

### IDIOMS WITH *VEZ*

1. **a veces,** at times, sometimes

   ¿Duerme Vd. ***a veces*** en la clase? — Do you sleep at times in class?

2. **algunas veces,** sometimes

   ***Algunas veces*** visitan a sus parientes. — Sometimes they visit their relatives.

3. **una vez,** once

   Cantó la canción ***una vez.*** — She sang the song once.

4. **dos veces,** twice

   Lo escribió ***dos veces.*** — He wrote it twice.

5. **muchas veces,** often

   Le hablo ***muchas veces.*** — I speak to him often.

6. **pocas veces,** rarely

   ***Pocas veces*** recibo regalos. — I rarely receive gifts.

7. **otra vez,** again

   Escriba Vd. el ejercicio ***otra vez.*** — Write the exercise again.

### *EXERCISES*

**A.** To the left of each expression in column *A*, write the letter of its meaning in column *B*.

| | *A* | *B* |
|---|---|---|
| ------- | **1.** algunas veces | *a.* See you later. |
| ------- | **2.** una vez | *b.* Excuse me. |
| ------- | **3.** Hasta luego. | *c.* rarely |
| ------- | **4.** muchas veces | *d.* sometimes |
| ------- | **5.** Sin novedad. | *e.* twice |
| ------- | **6.** Muchas gracias. | *f.* Good morning. |
| ------- | **7.** Hasta mañana. | *g.* again |
| ------- | **8.** ¿Qué tal? | *h.* Good evening. |
| ------- | **9.** dos veces | *i.* Good afternoon. |
| ------- | **10.** pocas veces | *j.* often |
| ------- | **11.** Buenos días. | *k.* Thank you very much. |
| ------- | **12.** Buenas tardes. | *l.* What's new? |
| ------- | **13.** otra vez | *m.* once |
| ------- | **14.** Buenas noches. | *n.* Nothing new. |
| ------- | **15.** Con permiso. | *o.* See you tomorrow. |

**B.** Underline the expression in parentheses that best completes each sentence.

1. Adiós, (hasta la vista, ¿qué tal?)
2. (A tiempo, A veces) los alumnos no tienen razón.
3. (Algunas veces, Hasta mañana) habla sinceramente.
4. (Con mucho gusto, Muchas veces) ella llora tristemente.
5. (Buenos días, Hasta luego), señor Pérez, ¿Cómo está Vd.? Vd. parece cansado.
6. Dijo ("buenas tardes," "no hay de qué") al ver a sus compañeros de clase.
7. (De nada, Una vez) tomó la comida en mi casa.
8. Antes de acostarse, siempre dice ("buenas noches," "buenos días").
9. ¿Cómo está su familia? (En casa, Sin novedad).
10. Voy a visitar a Europa (el invierno pasado, otra vez).

**C.** Answer the following questions in complete Spanish sentences.

1. ¿Qué dice Vd. para dar las gracias a alguien? ______________________________
2. ¿Toma Vd. un helado a veces? ______________________________
3. ¿Qué quiere decir "what's new" en español? ______________________________
4. ¿Está Vd. ausente muchas veces? ______________________________
5. Al pasar delante de una persona, ¿dice Vd. "con permiso" o "hasta la vista"? ______________________________
6. ¿Bebe Vd. té caliente algunas veces? ______________________________
7. ¿Visitó Vd. una vez el estado de Colorado? ______________________________
8. ¿Cómo se dice "with great pleasure" en español? ______________________________
9. ¿Dice Vd. "buenos días" después de mediodía? ______________________________
10. ¿Tiene Vd. calor pocas veces o muchas veces en el verano? ______________________________

**D.** What would one say in Spanish in the following situations?

1. You take leave of a friend till later. ______________________________
2. You often take a walk. ______________________________
3. Sometimes you play in the park. ______________________________
4. You write the Spanish words twice. ______________________________
5. You meet someone in the evening. ______________________________
6. You thank someone. ______________________________
7. You rarely watch television. ______________________________
8. You greet a friend in the morning. ______________________________
9. You tell someone you'll see him tomorrow. ______________________________
10. You ask someone how things are with him. ______________________________
11. He replies that things are as usual. ______________________________
12. You greet a friend in the afternoon. ______________________________
13. You agree to do something for a friend. ______________________________
14. You pass in front of someone. ______________________________
15. At times you go to the movies. ______________________________

**E.** From the following list choose a *synonym* (expression of similar meaning) for each of the expressions in italics.

**a veces** **otra vez**
**hasta luego** **¿qué tal?**
**muchas veces**

1. *A menudo* levanta la mano derecha. ______________________
2. ¿Hay que hacerlo *de nuevo*? Creo que sí. ______________________
3. *Algunas veces* canta felizmente mientras trabaja. ______________________
4. Entró en la panadería y preguntó al panadero: —¿*Cómo está Vd.*? ______________________
5. Entonces dijo "*hasta la vista*" y salió. ______________________

**F.** Complete the following sentences in Spanish.

1. *Often* toman el desayuno en una cafetería. ______________________
2. Puedes decir "*see you later*" en lugar de "*till I see you again.*" ______________________
3. *Good morning*, papá y mamá. ______________________
4. ¿Desea Vd. quedarse en los Estados Unidos? *Gladly.* ______________________
5. Aquel muchacho *rarely* está presente. ______________________
6. *Sometimes* me gusta nadar. ______________________
7. Cuando recibió el pastel, gritó alegremente: —*Thank you very much.* ______________________
8. El maestro repite cada palabra *twice.* ______________________
9. *At times* tengo frío en casa. ______________________
10. *Excuse me.* Deseo hablar *again.* ______________________
11. Voy a la zapatería. *See you later.* ______________________
12. —¿*What's new*, señor Ortiz? —*Same as usual.* ______________________
13. Vi un tigre solamente *once.* ______________________
14. Son las tres de la tarde; por eso dice: —*Good afternoon.* ______________________
15. Al salir, dijo en voz baja: —*See you tomorrow.* ______________________

## 10. MISCELLANEOUS IDIOMATIC EXPRESSIONS—PART II

1. **antes de,** before
   Comió ***antes de*** salir. — He ate before leaving.
2. **después de,** after
   Volvió ***después de*** las diez. — She returned after ten o'clock.
3. **cerca de,** near
   Mi casa está ***cerca del*** parque. — My house is near the park.
4. **lejos de,** far from
   Madrid está ***lejos de*** aquí. — Madrid is far from here.
5. **delante de,** in front of
   La maestra está ***delante de*** la clase. — The teacher is in front of the class.
6. **detrás de,** behind, in back of
   ***Detrás de*** la casa hay un patio. — In back of the house there is a courtyard.
7. **debajo de,** under, beneath
   Me gusta leer ***debajo de*** un árbol. — I like to read under a tree.
8. **compañero(-a) de clase,** classmate
   Hoy no saludé a mis ***compañeros de clase.*** — Today I didn't greet my classmates.
9. **con atención,** attentively
   En la clase escuchamos ***con atención.*** — In class we listen attentively.
10. **¿cuánto tiempo?,** how long?, how much time?
    ¿***Cuánto tiempo*** esperó Vd. el autobús? — How long did you wait for the bus?
11. **mucho tiempo,** a long time (much time)
    Esperé el autobús ***mucho tiempo.*** — I waited for the bus a long time.
12. **el año (domingo, mes,** etc.) **pasado,** last year (Sunday, month, etc.)
    ***El año pasado*** fuimos a Europa. — Last year we went to Europe.
13. **la semana pasada,** last week
    La vi ***la semana pasada.*** — I saw her last week.
14. **el año (domingo, mes,** etc.) **próximo,** next year (Sunday, month, etc.)
    ***El mes próximo*** no hay clases. — Next month there is no school.
15. **la semana próxima,** next week
    ***La semana próxima*** voy al teatro. — Next week I'm going to the theater.

### *EXERCISES*

**A.** Complete the English sentences.

**1.** Vive en una casa particular cerca del templo.
She lives in a private house _______________ the temple.

**2.** La semana próxima celebramos el Carnaval.

_____________________________ we celebrate Carnaval.

**3.** El mes pasado fue enero.

_______________________________ was January.

**4.** El año próximo voy a la América del Sur.

_____________________________ I'm going to South America.

**5.** Delante de mí había montañas muy altas.

_____________________________ me there were very high mountains.

**6.** Los elefantes viven mucho tiempo.

Elephants live ___________________________________.

**7.** Detrás del edificio hay un patio pequeño.

____________________ the building there is a small courtyard.

**8.** Él está lejos de ti; por eso no puedes oírle.

He is _______________________________ you; therefore you can't hear him.

**9.** ¿Escuchan con atención los alumnos? Creo que sí.

Do the pupils listen _____________________________? I think so.

**10.** ¿Cuánto tiempo pasaron en Buenos Aires?

___________________________________ did they spend in Buenos Aires?

**11.** La vi solamente una vez el semestre pasado.

I saw her only once _____________________________.

**12.** Al fin vio a sus compañeros de clase.

At last he saw his _____________________________.

**13.** Se sentó debajo de un árbol para comer.

He sat down _______________________ a tree to eat.

**14.** Después de tomar la cena, salió de nuevo.

__________________ having supper, he went out again.

**15.** Antes de acostarse, besó a su mamá.

______________________ going to bed, he kissed his mother.

**B.** From the following list choose the expression that correctly completes each sentence.

| | | |
|---|---|---|
| **cerca de** | **debajo de** | **la semana pasada** |
| **compañeros de clase** | **después de** | **lejos de** |
| **con atención** | **el mes próximo** | **mucho tiempo** |
| **cuánto tiempo** | | |

**1.** Tomo el almuerzo con mis _____________________________________________.

**2.** En lugar de estudiar, pasa ______________________________________ al aire libre.

**3.** _____________________________________________ perdí doscientos dólares.

4. Para aprender es necesario escuchar ________________ las explicaciones del profesor.
5. Dejó el paraguas ________________ la puerta abierta.
6. ¿________________ se quedó Vd. en frente de la carnicería?
7. ________________ saludarnos, preguntó: —¿Qué tal?
8. ¿Va Vd. a la Argentina ________________?
9. ________________ la casa, hay un sótano.
10. Inglaterra está muy ________________ México.

**C.** From the following list choose an *antonym* (expression of opposite meaning) for each of the expressions in italics.

**debajo del**
**después de**
**detrás de**
**el año pasado fue**
**lejos de**

1. *Delante de* la casa los niños juegan libremente. ________________
2. *Cerca de* un árbol viejo había una caja de hierro. ________________
3. *Antes de* examinar sus instrumentos el científico saca el reloj. ________________
4. *El año que viene es* el año mil novecientos setenta y . . . . ________________
5. Puso el borrador *sobre el* escritorio. ________________

**D.** Answer the following questions in complete Spanish sentences.

1. ¿Tiene Vd. hambre después de comer? ________________
2. ¿Escucha Vd. con atención al maestro (a la maestra) siempre o pocas veces? ________________
________________
3. ¿Hay un mapa de la América Central delante de la clase? ________________
________________
4. ¿Estudió Vd. mucho el mes pasado? ________________
5. ¿Hay una cafetería cerca de su casa? ________________
6. ¿Piensa Vd. estar presente el lunes próximo? ________________
________________
7. ¿A qué hora de la mañana saluda Vd. a sus compañeros de clase? ________________
________________
8. ¿Escuchó Vd. la radio el viernes pasado? ________________
9. ¿Cuánto tiempo habla Vd. en el teléfono con sus amigos? ________________
________________
10. ¿Sale Vd. de la escuela antes de las dos de la tarde? ________________
________________
11. ¿Pasa Vd. mucho tiempo lejos de su propia casa? ________________
________________

12. ¿Va Vd. a visitar otros países el verano próximo? ________________________________

________________________________________________________________

13. ¿Lleva Vd. un chaleco de lana debajo de la chaqueta? ________________________________

________________________________________________________________

14. ¿Quién está sentado detrás de Vd.? ________________________________

15. ¿Salió Vd. bien en todos sus exámenes el semestre pasado? ________________________________

________________________________________________________________

**E.** To the left of each sentence in column *A*, write the letter of the sentence in column *B* that has the closest related thought.

EXAMPLE: Deseamos aprender. Escuchamos con atención al maestro.

| | *A* | *B* |
|---|---|---|
| _______ | **1.** Detrás de la casa hay un jardín. | *a.* No me gusta ni el agua ni los montes. |
| _______ | **2.** Pongo la maleta debajo de la cama. | *b.* Dijo: —Con permiso, señor. |
| _______ | **3.** El mes pasado fue septiembre. | *c.* Me gustan los libros de historia. |
| _______ | **4.** La semana próxima no hay clases. | *d.* Como huevos, pan, y café. |
| _______ | **5.** ¿Desea Vd. poner el mapa cerca de mí? | *e.* Hay muchas rosas y violetas allí. |
| _______ | **6.** Pasó delante de mí. | *f.* Con mucho gusto. |
| _______ | **7.** Antes de salir, tomo el desayuno. | *g.* En la maleta hay pantalones y calcetines. |
| _______ | **8.** El verano próximo no voy ni a la playa ni al campo. | *h.* Es el noveno mes del año. |
| | | *i.* ¿Cuánto tiempo pasó en el hospital? |
| _______ | **9.** Ya no tiene ninguna enfermedad. | *j.* Comienzan las vacaciones. |
| _______ | **10.** El año pasado leí varios libros. | |

**F.** Complete the following sentences in Spanish.

1. Hay un río ancho *in back of* la biblioteca. ____________________
2. No puedo pasar *a long time* contigo. ____________________
3. Miran *attentively* los programas de televisión. ____________________
4. *Next summer* vamos a hacer un viaje hacia el oeste. ____________________
5. Pasé las vacaciones felizmente, *far from* la escuela. ____________________
6. Al salir de la clase digo "hasta la vista" a mis *classmates*. ____________________
7. Vamos a visitar varias partes de Europa *next year*. ____________________
8. Gané poco dinero *last year*. ____________________
9. *Next month* tiene treinta días. ____________________
10. *Last week* el muchacho compró una gorra nueva. ____________________

## 11. MISCELLANEOUS IDIOMATIC EXPRESSIONS—PART III

1. **¡Cómo no!,** Why not? Of course!

   —¿Quieres hacerme un favor? "Do you want to do me a favor?"
   —*¡Cómo no!* "Of course!"

2. **esta noche,** tonight

   No salgo de casa ***esta noche.*** I'm not going out tonight.

3. **la clase (el profesor,** etc.) **de español (historia,** etc.), the Spanish (history, etc.) class (teacher, etc.)

   ***La profesora de español*** sabe mucho. The Spanish teacher knows a great deal.
   Ahora vamos a ***la clase de historia.*** Now we're going to the history class.

4. **más tarde,** later

   Voy a almorzar ***más tarde.*** I'm going to have lunch later.

5. **ni . . . ni . . . ,** either . . . or . . . (negative), neither . . . nor . . .

   No tengo ***ni*** lápiz ***ni*** pluma. I don't have either a pencil or pen. (I have neither a pencil nor a pen.)

6. **¿no es verdad?** / **¿verdad?** isn't that so?, aren't you?, isn't he?, don't they?, etc.

   Vd. se llama Jorge, ***¿verdad?*** ***(¿no es verdad?)*** Your name is George, isn't it?

7. **poco a poco,** little by little, gradually

   Toma la medicina ***poco a poco.*** He takes the medicine little by little.

8. **¿Qué hora es?,** What time is it?

   —***¿Qué hora es?***—Son las tres. "What time is it?" "It's three o'clock."

9. **tienda de ropa,** clothing store

   No deseo entrar en esa ***tienda de ropa.*** I don't want to go into that clothing store.

10. **todo el mundo,** everybody, everyone

    ***Todo el mundo*** lee un periódico. Everyone reads a newspaper.

11. **todos los, todas las,** every

    Tenemos exámenes ***todos los*** viernes. We have tests every Friday.

12. **un poco de,** a little (bit of)

    Tomo el café con ***un poco de*** azúcar. I drink coffee with a little sugar.

### *EXERCISES*

**A.** Translate into English.

**1.** Hay que poner un poco de pimienta en la sopa. ____________________

____________________

**2.** En una tienda de ropa compró calcetines y guantes. ____________________

____________________

**3.** Al despertarse, preguntó: —¿Qué hora es? ____________________

____________________

4. —Hay cien años en un siglo, ¿no es verdad? —¡Cómo no! ______________________________

__________________________________________________________________

5. No poseen ni oro ni plata. ______________________________________________

6. Hay treinta alumnos en la clase de español. ________________________________

__________________________________________________________________

7. Poco a poco las estrellas aparecieron. ____________________________________

8. Más tarde comenzó a llover. _____________________________________________

9. Ella va a ponerse la falda rosada esta noche. _______________________________

__________________________________________________________________

10. Todo el mundo respeta la bandera nacional. _______________________________

__________________________________________________________________

**B.** Complete each sentence with one of the following words. (Each word may be used only once.)

| **cómo** | **esta** | **más** | **poco** | **todos** |
|---|---|---|---|---|
| **de** | **hora** | **mundo** | **tienda** | **verdad** |

1. ¿Tiene Vd. bastante trabajo ____________________ noche?
2. Quiero comer un poco ____________________ pescado, por favor.
3. ¿Desea Vd. ir al Canadá conmigo? ¡____________________ no!
4. Andas despacio porque estás cansado, ¿____________________?
5. Dispense Vd. ¿Puede Vd. decirme qué ____________________ es?
6. Compraron varias cosas en la ____________________ de ropa.
7. Los muchachos deben limpiar los dientes ____________________ los días.
8. Todo el ____________________ debe ver esto una vez.
9. —Tenga Vd. la bondad de servir el postre ____________________ tarde. —Con mucho gusto.
10. ____________________ a poco la niña aprende a tocar el piano.

**C.** Answer the following questions in complete Spanish sentences.

1. ¿Toma Vd. los huevos con un poco de sal? ________________________________

__________________________________________________________________

2. ¿Venden pantalones y chalecos en una tienda de ropa? _______________________

__________________________________________________________________

3. ¿Va Vd. a jugar a la pelota más tarde? ___________________________________

4. ¿Va Vd. a estudiar diligentemente esta noche? ____________________________

__________________________________________________________________

5. ¿Hace muchas preguntas el profesor (la profesora) de español? ________________

__________________________________________________________________

6. ¿Aprende Vd. la lección de historia fácilmente? ___________________________

__________________________________________________________________

7. ¿Sube Vd. la escalera rápidamente o poco a poco? ______________________________________

______________________________________

8. Si todo el mundo lleva un abrigo de lana, ¿qué tiempo hace? ______________________________________

______________________________________

9. ¿Hace sol todas las tardes? ______________________________________

10. ¿Escucha Vd. con atención en la clase de español? ______________________________________

______________________________________

**D.** To the left of each sentence in column *A*, write the letter of the sentence in column *B* that has the closest related thought.

EXAMPLE: La clase de español comienza a las diez. Termina a las once.

*A*

_______ **1.** ¿Quiere Vd. explicarme su idea otra vez?

_______ **2.** Las lecciones de español son difíciles.

_______ **3.** Parece muy tarde ya.

_______ **4.** Hace mal tiempo en el norte este invierno.

_______ **5.** Venden muchas cosas en esa tienda de ropa.

_______ **6.** Él es muy pobre, ¿no es verdad?

_______ **7.** Todo el mundo me pregunta: —¿Qué tal?

_______ **8.** No tengo hambre ahora.

_______ **9.** Voy a salir contigo esta noche.

_______ **10.** Vemos la luna en el cielo.

*B*

*a.* Voy a tomar el almuerzo más tarde.

*b.* No hay nubes esta noche.

*c.* Sí, no tiene ni dinero ni amigos.

*d.* ¡Cómo no!

*e.* ¿Qué hora es?

*f.* Recientemente compré medias de nilón allí.

*g.* Bueno, voy a esperar en frente de tu casa.

*h.* Por ejemplo, nieva todos los días.

*i.* Yo respondo: —Sin novedad.

*j.* Por eso, es necesario estudiar mucho cada noche.

**E.** Complete the following sentences in Spanish.

1. *Everyone* juega al aire libre. ______________________________
2. El maestro lee el dictado *little by little.* ______________________________
3. Nadie sabe *either* el vocabulario *or* los verbos. ______________________________
4. La maestra siempre tiene razón, ¿*doesn't she*? ______________________________
5. En *the history class* aprendemos muchas fechas históricas. ______________________________
6. Mi *English teacher* es inteligente. ______________________________
7. ¿Toma Vd. *a little* azúcar y limón en el té? ______________________________
8. *Tonight* hablé con mi compañero de clase en el teléfono. ______________________________
9. ¿Desea Vd. ensalada de pollo? ¡*Of course*! ______________________________
10. Vamos al gimnasio *later.* ______________________________

## 12. MASTERY EXERCISES

(LESSONS 7–11)

**A.** Complete the English sentences.

**1.** Entonces dijo: —Adiós. Hasta mañana.
Then he said: "Goodbye. ________________________________."

**2.** Viajó por todas partes de Alemania.
She traveled ________________________________ in Germany.

**3.** —Buenos días. ¿Qué tal? —Sin novedad.
"Good morning. ________________________________?"
"________________________________."

**4.** —¿Desea Vd. cenar conmigo esta noche? —¡Cómo no!
"Do you want to have dinner with me this evening?" "________________________!"

**5.** Mamá anda a pie a la panadería.
Mother goes ________________________ to the bakery.

**6.** Detrás del palacio había una plaza ancha.
____________________ the palace there was a wide plaza.

**7.** La clase de español está en el cuarto piso.
________________________________________ is on the fourth floor.

**8.** —Quítese Vd. la gorra. —Con mucho gusto.
"Take off your cap." "________________________________."

**9.** Debemos escribir el vocabulario dos veces.
We must write the vocabulary __________________.

**10.** Usan muchas telas, por ejemplo, el algodón y la lana.
They use many fabrics, ________________________________, cotton and wool.

**11.** ¿Cuánto tiempo existe nuestra nación?
__________________________ does our nation exist?

**12.** Vd. se llama Luisa, ¿no es verdad?
Your name is Louise, ________________________?

**13.** Al fin lograron sacar la caja de hierro.
_____________________ they succeeded in taking out the iron box.

**14.** Con permiso. Yo deseo ir primero.
__________________________. I want to go first.

**15.** —Muchas gracias. —De nada.
"Thank you very much." "________________________________________."

16. Las nubes grises desaparecen poco a poco.

The gray clouds disappear ________________________________________.

17. El año próximo vamos a visitar a Francia.

________________________________ we're going to visit France.

18. En lugar de conservar su dinero, lo gastó pronto.

___________________________ saving his money, he spent it soon.

19. El invierno pasado papá compró una casa particular.

__________________________________ dad bought a private house.

20. Después de tomar el almuerzo, sale de paseo.

_______________ having lunch, he goes out ______________________________.

**B.** From the following list choose a *synonym* (expression of similar meaning) for each of the expressions in italics.

| | | |
|---|---|---|
| **a veces** | **en seguida** | **otra vez** |
| **de nada** | **hasta luego** | **poco a poco** |
| **delante de** | **muchas veces** | **prestó atención a** |
| **el invierno próximo** | | |

1. *Algunas veces* los habitantes se lavan en el río. __________________________
2. El científico examinó *de nuevo* la botella. __________________________
3. Suben la montaña *despacio*. __________________________
4. *Escuchó con atención* las ideas de su abuelo. __________________________
5. *A menudo* sale sin ponerse el chaleco y el abrigo. __________________________
6. Antes de irse dijo "*hasta la vista*" a sus compañeros de clase. __________________________
7. *En frente de* la cárcel hay otro edificio más pequeño. __________________________
8. Dispense Vd. un minuto. Vuelvo *inmediatamente*. __________________________
9. Si yo le doy las gracias, Vd. debe responder "*No hay de qué*." __________________________
10. *El invierno que viene* va a nevar mucho. __________________________

**C.** From the following list choose an *antonym* (expression of opposite meaning) for each of the expressions in italics.

| | | | | |
|---|---|---|---|---|
| **a tiempo** | **cerca de** | **debajo de** | **detrás de** | **pocas veces** |
| **al aire libre** | **de pie** | **después de** | **en voz alta** | **todo el mundo** |

1. *Antes de* besar a su madre, se sentó a comer. ______________________________
2. Expresó su idea fuertemente y *en voz baja*. ______________________________
3. ¿Están *lejos de* la tierra las estrellas? ______________________________
4. El panadero está *sentado* cerca de la puerta cerrada. ______________________________
5. La luna va a aparecer *tarde* esta noche. ______________________________
6. Llenó la copa de vino *muchas veces*. ______________________________
7. *Sobre* la maleta había una caja de madera. ______________________________

8. Nos gusta pasar el tiempo felizmente *en casa.* ________________

9. *Delante de* la clase hay un mapa de la América del Sur. ________________

10. *Nadie* cultiva el jardín en la primavera. ________________

**D.** Underline the word or expression in parentheses that correctly completes the Spanish translation of the English sentence.

1. At eight P.M. he opened the envelope.
A las ocho (de, por) la noche abrió el sobre.

2. He failed in two subjects last term.
Salió mal en dos asignaturas el semestre (pasado, próximo).

3. Omit the third paragraph, please.
Omitan Vds. el tercer párrafo, por (ejemplo, favor).

4. In the morning the butcher opens the butcher shop.
(De, Por) la mañana el carnicero abre la carnicería.

5. It's very hot; therefore we're not working.
Hace mucho calor; (más tarde, por eso) no trabajamos.

6. Last Thursday the farmer sold his donkey.
El jueves (pasado, que viene) el campesino vendió su burro.

7. The poor man walked home sadly.
El hombre pobre caminó (a, de) casa tristemente.

8. At two o'clock I saw the sun in the sky.
A (las, los) dos vi el sol en el cielo.

9. I promise to go with you at one o'clock sharp.
Prometo ir contigo a la una (al fin, en punto).

10. Many plants die every autumn.
Muchas plantas mueren (todo el, todos los) otoños.

11. He remembered his trip to Russia for a long time.
Recordó su viaje a Rusia (muchas veces, mucho tiempo).

12. I earned a great deal of money last week.
Gané mucho dinero (el mes pasado, la semana pasada).

13. "Please cover the book." "Gladly."
—Haga Vd. el favor de cubrir el libro. —(Con mucho gusto, Creo que sí).

14. There is a long bridge over the river.
Hay un puente largo (debajo del, sobre el) río.

15. At what time did they rob the house?
¿(A qué hora, Qué hora es) robaron la casa?

**E.** Answer the following questions in complete Spanish sentences.

1. ¿Va Vd. a estar presente en la clase de español el martes próximo? ________________
________________________________

2. ¿Dice Vd. "buenas tardes" o "buenos días" al salir de la escuela? ________________
________________________________

3. Si alguien pregunta "¿Qué tal?," ¿qué contesta Vd.? ________________

4. ¿Prefiere Vd. viajar a Europa por avión o por vapor? ________________

5. ¿Visitó Vd. algún país de la América Central el verano pasado? ________________

6. ¿A qué hora de la tarde toma Vd. un refresco frío? ________________

7. ¿Qué días de la semana próxima va Vd. a la escuela? ________________

8. ¿Grita Vd. en voz alta mientras juega en el gimnasio? ________________

9. ¿Toma Vd. el té con un poco de azúcar? ________________

10. ¿Estudia Vd. la lección de español diligentemente? ________________

11. ¿Qué cosas compra Vd. en una tienda de ropa? ________________

12. ¿Lee el maestro (la maestra) el dictado una vez o dos veces? ________________

13. ¿Necesita Vd. ayuda para preparar la lección de historia? ________________

14. ¿Va Vd. a la iglesia el miércoles? ________________

15. ¿Cuida Vd. a su hermano(-a) menor por la tarde? ________________

**F.** You meet a friend. Express the following conversation in Spanish.

1. How are things with you? ________________
2. Same as usual. ________________
3. You often go out for a walk in the afternoon. ________________
4. You went to the country last month. ________________
5. You prefer to travel by plane. ________________
6. You walk to school (= go to school on foot) every day. ________________
7. You study your lessons every evening. ________________
8. In class you listen attentively. ________________

9. At home you have dinner at six o'clock sharp. ______________________________

______________________________

10. You play outdoors on Saturday. ______________________________
11. There is a library opposite your house. ______________________________
12. In back of your house there is a patio. ______________________________
13. He asks if you passed the test last week. ______________________________
14. You answer "of course." ______________________________
15. He thanks you for a gift. ______________________________
16. You answer "You're welcome." ______________________________
17. He asks you to come to his party next week. ______________________________

______________________________

18. He says that everyone is coming. ______________________________
19. You answer "Gladly." ______________________________
20. Instead of watching television you read the newspaper. ______________________________

______________________________

21. You are tired; therefore you're not studying now. ______________________________

______________________________

22. This evening you must study. ______________________________
23. But you have neither pencil nor paper. ______________________________
24. It is beginning to rain again. ______________________________
25. See you tomorrow. ______________________________

## 13. SOME COMMON PROVERBS

| | *Spanish Proverb* | *Translation* | *Equivalent English Proverb* |
|---|---|---|---|
| 1. | Al buen entendedor, pocas palabras. | To the understanding person, only a few words. | A word to the wise is sufficient. |
| 2. | Cuatro ojos ven más que dos. | Four eyes see more than two. | Two heads are better than one. |
| 3. | De la mano a la boca se pierde la sopa. | From the hand to the mouth the soup is lost. | There's many a slip 'twixt the cup and the lip. (Don't count your chickens before they're hatched.) |
| 4. | De tal palo, tal astilla. | From such a stick, such a splinter. | Like father, like son. (A chip off the old block.) |
| 5. | Del dicho al hecho hay gran trecho. | There is a great distance from saying to doing. | It's easier said than done. (Deeds, not words.) |
| 6. | Dime con quién andas y te diré quién eres. | Tell me with whom you go, and I'll tell you who you are. | One is judged by the company he keeps. (Birds of a feather flock together.) |
| 7. | El mandar no quiere par. | Authority doesn't want to be shared. | Too many cooks spoil the broth. |
| 8. | Más vale pájaro en mano que cien volando. | A bird in the hand is better than a hundred birds flying. | A bird in the hand is worth two in the bush. |
| 9. | Más vale tarde que nunca. | Better late than never. | |
| 10. | No es oro todo lo que reluce. | All that glitters is not gold. | |
| 11. | No hay mal que cien años dure. | There is no illness that lasts a hundred years. | Time heals all wounds. (It's a long lane that has no turning.) |
| 12. | No hay rosa sin espinas. | There is no rose without thorns. | |
| 13. | No se ganó Zamora en una hora. | Zamora wasn't conquered in an hour. | Rome wasn't built in a day. |
| 14. | Ojos que no ven, corazón que no siente. | (If) the eyes do not see, the heart does not feel. | Out of sight, out of mind. |
| 15. | Perro que ladra no muerde. | A barking dog doesn't bite. | |
| 16 | Piedra movediza no cría moho. | A rolling stone grows no moss. | A rolling stone gathers no moss. |
| 17. | Querer es poder. | To want is to be able. | Where there's a will there's a way. |
| 18. | Saber es poder. | To know is to be able. | Knowledge is power. |
| 19. | Sobre gustos no hay disputa. | There is no arguing over tastes. | Everyone to his own taste. |
| 20. | Ver es creer. | To see is to believe. | Seeing is believing. |

*EXERCISES*

**A.** To the left of each Spanish proverb in column *A*, write the letter of its equivalent in column *B*.

| | *A* | *B* |
|---|---|---|
| _______ | **1.** De tal palo, tal astilla. | *a.* Birds of a feather flock together. |
| _______ | **2.** Dime con quién andas y te diré quién eres. | *b.* Seeing is believing. |
| _______ | **3.** Perro que ladra no muerde. | *c.* Out of sight, out of mind. |
| _______ | **4.** Piedra movediza no cría moho. | *d.* Rome wasn't built in a day. |
| _______ | **5.** Ojos que no ven, corazón que no siente. | *e.* A word to the wise is sufficient. |
| _______ | **6.** Al buen entendedor, pocas palabras. | *f.* A barking dog doesn't bite. |
| _______ | **7.** Ver es creer. | *g.* Knowledge is power. |
| _______ | **8.** No se ganó Zamora en una hora. | *h.* Two heads are better than one. |
| _______ | **9.** Cuatro ojos ven más que dos. | *i.* A rolling stone gathers no moss. |
| _______ | **10.** Saber es poder. | *j.* A chip off the old block. |

**B.** What proverb would a Spaniard use if he wanted to tell someone . . .

**1.** that if one really tries, he can accomplish difficult things ______________________

______________________________________________

**2.** that it is better to do a thing late than not to do it at all ______________________

______________________________________________

**3.** that things will get better eventually ______________________

______________________________________________

**4.** not to be fooled by a bright appearance ______________________

______________________________________________

**5.** that there is no joy without a bit of unpleasantness ______________________

______________________________________________

**6.** not to count on anything until he actually has it ______________________

______________________________________________

**7.** that there can be only one boss in any project ______________________

______________________________________________

**8.** not to give up something small, but certain, in order to seek something greater but uncertain ___

______________________________________________

**9.** that it is easier to talk about doing something than actually to do it ______________________

______________________________________________

**10.** that one can't argue about individual tastes ______________________

______________________________________________

**C.** Supply the missing word in each proverb.

1. De la mano a la boca se pierde la ____________________.
2. Cuatro ____________________ ven más que dos.
3. Querer es ____________________.
4. Más vale ____________________ en mano que cien volando.
5. Más vale tarde que ____________________.
6. Del dicho al hecho hay gran ____________________.
7. ____________________ que ladra no muerde.
8. No se ganó Zamora en una ____________________.
9. Dime con quién ____________________ y te diré quién eres.
10. ____________________ es creer.

**D.** What is the equivalent English proverb?

1. No hay mal que cien años dure. ____________________
2. No es oro todo lo que reluce. ____________________
3. De tal palo, tal astilla. ____________________
4. Saber es poder. ____________________
5. El mandar no quiere par. ____________________
6. No hay rosa sin espinas. ____________________
7. Sobre gustos no hay disputa. ____________________
8. Piedra movediza no cría moho. ____________________
9. Al buen entendedor, pocas palabras. ____________________
10. Ojos que no ven, corazón que no siente. ____________________

**E.** What proverb would a Spaniard use in response to each of the following remarks?

1. Paul told me how he plans to build his own house, but I doubt that he'll ever do it. ____________________
____________________
2. Believe me, I just bought a beautiful new car. ____________________
3. All his friends are like him: quiet and studious. ____________________
____________________
4. What a beautiful package! It must be worth a lot. ____________________
____________________
5. Do you think I should ask for help in solving this problem? ____________________
____________________
6. Oh, how sad I am! Will my troubles never end? ____________________
____________________
7. I'm surprised at how much he resembles his father. ____________________
____________________

8. Why must I study so much, daddy? ________________________________________

9. I want to meet her but don't know how to arrange it. ________________________________

10. I don't think I'll go to school today. It's very late already. ____________________________

11. He'll never get rich if he keeps changing jobs. ____________________________________

12. I think I'll quit my job and look for another with a larger salary. __________________________

13. I've been away so long! Do you think she still loves me? _______________________________

14. I'm afraid of that man. He threatened to hurt me. __________________________________

15. How is it possible for her to be in love with him? What does she see in him? ________________

**Iguazú Falls, located at the boundary of Brazil and Argentina, ranks among the world's greatest waterfalls. At certain points, huge volumes of water drop in roaring torrents from a height of 230 feet—70 feet higher than the largest waterfall at Niagara!**

# Part IV—Word Study

## 1. DIRECT COGNATES

Many Spanish and English words, derived from the same root, are related in form (spelling) and meaning. Such pairs of words are called *cognates*, because their relationship can be re-*cogn*-ized (recognized).

### EXACT COGNATES

Some Spanish words are spelled exactly as in English. These are called *exact cognates*. Among these are:

| | | |
|---|---|---|
| actor | doctor | piano |
| central | hotel | radio |
| color | idea | violín |
| chocolate | | |

*Note*

Although the spelling is similar, the pronunciation is different in Spanish.

### OTHER DIRECT COGNATES

Many other cognates can be recognized if we bear in mind certain rules of Spanish spelling and pronunciation:

**A.** Many Spanish words that end in **-ción** have a corresponding English word that ends in *-tion*:

**la pronunciación**—pronunciation

What is the English word that corresponds to:

| | |
|---|---|
| **1.** la admiración ______________________ | **6.** la invitación ______________________ |
| **2.** la atención ______________________ | **7.** la nación ______________________ |
| **3.** la celebración ______________________ | **8.** la producción ______________________ |
| **4.** la civilización ______________________ | **9.** la repetición ______________________ |
| **5.** la dirección ______________________ | **10.** la sección ______________________ |

**B.** The Spanish ending **-dad** corresponds to the English ending *-ty*:

**la sociedad**—society

What English word corresponds to:

| | |
|---|---|
| **1.** la autoridad ______________________ | **6.** la necesidad ______________________ |
| **2.** la capacidad ______________________ | **7.** la posibilidad ______________________ |
| **3.** la curiosidad ______________________ | **8.** la realidad ______________________ |
| **4.** la eternidad ______________________ | **9.** la universidad ______________________ |
| **5.** la generosidad ______________________ | **10.** la variedad ______________________ |

**C.** Many Spanish words that end in **-ia, -ía,** or **-io** end in *-y* in English:

**la familia**—family
**la fotografía**—photography
**el vocabulario**—vocabulary

What English word (or name) corresponds to:

| | |
|---|---|
| **1.** Antonio ________________ | **6.** historia ________________ |
| **2.** dormitorio ________________ | **7.** María ________________ |
| **3.** democracia ________________ | **8.** memoria ________________ |
| **4.** farmacia ________________ | **9.** necesario ________________ |
| **5.** geografía ________________ | **10.** remedio ________________ |

**D.** The Spanish ending **-oso** corresponds to the English ending *-ous*:

**misterioso**—mysterious

What English word corresponds to:

| | |
|---|---|
| **1.** curioso ________________ | **6.** montañoso ________________ |
| **2.** famoso ________________ | **7.** nervioso ________________ |
| **3.** furioso ________________ | **8.** numeroso ________________ |
| **4.** generoso ________________ | **9.** precioso ________________ |
| **5.** glorioso ________________ | **10.** religioso ________________ |

**E.** The Spanish adverb ending **-mente** corresponds to the English adverb ending *-ly*:

**finalmente**—finally

What English adverb corresponds to:

| | |
|---|---|
| **1.** correctamente ________________ | **6.** naturalmente ________________ |
| **2.** diligentemente ________________ | **7.** perfectamente ________________ |
| **3.** exactamente ________________ | **8.** rápidamente ________________ |
| **4.** frecuentemente ________________ | **9.** recientemente ________________ |
| **5.** inmediatamente ________________ | **10.** sinceramente ________________ |

**F.** No Spanish word may begin with the letter **s** + a consonant. Therefore, many English words that begin with **s** + a consonant have corresponding Spanish words beginning with **es-**:

**el espacio**—space

What English word corresponds to:

| | |
|---|---|
| **1.** escena ________________ | **6.** espíritu ________________ |
| **2.** escribir ________________ | **7.** espléndido ________________ |
| **3.** España ________________ | **8.** estación ________________ |
| **4.** especial ________________ | **9.** estudiante ________________ |
| **5.** espectáculo ________________ | **10.** estúpido ________________ |

## 2. INDIRECT COGNATES—PART I

Many Spanish words are *indirectly* related in form and meaning to English words. That is, there is a recognizable similarity in the forms of the two words, and an *indirect* connection in meaning. For example: **libro** means *book*, and is related in form to the English word *library*.

| Spanish Word | English Meaning | English Cognate |
|---|---|---|
| **agua** | water | *aquarium* |
| **alto** | high | *altitude* |
| **aprender** | to learn | *apprentice* |
| **árbol** | tree | *arbor* |
| **ascensor** | elevator | *to ascend* (rise) |
| **avión** | airplane | *aviation* |
| **azul** | blue | *azure* |
| **bailar** | to dance | *ballet* |
| **beber** | to drink | *beverage* |
| **biblioteca** | library | *bibliography* (list of books) |
| **brazo** | arm | *bracelet, embrace* |
| **calor** | heat | *calorie* |
| **caliente** | hot | |
| **cantar** | to sing | *chant* |
| **carne** | meat | *carnivorous* (meat-eating) |
| **carnicería** | butcher shop | |
| **carnicero** | butcher | |
| **ciento** | hundred | *century* |
| **cine** | movies | *cinema* |
| **comprender** | to understand | *comprehend* |
| **contra** | against | *contrary* |
| **correr** | to run | *current, courier* (messenger, runner) |
| **creer** | to believe | *credible, creed* (belief) |
| **¿cuánto?** | how much? | *quantity* |
| **deber** | to owe | *debt, debtor* (ower) |
| **décimo** | tenth | *decimal* |
| **día** | day | *diary* |
| **diente** | tooth | *dental, dentist* |
| **dormir** | to sleep | *dormitory* |
| **dormitorio** | bedroom | |
| **duro** | hard | *durable* |

### *EXERCISES*

**A.** Write (1) the Spanish word that is related to each English word, and (2) the English meaning of each Spanish word.

EXAMPLE: chant: *cantar*—to sing

**1.** ballet ------------------------- **6.** apprentice -------------------------

**2.** dental ------------------------- **7.** durable -------------------------

**3.** beverage ------------------------- **8.** aviation -------------------------

**4.** century ------------------------- **9.** quantity -------------------------

**5.** debt ------------------------- **10.** comprehend -------------------------

| | | | |
|---|---|---|---|
| **11.** cinema | __________________________ | **14.** dormitory | __________________________ |
| **12.** altitude | __________________________ | **15.** contrary | __________________________ |
| **13.** creed | __________________________ | | |

**B.** To the left of each Spanish word, first write the letter of the English meaning and then the letter of the English cognate.

| | Spanish Word | English Meaning | English Cognate |
|---|---|---|---|
| _______ | **1.** día | *a.* water | A. carnivorous |
| _______ | **2.** agua | *b.* blue | B. decimal |
| _______ | **3.** biblioteca | *c.* tenth | C. bibliography |
| _______ | **4.** décimo | *d.* arm | D. diary |
| _______ | **5.** brazo | *e.* library | E. ascend |
| _______ | **6.** árbol | *f.* heat | F. bracelet |
| _______ | **7.** carne | *g.* day | G. aquarium |
| _______ | **8.** azul | *h.* elevator | H. azure |
| _______ | **9.** ascensor | *i.* tree | I. arbor |
| _______ | **10.** calor | *j.* meat | J. calorie |

**C.** In each group underline the English word that correctly translates the Spanish word in italics.

| | | | |
|---|---|---|---|
| **1.** *deber:* | to drink, to owe, to tell | **6.** *bailar:* | to dance, to play ball, to believe |
| **2.** *cantar:* | to count, to sing, to buy | **7.** *aprender:* | to open, to learn, to understand |
| **3.** *duro:* | tooth, dear, hard | **8.** *cine:* | sign, century, movies |
| **4.** *comprender:* | to buy, to understand, to learn | **9.** *correr:* | to believe, to run, to want |
| **5.** *ciento:* | scientist, hundred, central | **10.** *alto:* | high, elevator, alter |

**D.** In each group underline the Spanish word that correctly translates the English word in italics.

| | | | |
|---|---|---|---|
| **1.** *arm:* | brazo, amar, armario | **6.** *how much?:* | ¿cuánto?, ¿cuándo?, ¿cuál? |
| **2.** *against:* | contar, contestar, contra | **7.** *tree:* | tres, árbol, alto |
| **3.** *library:* | libro, libre, biblioteca | **8.** *to drink:* | creer, bailar, beber |
| **4.** *heat:* | color, calor, carne | **9.** *to sleep:* | dormir, decir, morir |
| **5.** *airplane:* | playa, aire, avión | **10.** *tooth:* | día, duro, diente |

## 3. INDIRECT COGNATES—PART II

| SPANISH WORD | ENGLISH MEANING | ENGLISH COGNATE |
|---|---|---|
| **edificio** | building | *edifice* (large building) |
| **enfermo** | sick, ill | *infirmary* |
| **enfermedad** | illness | |
| **escribir** | to write | *scribble, scribe* |
| **fábrica** | factory | *fabricate* (manufacture) |
| **fácil** | easy | *facilitate* (make easy) |
| **fácilmente** | easily | |
| **feliz** | happy | *felicity* (happiness) |
| **felizmente** | happily | |
| **flor** | flower | *florist* |
| **guante** | glove | *gauntlet* |
| **habitación** | room | *inhabit* |
| **habitante** | inhabitant | |
| **hierba** | grass | *herb* |
| **lavar(se)** | to wash | *lavatory* |
| **leer** | to read | *legible* |
| **lengua** | language | *linguist* (specialist in languages) |
| **libre** | free | *liberty* |
| **libremente** | freely | |
| **libro** | book | *library* |
| **luna** | moon | *lunar* |
| **malo** | bad | *malefactor* (evildoer) |
| **mano** | hand | *manually* (by hand) |
| **mayor** | greater, older | *major, majority* |
| **médico** | doctor | *medical* |
| **menor** | lesser, younger | *minor, minority* |
| **menos** | less | *minus* |
| **mirar** | to look at | *mirror* |
| **morir** | to die | *mortal* |
| **nuevo** | new | *novelty* |

### *EXERCISES*

**A.** Write (1) the Spanish word that is related to each English word, and (2) the English meaning of each Spanish word.

EXAMPLE: linguist: *lengua*—language

**1.** lunar ________________________

**2.** flower ________________________

**3.** malefactor ________________________

**4.** manual ________________________

**5.** facilitate ________________________

**6.** edifice ________________________

**7.** felicity ________________________

**8.** library ________________________

**9.** herb ________________________

**10.** scribble ________________________

**11.** majority ________________________

**12.** minor ________________________

**13.** mirror ________________________

**14.** medical ________________________

**15.** lavatory ________________________

**B.** To the left of each Spanish word, first write the letter of the English meaning and then the letter of the English cognate.

| | Spanish Word | English Meaning | English Cognate |
|---|---|---|---|
| ------- | **1.** habitación | *a.* to die | A. liberty |
| ------- | **2.** menos | *b.* language | B. linguist |
| ------- | **3.** fábrica | *c.* ill | C. mortal |
| ------- | **4.** guante | *d.* glove | D. infirmary |
| ------- | **5.** leer | *e.* free | E. novelty |
| ------- | **6.** enfermo | *f.* to read | F. gauntlet |
| ------- | **7.** libre | *g.* less | G. minus |
| ------- | **8.** nuevo | *h.* factory | H. inhabit |
| ------- | **9.** morir | *i.* room | I. legible |
| ------- | **10.** lengua | *j.* new | J. fabricate |

**C.** In each group underline the English word that correctly translates the Spanish word in italics.

**1.** *menos:* less, younger, lesser

**2.** *morir:* to look at, to die, to show

**3.** *flor:* flower, florist, flour

**4.** *malo:* mallet, male, bad

**5.** *lavar:* to wash, to arrive, to carry

**6.** *habitación:* habit, room, to inhabit

**7.** *fácil:* easy, factory, flower

**8.** *edificio:* office, building, exercise

**9.** *mayor:* greater, better, mayor

**10.** *mano:* man, manage, hand

**D.** In each group underline the Spanish word that correctly translates the English word in italics.

**1.** *younger:* mano, menor, menos

**2.** *free:* libro, libre, fresco

**3.** *factory:* fábrica, flor, fecha

**4.** *happy:* feliz, tristemente, bonito

**5.** *grass:* hoja, árbol, hierba

**6.** *moon:* lunes, moneda, luna

**7.** *new:* nuevo, nieve, nueve

**8.** *to look at:* ver, mirar, buscar

**9.** *glove:* mano, corbata, guante

**10.** *doctor:* médico, medio, enfermedad

## 4. INDIRECT COGNATES—PART III

| SPANISH WORD | ENGLISH MEANING | ENGLISH COGNATE |
|---|---|---|
| **patria** | (native) country | *patriotic* |
| **pedir** | to request | *petition* |
| **pensar** | to think | *pensive* (thoughtful) |
| **periódico** | newspaper | *periodical* |
| **pluma** | pen, feather | *plume* |
| **pobre** | poor | *poverty* |
| **precio** | price | *precious* |
| **primero** | first | *primary* |
| **pronto** | soon | *prompt* |
| **revista** | magazine | *review* |
| **sala** | hall, parlor | *salon* |
| **sentir** | to regret, to feel | *sentiment* |
| **sol** | sun | *solar* |
| **sonar** | to sound | *sonorous* (high-sounding) |
| **tarde** | late | *tardy* |
| **tiempo** | time | *tempo*, *temporary* |
| **tierra** | earth, land | *territory* |
| **todo** | all | *total* |
| **valer** | to be worth | *value* |
| **vecino** | neighbor | *vicinity* (neighborhood) |
| **vender** | to sell | *vendor* |
| **ventana** | window | *ventilate* |
| **verdad** | truth | *verify* |
| **verde** | green | *verdant* (green) |
| **vida** | life | *vital*, *vitality* |
| **vivir** | to live | *revive*, *vivid* |

### *EXERCISES*

**A.** Write (1) the Spanish word that is related to each English word, and (2) the English meaning of each Spanish word.

| | RELATED SPANISH WORD | ENGLISH MEANING |
|---|---|---|
| EXAMPLE: vicinity | *vecino* | *neighbor* |
| **1.** periodical | ______________ | ______________ |
| **2.** territory | ______________ | ______________ |
| **3.** poverty | ______________ | ______________ |
| **4.** salon | ______________ | ______________ |
| **5.** primary | ______________ | ______________ |
| **6.** solar | ______________ | ______________ |
| **7.** total | ______________ | ______________ |
| **8.** vivid | ______________ | ______________ |
| **9.** prompt | ______________ | ______________ |
| **10.** tempo | ______________ | ______________ |

| | RELATED SPANISH WORD | ENGLISH MEANING |
|---|---|---|
| **11.** patriot | ---------------------------------- | ---------------------------------- |
| **12.** ventilate | ---------------------------------- | ---------------------------------- |
| **13.** plume | ---------------------------------- | ---------------------------------- |
| **14.** verdant | ---------------------------------- | ---------------------------------- |
| **15.** pensive | ---------------------------------- | ---------------------------------- |

**B.** To the left of each Spanish word, first write the letter of the English meaning and then the letter of the English cognate.

| | SPANISH WORD | ENGLISH MEANING | ENGLISH COGNATE |
|---|---|---|---|
| ------- | **1.** valer | *a.* life | A. review |
| ------- | **2.** vida | *b.* truth | B. sonorous |
| ------- | **3.** precio | *c.* magazine | C. precious |
| ------- | **4.** revista | *d.* late | D. value |
| ------- | **5.** verdad | *e.* price | E. verify |
| ------- | **6.** pedir | *f.* to sell | F. sentiment |
| ------- | **7.** sonar | *g.* to be worth | G. vital |
| ------- | **8.** tarde | *h.* to request | H. tardy |
| ------- | **9.** sentir | *i.* to regret | I. vendor |
| ------- | **10.** vender | *j.* to sound | J. petition |

**C.** In each group underline the English word that correctly translates the Spanish word in italics.

**1.** *periódico:* newspaper, period, periodical

**2.** *sala:* sale, hall, saloon

**3.** *verde:* vertical, divert, green

**4.** *valer:* bravery, to be worth, to fly

**5.** *pluma:* pen, pencil, plum

**6.** *todo:* bull, land, all

**7.** *vecino:* time, summer, neighbor

**8.** *patria:* country, father, courtyard

**9.** *ventana:* window, vent, ventilate

**10.** *tierra:* time, earth, terror

**D.** In each group underline the Spanish word that correctly translates the English word in italics.

**1.** *sun:* sol, hijo, soldado

**2.** *price:* costar, precio, valer

**3.** *to request:* pedir, perder, poder

**4.** *truth:* verdad, verde, viento

**5.** *first:* pronto, primero, primo

**6.** *to sell:* venir, ver, vender

**7.** *to regret:* sentir, sentar, triste

**8.** *poor:* pueblo, pobre, pronto

**9.** *late:* tiempo, ayer, tarde

**10.** *life:* vida, vivir, libre

## 5. WORDS FREQUENTLY CONFUSED

In Spanish there are many pairs of words that are written alike or sound alike, but have different meanings.

1. In the following pairs of words, an accent mark is used to distinguish one from the other.

**como,** as, like
**¿cómo?,** how?

**de,** of, from
**dé** (Vd.), give (*command*)

**el,** the
**él,** he, him

**mi,** my
**mí,** me

**que,** which, that, who
**qué,** what

**se,** himself, herself, yourself, themselves
(yo) **sé,** I know

**si,** if
**sí,** yes

**te,** you, yourself
**té,** tea

**tu,** your
**tú,** you

2. In each of the following pairs, the words have different meanings, depending on their use in the sentence.

(la) **cara,** face
(caro), **cara,** expensive

**como,** as, like
(yo) **como,** I eat

**entre,** between, among
**entre** (Vd.), enter (*command*)

**este,** this
(el) **este,** east

**mañana,** tomorrow
(la) **mañana,** morning

(la) **media,** stocking
(medio), **media,** half

**nada,** nothing, not . . . anything
(él, ella) **nada,** he (she, it) swims

(la) **parte,** part
(él, ella) **parte,** he (she, it) departs

**sobre,** on, over
(el) **sobre,** envelope

**tarde,** late
(la) **tarde,** afternoon

(el) **traje,** the suit
(yo) **traje,** I brought

(el) **vino,** wine
(él, ella) **vino,** he (she, it) came

3. The following pairs of words are confusing because of some similarity in spelling and pronunciation.

**cantar,** to sing
**contar,** to count

**¿cuánto?,** how much?
**¿cuándo?,** when?

**¿cuánto?,** how much?
**cuento,** story

**cuarto,** room, fourth
**cuatro,** four

el **dólar,** dollar
el **dolor,** ache, pain

la **falda,** skirt
la **falta,** mistake, error

el **hermano,** brother
**hermoso,** beautiful

el **hambre,** hunger
el **hombre,** man

**hay,** there is, there are
**hoy,** today

(inglés), **inglesa,** English
la **iglesia,** church

**libre,** free
el **libro,** book

la **luna,** moon
el **lunes,** Monday

**llegar,** to arrive
**llevar,** to carry, to wear

**llorar,** to cry
**llover,** to rain

**música,** music
(músico), **música,** musical

**nueve,** nine
**nuevo,** new

**pero,** but
**perro,** dog

la **plata,** silver
el **plato,** dish, plate

el **primo,** cousin
**primero,** first

el **queso,** cheese
él **quiso,** he wanted

**quince,** fifteen
**quinto,** fifth

**sentarse,** to sit down
**sentir,** to regret

**veinte,** twenty
**viento,** wind

el **viaje,** trip
**viejo,** old

*EXERCISES*

**A.** Translate the italicized words into English.

1. Venga Vd. a la celebración *mañana.* ____________________
2. Sacó del *sobre* un papel blanco. ____________________
3. Compre Vd. *este* remedio en la farmacia. ____________________
4. Arturo está sentado *entre* las dos muchachas. ____________________
5. Frecuentemente duermen por la *tarde.* ____________________
6. Fue una *mañana* gloriosa de primavera. ____________________
7. Bebe solamente *vino* de España. ____________________
8. Dan un paseo en coche hacia el *este.* ____________________
9. Busco un *traje* gris. ____________________
10. El piloto *nada* bien. ____________________
11. Había una lámpara *sobre* la cómoda. ____________________
12. Una *parte* del pastel es para ti. ____________________
13. No volamos *como* los pájaros. ____________________
14. Yo *traje* mi tocadiscos a la fiesta. ____________________
15. Las *medias* de nilón son muy *caras.* ____________________

**B.** Underline the word in parentheses that correctly completes each sentence.

1. ¿Expresas bien (tu, tú) idea?
2. ¿Expresas (tu, tú) bien la idea?
3. (Si, Sí), señor, soy norteamericana.
4. Su (pero, perro) es muy estúpido.
5. ¿Cómo (se, sé) llama Vd.?
6. Colón es el hombre (que, qué) descubrió el Nuevo Mundo.
7. Su (primero, primo) fuma demasiado.
8. ¿(Como, Cómo) se escaparon de la cárcel?
9. ¿Quién inventó (el, él) teléfono?
10. (De, Dé) Vd. la tiza al maestro.
11. No vi (la luna, el lunes) anoche.
12. No (te, té) reconozco con la máscara.
13. El vapor (llega, lleva) el martes próximo.
14. Aquel (hambre, hombre) respeta la autoridad.
15. Esa invitación es para (mi, mí).

**C.** Underline the Spanish word that translates the English word in italics.

1. *fifth:* quince, quinientos, quinto

2. *skirt:* fábrica, falda, falta
3. *brother:* hermano, hermoso, hierro
4. *ache:* cabeza, dólar, dolor
5. *stocking:* media, medio, mientras
6. *today:* hay, hoja, hoy
7. *trip:* viaje, vieja, viejo
8. *how much?:* ¿cómo?, ¿cuándo?, ¿cuánto?
9. *music:* museo, música, músico
10. *silver:* plata, plato, plaza
11. *cheese:* queso, quise, quiso
12. *to rain:* llenar, llorar, llover
13. *new:* nieve, nueve, nuevo
14. *twenty:* veinte, ventana, viento
15. *four:* cuadro, cuarto, cuatro

**D.** Translate the English words into Spanish.

1. *He came* a la una en punto. ______________
2. Lo *I regret* mucho. ______________
3. Nunca llegan *late.* ______________
4. Naturalmente saben *to sing.* ______________
5. Anoche vi una película *English.* ______________
6. El vapor *departs* el miércoles. ______________
7. El maestro refiere un *story* interesante. ______________
8. *I eat* carne y legumbres todos los días. ______________
9. Unos religiosos asistieron a la *church.* ______________
10. No saben *anything* de la geografía. ______________
11. *Enter* Vd. en la sala. ______________
12. En julio estoy *free* de las clases. ______________
13. ¿Sabe Vd. *to count* hasta ciento? ______________
14. No desea lavarse la *face.* ______________
15. *They sit down* para mirar el espectáculo. ______________

## 6. MASTERY EXERCISES

(LESSONS 1–5)

**A.** Write a direct Spanish cognate of each of the following English words.

| | | | |
|---|---|---|---|
| **1.** admiration | __________ | **11.** memory | __________ |
| **2.** capacity | __________ | **12.** naturally | __________ |
| **3.** furious | __________ | **13.** nervous | __________ |
| **4.** perfectly | __________ | **14.** numerous | __________ |
| **5.** authority | __________ | **15.** religious | __________ |
| **6.** spectacle | __________ | **16.** remedy | __________ |
| **7.** finally | __________ | **17.** geography | __________ |
| **8.** generous | __________ | **18.** celebration | __________ |
| **9.** glorious | __________ | **19.** necessity | __________ |
| **10.** invitation | __________ | **20.** possibility | __________ |

**B.** Write an indirect Spanish cognate of each of the following English words.

| | | | |
|---|---|---|---|
| **1.** mortal | __________ | **14.** felicity | __________ |
| **2.** calorie | __________ | **15.** prompt | __________ |
| **3.** dentist | __________ | **16.** inhabit | __________ |
| **4.** linguist | __________ | **17.** bracelet | __________ |
| **5.** herb | __________ | **18.** major | __________ |
| **6.** contrary | __________ | **19.** lunar | __________ |
| **7.** territory | __________ | **20.** decimal | __________ |
| **8.** infirmary | __________ | **21.** sentiment | __________ |
| **9.** facilitate | __________ | **22.** vital | __________ |
| **10.** durable | __________ | **23.** precious | __________ |
| **11.** dormitory | __________ | **24.** plume | __________ |
| **12.** liberty | __________ | **25.** patriotic | __________ |
| **13.** carnivorous | __________ | | |

**C.** In each of the following groups, underline the Spanish word that is a cognate of the English word in italics.

| | | | |
|---|---|---|---|
| **1.** *poverty:* | pobre, pueblo, propio | **7.** *courier:* | correr, corto, cortina |
| **2.** *verify:* | verdad, verbo, vestirse | **8.** *ballet:* | baúl, bailar, billete |
| **3.** *novelty:* | nueve, nuevo, nube | **9.** *diary:* | cuaderno, periódico, día |
| **4.** *library:* | escritorio, libre, libro | **10.** *legible:* | leer, lección, escribir |
| **5.** *salon:* | sala, sal, salir | **11.** *solar:* | solamente, sol, suelo |
| **6.** *temporary:* | tiempo, templo, tarde | **12.** *quantity:* | quinto, ¿cuánto?, número |

**13.** *primary:* primo, primavera, primero

**14.** *vendor:* ventana, vender, venir

**15.** *altitude:* abajo, alto, arriba

**D.** Underline the word in parentheses that correctly completes each sentence.

1. Ya toca el piano sin hacer (faldas, faltas).
2. El (cuarto, cuatro) de julio es un día especial.
3. ¿(Qué, Que) tiempo hace?
4. El (libre, libro) tiene doscientas páginas.
5. ¿(Cómo, Como) se dice esto en castellano?
6. Buscan monedas de (plata, plato).
7. ¿Es estúpido su (pero, perro)? ¡Cómo no!
8. ¿Es buena (mí, mi) pronunciación?
9. Llevo un paraguas porque va a (llorar, llover).
10. Tengo exactamente (quince, quinto) dólares en la cartera.
11. Yo (sé, se) algo de la civilización mexicana.
12. Tomó una taza de (té, te) con azúcar y limón.
13. (Hay, Hoy) escenas alegres y tristes en la película.
14. (Queso, Quiso) expresar una idea nueva.
15. Hace mucho (veinte, viento) en enero.

**E.** Translate the following pairs of words into English.

| | | | | | |
|---|---|---|---|---|---|
| **1.** | dolor | ____________ | **9.** | inglesa | ____________ |
| | dólar | ____________ | | iglesia | ____________ |
| **2.** | media | ____________ | **10.** | si | ____________ |
| | medio | ____________ | | sí | ____________ |
| **3.** | de | ____________ | **11.** | hermano | ____________ |
| | dé | ____________ | | hermoso | ____________ |
| **4.** | hambre | ____________ | **12.** | viaje | ____________ |
| | hombre | ____________ | | viejo | ____________ |
| **5.** | sentarse | ____________ | **13.** | ¿cuánto? | ____________ |
| | sentir | ____________ | | ¿cuándo? | ____________ |
| **6.** | tu | ____________ | **14.** | música | ____________ |
| | tú | ____________ | | músico | ____________ |
| **7.** | luna | ____________ | **15.** | el | ____________ |
| | lunes | ____________ | | él | ____________ |
| **8.** | cantar | ____________ | | | |
| | contar | ____________ | | | |

**F.** Write two meanings for each of the following words.

| | | | |
|---|---|---|---|
| **1.** nada | ______________________________ | **6.** sobre | ______________________________ |
| **2.** traje | ______________________________ | **7.** como | ______________________________ |
| **3.** mañana | ______________________________ | **8.** vino | ______________________________ |
| **4.** cara | ______________________________ | **9.** entre | ______________________________ |
| **5.** parte | ______________________________ | **10.** este | ______________________________ |

**Most cities and villages in southern Spain have narrow, winding streets. Nearly every home has a balcony, grilled windows and a flower-filled patio, or inner courtyard. From time to time, vendors with small donkeys pass along the streets and call out their wares.**

## 7. SYNONYMS

Synonyms are two or more words or expressions with the same meaning.

| SYNONYMS | MEANINGS |
|---|---|
| **a menudo, frecuentemente, muchas veces** | often, frequently |
| **a veces, algunas veces** | at times, sometimes |
| **al fin, finalmente** | finally, at last |
| **alcoba, dormitorio** | bedroom |
| **alegre, contento, feliz** | merry, happy |
| **algunos, unos, varios** | some, several |
| **alumno, estudiante** | pupil, student |
| **amigo, compañero** | friend, companion |
| **andar, caminar, ir a pie** | to walk |
| **aplicado, diligente** | diligent, studious |
| **automóvil, coche** | automobile, car |
| **bonito, guapo** | pretty |
| **camarero, mozo** | waiter |
| **comenzar (ie), empezar (ie)** | to begin |
| **completar, terminar** | to complete, to finish |
| **comprender, entender (ie)** | to understand |
| **contestar, responder** | to answer |
| **cuarto, habitación** | room |
| **cuento, historia** | story |
| **chico, niño** | child |
| **delante de, en frente de** | in front of, opposite |
| **de nada, no hay de qué** | you're welcome, don't mention it |
| **de nuevo, otra vez** | again |
| **desear, querer (ie)** | to wish, to want |
| **diente, muela** | tooth |
| **doctor, médico** | doctor |
| **encontrar (ue), hallar** | to find |
| **entonces, luego** | then |
| **error, falta** | error, mistake |
| **esposa, mujer** | wife |
| **examen, prueba** | test, examination |
| **maestro, profesor** | teacher |
| **montaña, monte** | mountain |
| **nación, país** | nation, country |
| **partir, salir (go)** | to leave, to depart |
| **poseer, tener (ie, go)** | to own, to have |
| **regresar, volver (ue)** | to return |

### *EXERCISES*

**A.** In each group, underline the synonym of the word in italics.

**1.** *amigo:* dueño, compañero, simpático

**2.** *delante de:* sin novedad, alguna vez, en frente de

**3.** *cuarto:* habitación, cuatro, cuadro

**4.** *unos:* mismos, varios, menos

5. *estudiante:* escritorio, pupitre, alumno
6. *bonito:* guapo, dulce, joven
7. *examen:* nota, prueba, salir mal
8. *país:* democracia, plaza, nación
9. *niño:* chico, juguete, sobrino
10. *desear:* respetar, gastar, querer
11. *poseer:* conservar, tener, recordar
12. *entonces:* propio, en punto, luego
13. *alegre:* generoso, contento, triste
14. *historia:* cuento, noticia, propina
15. *no hay de qué:* por favor, creo que no, de nada

**B.** To the left of each word in column *A*, write the letter of its synonym in column *B*.

| | *A* | *B* |
|---|---|---|
| _______ | **1.** andar | *a.* terminar |
| _______ | **2.** empezar | *b.* maestro |
| _______ | **3.** muela | *c.* aplicado |
| _______ | **4.** encontrar | *d.* ir a pie |
| _______ | **5.** diligente | *e.* falta |
| _______ | **6.** profesor | *f.* alcoba |
| _______ | **7.** error | *g.* automóvil |
| _______ | **8.** completar | *h.* comenzar |
| _______ | **9.** coche | *i.* diente |
| _______ | **10.** dormitorio | *j.* hallar |

**C.** From the list below, choose a synonym for each of the words or expressions in italics.

| | | |
|---|---|---|
| **a veces** | **médico** | **partió** |
| **entiende** | **mozo** | **regresaron** |
| **finalmente** | **mujer** | **responder** |
| **frecuentemente** | | |

1. Sale de paseo *a menudo.* _______________
2. El *camarero* ya trajo una servilleta. _______________
3. El tren *salió* a la una y media. _______________
4. *Algunas veces* trabajan diligentemente. _______________
5. ¿*Comprende* Vd. la explicación del maestro? _______________
6. *Al fin* llegaron a un pueblo pequeño. _______________
7. Vivió feliz con su *esposa.* _______________
8. A medianoche *volvieron* a casa. _______________

**9.** Arturo no sabe *contestar*. ______________________

**10.** El *doctor* le dio una receta. ______________________

**D.** Write a synonym of each of the following.

**1.** algunos ____________ **6.** nación ____________

**2.** otra vez ____________ **7.** guapo ____________

**3.** monte ____________ **8.** prueba ____________

**4.** muchas veces ____________ **9.** caminar ____________

**5.** feliz ____________ **10.** responder ____________

**E.** Translate in two ways.

**1.** bedroom ____________ ____________ **9.** to understand ____________ ____________

**2.** pupil ____________ ____________ **10.** then ____________ ____________

**3.** story ____________ ____________ **11.** mistake ____________ ____________

**4.** you're welcome ____________ ____________ **12.** waiter ____________ ____________

**5.** friend ____________ ____________ **13.** to begin ____________ ____________

**6.** child ____________ ____________ **14.** to find ____________ ____________

**7.** to want ____________ ____________ **15.** tooth ____________ ____________

**8.** to have ____________ ____________

## 8. ANTONYMS—PART I

An antonym is a word or expression *opposite* in meaning to another word.

**a menudo** / **frecuentemente**, frequently, often — **pocas veces,** rarely
**abajo,** down, downstairs — **arriba,** up, upstairs
**abrir,** to open — **cerrar (ie),** to close
**abuelo,** grandfather — **nieto,** grandson
**ahora,** now — **más tarde,** later
**alegre** / **feliz**, happy — **triste,** sad
**algo,** something — **nada,** nothing
**alguien,** someone — **nadie,** no one
**alguno,** some — **ninguno,** none
**alto,** high — **bajo,** low
**allí,** there — **aquí,** here
**amigo,** friend — **enemigo,** enemy
**ancho,** wide — **estrecho,** narrow
**antes de,** before — **después de,** after
**aplicado** / **diligente**, diligent — **perezoso,** lazy
**ayer,** yesterday — **mañana,** tomorrow
**barato,** cheap — **caro,** dear, expensive
**bien,** well — **mal,** badly
**blanco,** white — **negro,** black
**bueno,** good — **malo,** bad
**caliente,** hot, warm — **frío,** cold
**cerca de,** near — **lejos de,** far from
**comprar,** to buy — **vender,** to sell
**con,** with — **sin,** without
**corto,** short — **largo,** long
**dar,** to give — **tomar,** to take
**debajo de,** under, beneath — **sobre,** upon, over
**delante de,** in front of — **detrás de,** in back of
**derecho,** right — **izquierdo,** left
**despacio,** slowly — **rápidamente,** quickly
**día,** day — **noche,** night

### *EXERCISES*

**A.** In each group underline the antonym of the word or expression in italics.

1. *ancho:* derecho, bastante, estrecho
2. *enemigo:* amigo, propio, conmigo
3. *arriba:* hacia, abajo, subir
4. *mal:* demasiado, bondad, bien
5. *blanco:* enero, negro, plata
6. *vender:* comprar, valer, prestar
7. *despacio:* poco a poco, espacio, rápidamente
8. *nada:* alguno, noveno, algo

9. *bajo:* alto, vacío, grande
10. *abrir:* cenar, celebrar, cerrar
11. *frío:* nieve, caliente, sur
12. *caro:* barbero, barato, rico
13. *alguien:* unos, algodón, nadie
14. *más tarde:* ahora, pocas veces, al fin
15. *feliz:* llorar, contra, triste

**B.** To the left of each word in column *A*, write the letter of its antonym in column *B*.

| | *A* | *B* |
|---|---|---|
| _______ | **1.** frecuentemente | *a.* nieto |
| _______ | **2.** diligente | *b.* dar |
| _______ | **3.** tomar | *c.* corto |
| _______ | **4.** derecho | *d.* perezoso |
| _______ | **5.** alguno | *e.* mañana |
| _______ | **6.** largo | *f.* debajo de |
| _______ | **7.** sobre | *g.* pocas veces |
| _______ | **8.** abuelo | *h.* ninguno |
| _______ | **9.** ayer | *i.* día |
| _______ | **10.** noche | *j.* izquierdo |

**C.** From the list below, choose an antonym for each of the words or expressions in italics.

| | | |
|---|---|---|
| **alegre** | **caliente** | **detrás de** |
| **allí** | **con** | **izquierda** |
| **aplicado** | **después de** | **lejos de** |
| **bueno** | | |

1. *Delante de* la casa hay un río. ______________________
2. *Aquí* los habitantes hablan italiano. ______________________
3. Esa república tiene un presidente *malo.* ______________________
4. Tomaron la cena *cerca de* la Quinta Avenida. ______________________
5. En la calle vieron una escena *triste.* ______________________
6. Arturo es un alumno *perezoso.* ______________________
7. *Antes de* vestirse se lavó. ______________________
8. En la mano *derecha* lleva una maleta. ______________________
9. Da un paseo *sin* sus amigos. ______________________
10. Bebió un poco de leche *fría.* ______________________

**D.** Translate the following pairs of words into Spanish.

| | | | | |
|---|---|---|---|---|
| **1.** | upstairs | ________________________ | **9.** someone | ________________________ |
| | downstairs | ________________________ | no one | ________________________ |
| **2.** | something | ________________________ | **10.** to buy | ________________________ |
| | nothing | ________________________ | to sell | ________________________ |
| **3.** | grandfather | ________________________ | **11.** yesterday | ________________________ |
| | grandson | ________________________ | tomorrow | ________________________ |
| **4.** | well | ________________________ | **12.** near | ________________________ |
| | badly | ________________________ | far from | ________________________ |
| **5.** | under | ________________________ | **13.** in front of | ________________________ |
| | over | ________________________ | in back of | ________________________ |
| **6.** | friend | ________________________ | **14.** here | ________________________ |
| | enemy | ________________________ | there | ________________________ |
| **7.** | high | ________________________ | **15.** some | ________________________ |
| | low | ________________________ | none | ________________________ |
| **8.** | to give | ________________________ | | |
| | to take | ________________________ | | |

**E.** Answer the following questions negatively in complete Spanish sentences, using an antonym of the word or expression in italics.

EXAMPLE: ¿Desea Vd. tomar la comida *ahora*?
No, deseo tomar la comida *más tarde*.

1. ¿Son *baratos* los huevos? ________________________
2. ¿Le gusta a Vd. una silla *estrecha*? (No, me gusta . . .) ________________________
3. ¿Vuelan *despacio* los pájaros? ________________________
4. ¿Es *blanca* la pizarra? ________________________
5. ¿*Abre* Vd. el paraguas cuando hace sol? ________________________
6. ¿Come Vd. pescado *a menudo*? ________________________
7. ¿Tiene Vd. una *mala* memoria? ________________________
8. ¿Son *largas* las vacaciones? ________________________
9. ¿Estudia Vd. durante *el día*? ________________________
10. ¿Se acuesta Vd. *antes de* estudiar? ________________________

## 9. ANTONYMS—PART II

| | |
|---|---|
| **empezar (ie),** to begin | **terminar,** to end, to finish |
| **entrar (en),** to enter | **salir (go) (de),** to leave |
| **este,** east | **oeste,** west |
| **fácil,** easy | **difícil,** difficult, hard |
| **feo,** ugly | **hermoso,** beautiful<br>**bonito, guapo,** pretty |
| **fuerte,** strong | **débil,** weak |
| **grande,** large, big | **pequeño,** small, little |
| **hombre,** man | **mujer,** woman |
| **invierno,** winter | **verano,** summer |
| **levantarse,** to stand up | **sentarse (ie),** to sit down |
| **lleno,** full | **vacío,** empty |
| **más,** more | **menos,** less |
| **mayor,** greater, older | **menor,** lesser, younger |
| **mediodía,** noon | **medianoche,** midnight |
| **moreno,** brunette | **rubio,** blond |
| **mucho,** much | **poco,** little |
| **no,** no | **sí,** yes |
| **norte,** north | **sur,** south |
| **nunca,** never | **siempre,** always |
| **olvidar,** to forget | **recordar (ue),** to remember |
| **perder (ie),** to lose | **encontrar (ue), hallar,** to find<br>**ganar,** to win |
| **pobre,** poor | **rico,** rich |
| **ponerse (go),** to put on | **quitarse,** to take off |
| **pregunta,** question | **respuesta,** answer |
| **preguntar,** to ask | **contestar, responder,** to answer |
| **presente,** present | **ausente,** absent |
| **ruido,** noise | **silencio,** silence |
| **subir,** to go up | **bajar,** to go down |
| **tarde,** late | **temprano,** early |
| **viejo,** old | **joven,** young<br>**nuevo,** new |
| **vivir,** to live | **morir (ue),** to die |

### *EXERCISES*

**A.** In each group, underline the antonym of the word in italics.

**1.** *empezar:* lograr, comenzar, terminar

**2.** *mediodía:* y media, medianoche, remedio

**3.** *mayor:* numeroso, menor, medio

**4.** *viejo:* nuevo, noveno, nueve

**5.** *encontrar:* perder, inventar, desaparecer

**6.** *olvidar:* recordar, reconocer, referir

**7.** *moreno:* pardo, rubio, rosado

**8.** *norte:* sur, este, oeste

**9.** *fuerte:* duro, nervioso, débil

**10.** *pregunta:* contestar, responder, respuesta

**11.** *más:* menor, poco, menos

**12.** *vivir:* existir, morir, romper

**13.** *subir:* sentir, bajar, poseer

**14.** *nunca:* siempre, nadie, algo

**15.** *entrar:* sacar, llenar, salir

**B.** To the left of each word in column *A*, write the letter of its antonym in column *B*.

| | *A* | *B* |
|---|---|---|
| ------- | **1.** este | *a.* silencio |
| ------- | **2.** levantarse | *b.* mujer |
| ------- | **3.** no | *c.* poco |
| ------- | **4.** ponerse | *d.* vacío |
| ------- | **5.** mucho | *e.* viejo |
| ------- | **6.** hombre | *f.* contestar |
| ------- | **7.** joven | *g.* oeste |
| ------- | **8.** preguntar | *h.* sí |
| ------- | **9.** ruido | *i.* quitarse |
| ------- | **10.** lleno | *j.* sentarse |

**C.** From the list below, choose an antonym for each of the words or expressions in italics.

| | | |
|---|---|---|
| **ausente** | **pequeño** | **salió de** |
| **bonita** | **perdieron** | **temprano** |
| **fácil** | **pobre** | **verano** |
| **olvidó** | | |

**1.** *Ganaron* exactamente seiscientos dólares. --------------------------

**2.** Aquel zapatero no es *rico.* --------------------------

**3.** Luis estuvo *presente* el jueves pasado. --------------------------

**4.** Vieron una escena muy *fea.* --------------------------

**5.** ¿Hace calor en el *invierno*? --------------------------

**6.** Fue *difícil* escaparse de la cárcel. --------------------------

**7.** Llegaron *tarde* a la celebración. --------------------------

**8.** *Entró en* la farmacia. --------------------------

**9.** No *recordó* su promesa. --------------------------

**10.** Entre las dos casas había un espacio *grande.* --------------------------

**D.** Translate the following pairs of words into Spanish.

1. weak ____________________
   strong ____________________
2. question ____________________
   answer ____________________
3. younger ____________________
   older ____________________
4. to live ____________________
   to die ____________________
5. always ____________________
   never ____________________
6. no ____________________
   yes ____________________
7. empty ____________________
   full ____________________
8. east ____________________
   west ____________________
9. lose ____________________
   win ____________________
10. woman ____________________
    man ____________________
11. beautiful ____________________
    ugly ____________________
12. to put on ____________________
    to take off ____________________
13. to begin ____________________
    to end ____________________
14. blond ____________________
    brunette ____________________
15. less ____________________
    more ____________________

**E.** Answer the following questions negatively in complete Spanish sentences, using an antonym of the word in italics.

EXAMPLE: ¿Es *difícil* la geografía? No, la geografía es *fácil.*

1. ¿Son *feas* las violetas? ____________________
2. ¿Llega Vd. *tarde* a la escuela? ____________________
3. ¿Están *ausentes* todos los alumnos? ____________________
4. ¿Hay mucha nieve en el *verano*? ____________________
5. ¿Tienen muchos juguetes los niños *pobres*? ____________________
6. ¿Hace sol a *medianoche*? ____________________
7. ¿Son *pequeños* los elefantes? ____________________
8. ¿Hace calor en el *norte*? ____________________
9. ¿Le gusta a Vd. el *ruido*? (No, me gusta . . .) ____________________
10. ¿Estudia Vd. *poco*? ____________________

## 10. CLASSIFIED VOCABULARY

*GROUP I—PERSONAL*

### THE BODY

**la boca,** mouth
**el brazo,** arm
**la cabeza,** head
**la cara,** face
**el cuerpo,** body
**el dedo,** finger, toe
**el diente,** tooth
**el labio,** lip
**la lengua,** tongue
**la mano,** hand
**la muela,** tooth
**la nariz,** nose
**el ojo,** eye
**la oreja,** ear
**el pelo,** hair
**el pie,** foot

### HEALTH

**bien,** well
**el doctor,** doctor
**el dolor,** ache, pain
**la enfermedad,** illness
**la enfermera,** nurse
**enfermo, -a,** ill, sick
**el hospital,** hospital
**el médico,** doctor
**el resfriado,** cold (illness)
**la salud,** health

### THE FAMILY

**la abuela,** grandmother
**el abuelo,** grandfather

**la esposa,** wife
**el esposo,** husband

**la familia,** family

**la hermana,** sister
**el hermano,** brother

**la hija,** daughter
**el hijo,** son

**la madre,** mother
**la mamá,** mom, mother

**la nieta,** granddaughter
**el nieto,** grandson

**el padre,** father
**el papá,** dad

**el pariente,** relative

**la prima**, **el primo**, cousin

**la sobrina,** niece
**el sobrino,** nephew

**la tía,** aunt
**el tío,** uncle

### THE HOME

**la alcoba,** bedroom
**el apartamiento,** apartment
**el ascensor,** elevator
**la casa,** house, home
**la casa particular,** private house
**la cocina,** kitchen
**el comedor,** dining room
**el cuarto,** room
**el dormitorio,** bedroom
**la escalera,** stairs, staircase
**el escritorio,** study, office
**la habitación,** room
**el patio,** courtyard
**el piso,** floor, story, apartment
**la sala,** parlor
**el sótano,** cellar
**el suelo,** floor, ground

## FURNITURE

**la alfombra,** rug, carpet
**el armario,** closet
**la cama,** bed
**la cómoda,** bureau, dresser
**la cortina,** curtain
**el escritorio,** desk
**la lámpara,** lamp
**la mesa,** table
**los muebles,** furniture
**la silla,** chair
**el sillón,** armchair
**el sofá,** sofa

## CLOTHING

**el abrigo,** overcoat
**la blusa,** blouse
**el bolsillo,** pocket
**el botón,** button
**el calcetín,** sock
**la camisa,** shirt
**la corbata,** necktie
**el chaleco,** vest
**la chaqueta,** jacket
**la falda,** skirt
**la gorra,** cap
**el guante,** glove
**la media,** stocking
**los pantalones,** trousers
**la ropa,** clothing
**el sombrero,** hat
**el traje,** suit
**el vestido,** dress
**el zapato,** shoe

**llevar,** to wear
**ponerse,** to put on
**quitarse,** to take off

## *EXERCISES*

**A.** Underline the word in each group that is not related to the other words in the group.

1. armario, cama, nariz, silla
2. traje, pantalones, falda, piso
3. calcetín, media, ojo, vestido
4. mesa, pie, sofá, cómoda
5. diente, cocina, cuarto, escalera
6. labio, muela, pelo, ascensor
7. comedor, alcoba, sótano, lengua
8. papá, abuelo, nieto, oreja
9. cara, zapato, camisa, blusa
10. médico, cortina, enfermera, hospital
11. hija, pariente, dedo, esposa
12. padre, mano, tía, madre
13. chaleco, quitarse, gorra, sobrina
14. dormitorio, habitación, botón, sala
15. escritorio, mamá, hermana, prima

**B. ¿Sí o No?** If the statement is true, write **sí;** if it is false, correct it by changing the words in italics, writing the correct words in the blank.

1. Tengo cinco *dientes* en cada mano. ______________________________
2. Si estoy *enfermo*(*-a*) mi madre llama al doctor. ______________________________
3. Llevo zapatos en los *pies*. ______________________________
4. Mi primo es el *hijo* de mi tío. ______________________________
5. Puse una alfombra en *la mesa*. ______________________________
6. Solamente *una familia* vive en una casa particular. ______________________________
7. *El suelo* es el cuarto más grande del apartamiento. ______________________________

8. Llevo un abrigo *debajo de* la camisa. ______________________

9. La mesa y la lámpara son *muebles*. ______________________

10. Comemos con *la boca*. ______________________

C. Underline the word or expression in parentheses that best completes the sentence.

1. En la cabeza llevo un (sillón, sombrero).
2. Ella lleva hoy una (blusa, cómoda) amarilla.
3. Compró un (vestido, bolsillo) gris.
4. Trabajamos con los (brazos, patios).
5. Mi madre prepara las comidas en la (escalera, cocina).
6. Cuando estoy bien no tengo (chaqueta, dolor).
7. Mi hermano es el (esposo, sobrino) de mi tía.
8. Desea ponerse los guantes en (las manos, la cara).
9. La madre de mi padre es mi (nieta, abuela).
10. Cuando tengo un resfriado estoy (enfermo, bien).

## *GROUP II—ACTIVITIES*

### SCHOOL

**el alumno (la alumna),** pupil
**la asignatura,** subject
**el borrador,** eraser
**la clase,** class
**el cuaderno,** notebook
**el dictado,** dictation
**el error,** mistake, error
**la escuela,** school
**el (la) estudiante,** student
**el examen,** examination, test
**la falta,** mistake, error
**la frase,** sentence
**el lápiz,** pencil
**la lección,** lesson
**el libro,** book
**el maestro (la maestra),** teacher
**la nota,** mark
**la página,** page
**la palabra,** word
**el papel,** paper
**el párrafo,** paragraph
**la pizarra,** blackboard
**la pluma,** pen
**el profesor (la profesora),** teacher
**la prueba,** examination, test
**el pupitre,** (pupil's) desk
**la sala de clase,** classroom
**la tiza,** chalk
**el vocabulario,** vocabulary

**aprender,** to learn
**contestar,** to answer
**enseñar,** to teach
**escribir,** to write
**escuchar,** to listen (to)
**estudiar,** to study
**explicar,** to explain
**leer,** to read
**preguntar,** to ask
**responder,** to answer

## OCCUPATIONS

**el abogado,** lawyer
**el actor,** actor
**la actriz,** actress
**el barbero,** barber
**el campesino,** farmer
**el carnicero,** butcher
**el científico,** scientist
**el comerciante,** merchant, businessman
**el criado,** servant
**la criada,** servant, maid
**el chófer,** chauffeur
**el dentista,** dentist
**el doctor,** doctor
**el dueño,** owner, boss
**la enfermera,** nurse
**el maestro**, **la maestra**: teacher
**el médico,** doctor
**el oficio,** occupation
**el panadero,** baker
**el piloto,** pilot
**el profesor**, **la profesora**: teacher
**el sastre,** tailor
**el soldado,** soldier
**la taquígrafa,** stenographer
**el zapatero,** shoemaker

**trabajar,** to work

## AMUSEMENTS

**el béisbol,** baseball
**la canción,** song
**el cine,** movies
**el concierto,** concert
**el disco,** record
**las diversiones,** amusements
**el instrumento,** instrument
**la música,** music
**la película,** film, movie
**el programa,** program
**la radio,** radio
**el teatro,** theater
**la televisión,** television
**el tenis,** tennis
**el tocadiscos,** record player

**bailar,** to dance
**cantar,** to sing
**jugar (ue),** to play (a game)
**nadar,** to swim
**patinar,** to skate
**tocar,** to play (music)

## TRAVEL

**el autobús,** bus
**el automóvil,** automobile
**el avión,** airplane
**el baúl,** trunk
**la bicicleta,** bicycle
**el billete,** ticket
**el camino,** road, way
**el coche,** car, automobile
**el este,** east
**el ferrocarril,** railroad
**la maleta,** suitcase
**el norte,** north
**el oeste,** west
**el sur,** south
**el tren,** train
**el vapor,** steamship
**el viaje,** trip, voyage

**caminar,** to walk
**regresar,** to return
**viajar,** to travel
**volver,** to return

## *EXERCISES*

**A.** Underline the word in each group that is not related to the other words in the group.

1. científico, zapatero, pluma, panadero
2. piloto, actor, concierto, soldado
3. párrafo, dictado, baúl, página

4. avión, sala de clase, bicicleta, coche
5. enfermera, campesino, carnicero, autobús
6. aprender, enseñar, nadar, escuchar
7. dueño, vocabulario, taquígrafa, comerciante
8. leer, disco, tocadiscos, radio
9. escuela, papel, lección, criado
10. vapor, ferrocarril, viajar, teatro
11. trabajar, bailar, cantar, patinar
12. pizarra, clase, pupitre, billete
13. caminar, estudiar, explicar, asignatura
14. tenis, tiza, béisbol, jugar
15. este, preguntar, norte, oeste

**B.** Underline the word or phrase in parentheses that best completes the meaning of each sentence.

1. Hay varias frases en (una buena nota, una palabra, un párrafo).
2. Ponemos la ropa en (un camino, una maleta, una alfombra).
3. Contesté perfectamente; (no hice ningunos, hice pocos, hice numerosos) errores.
4. Frecuentemente hablo en (el teléfono, el programa, la televisión) con mis amigos.
5. Tengo un (cuaderno, cuadro, cuchillo) para escribir cosas importantes.
6. Los sastres venden (naranjas, peras, chalecos).
7. Los (barberos, abogados, chóferes) cortan el pelo.
8. En el cine vimos (una canción, una película, la música).
9. Escribo con un (borrador, libro, lápiz).
10. El Canadá está al (sur, norte, oeste) de México.

**C.** To the left of each word in column *A*, write the letter of its synonym or a related word in column *B*.

| | *A* | *B* |
|---|---|---|
| _______ | **1.** falta | *a.* médico |
| _______ | **2.** automóvil | *b.* estudiante |
| _______ | **3.** ferrocarril | *c.* instrumento |
| _______ | **4.** profesor | *d.* tren |
| _______ | **5.** tocar | *e.* prueba |
| _______ | **6.** contestar | *f.* coche |
| _______ | **7.** regresar | *g.* volver |
| _______ | **8.** examen | *h.* error |
| _______ | **9.** doctor | *i.* responder |
| _______ | **10.** alumno | *j.* maestro |

## 11. CLASSIFIED VOCABULARY (CONTINUED)

### *GROUP III—MISCELLANEOUS*

#### FOODS

**el agua,** water
**el alimento,** food
**el azúcar,** sugar
**el café,** coffee
**la carne,** meat
**la cereza,** cherry
**el chocolate,** chocolate
**la ensalada,** salad
**la fruta,** fruit
**la gaseosa,** soda pop
**el helado,** ice cream
**el huevo,** egg
**la leche,** milk
**la legumbre,** vegetable
**el limón,** lemon
**la mantequilla,** butter
**la manzana,** apple
**la naranja,** orange
**el pan,** bread
**el pastel,** pie, pastry
**la patata,** potato
**la pera,** pear
**el pescado,** fish
**la pimienta,** pepper
**el pollo,** chicken
**el postre,** dessert
**el queso,** cheese
**el refresco,** refreshment
**la sal,** salt
**la sopa,** soup
**el té,** tea
**el vino,** wine

**beber,** to drink
**comer,** to eat

#### ANIMALS

**el animal,** animal
**el burro,** donkey
**el caballo,** horse
**el elefante,** elephant
**la gallina,** hen
**el gallo,** rooster
**el gato,** cat
**el león,** lion
**el pájaro,** bird
**el perro,** dog
**el tigre,** tiger
**la vaca,** cow

#### STORES

**la bodega,** grocery store
**la carnicería,** butcher shop
**la farmacia,** drugstore, pharmacy
**el mercado,** market
**la panadería,** bakery
**el supermercado,** supermarket
**la tienda,** store, shop
**la tienda de ropa,** clothing store
**la zapatería,** shoe store

#### BUILDINGS

**la biblioteca,** library
**la cárcel,** prison
**la casa,** house
**la catedral,** cathedral
**el edificio,** building
**la escuela,** school
**la estación,** station
**el hospital,** hospital
**el hotel,** hotel
**la iglesia,** church
**el museo,** museum
**el palacio,** palace
**el puente,** bridge
**el templo,** temple
**la universidad,** university

## NATURE

**el aire,** air
**el árbol,** tree
**el bosque,** forest
**el campo,** country
**el cielo,** sky
**el clavel,** carnation
**la estrella,** star
**la flor,** flower
**la hierba,** grass
**la hoja,** leaf
**el jardín,** garden
**la luna,** moon
**la montaña** / **el monte** } mountain
**el mundo,** world
**la naturaleza,** nature
**la nube,** cloud
**la planta,** plant
**la playa,** beach, seashore
**el río,** river
**la rosa,** rose
**el sol,** sun
**la tierra,** land, earth
**la violeta,** violet

## COLORS

**amarillo, -a,** yellow
**azul,** blue
**blanco, -a,** white
**el color,** color
**gris,** gray
**negro, -a,** black
**pardo, -a,** brown
**rojo, -a,** red
**rosado, -a,** pink
**verde,** green

## WHERE?

**abajo,** down, downstairs
**allí,** there
**aquí,** here
**arriba,** up, upstairs
**cerca de,** near
**debajo de,** under, beneath
**delante de,** in front of
**detrás de,** in back of
**¿dónde?,** where?
**en,** in, on
**en frente de,** in front of, opposite
**entre,** between
**lejos de,** far from
**sobre,** on, over

## *EXERCISES*

**A.** Underline the word in each group that is not related to the other words in the group.

**1.** fruta, manzana, cereza, puente
**2.** clavel, templo, iglesia, catedral
**3.** naranja, azul, ensalada, pera
**4.** negro, planta, jardín, árbol
**5.** mundo, cielo, aire, mercado
**6.** carnicería, bodega, panadería, elefante
**7.** universidad, escuela, rojo, biblioteca
**8.** entre, allí, sopa, aquí
**9.** vino, hoja, café, agua
**10.** caballo, bosque, montaña, campo
**11.** tigre, león, gato, helado
**12.** pimienta, zapatería, sal, chocolate
**13.** amarillo, gris, cárcel, pardo
**14.** museo, abajo, sobre, arriba
**15.** queso, pan, huevo, burro

**B. ¿Sí o No?** If the statement is true, write **sí;** if it is false, correct it by changing the words in italics, writing the correct words in the blank.

**1.** Los *panaderos* cultivan la tierra. --------------------------------

2. Las rosas y las violetas son flores *bonitas.* ________________

3. Las personas religiosas asisten a *la estación* los domingos. ________________

4. Puedo comprar mantequilla en un *supermercado.* ________________

5. Me gusta *comer* té caliente. ________________

6. Venden pantalones y camisas en *una tienda de ropa.* ________________

7. Traigo las recetas a *la farmacia.* ________________

8. En los árboles viven muchos *pájaros.* ________________

9. Cuando tengo *sed* tomo una gaseosa. ________________

10. Hay *agua* en el río. ________________

11. *Antes de* cenar tomamos los postres. ________________

12. Los *reyes* viven en sus palacios. ________________

13. Durante *el día* vemos estrellas en el cielo. ________________

14. *Muchas* legumbres son verdes. ________________

15. El sótano está *debajo de* la casa. ________________

**C.** Translate into English.

1. En la pared detrás de la clase hay varios cuadros. ________________
________________________________

2. La luna no está cerca de la tierra. ________________

3. Compró un remedio en la farmacia. ________________

4. Sirven el pescado en un plato grande. ________________

5. ¿Bebe Vd. té con azúcar? ________________

6. Por la tarde tomo un refresco. ________________

7. El campesino tiene gallos y gallinas. ________________

8. ¿Puede Vd. darme una taza de café? ________________

9. Ya es necesario cortar la hierba. ________________

10. ¿Vas a comer conmigo esta noche? ________________

**D.** Underline the word or expression in parentheses that best completes the meaning of each sentence.

1. Me gustan los postres, por ejemplo (pasteles, pescado).

2. El (pero, perro) de Vd. es un animal estúpido.

3. Van a la (escuela, playa) para divertirse.

4. Naturalmente, muchas enfermeras trabajan en los (montes, hospitales).

5. Un animal del campo es la (vaca, patata).

6. El (pardo, pollo) es mi carne favorita.

7. La nieve es (blanca, rosada).

8. En mi jardín hay (nubes, flores) bonitas.

9. (Enfrente del, Entre el) hotel había una plaza ancha.
10. La pizarra está (delante de, lejos de) la clase.

## *GROUP IV—SEASONS, WEATHER, AND TIME INTERVALS*

### SEASONS AND WEATHER

**el calor,** heat, warmth
**la estación,** season
**el fresco,** coolness
**el frío,** cold
**el invierno,** winter
**la nieve,** snow
**el otoño,** autumn
**el paraguas,** umbrella
**la primavera,** spring
**el sol,** sun
**el tiempo,** weather
**el verano,** summer
**el viento,** wind

**hace (calor, fresco, frío, sol, viento),** it is (hot, cool, cold, sunny, windy)
**llover (ue),** to rain
**nevar (ie),** to snow

### MONTHS

**enero,** January
**febrero,** February
**marzo,** March
**abril,** April
**mayo,** May
**junio,** June
**julio,** July
**agosto,** August
**septiembre,** September
**octubre,** October
**noviembre,** November
**diciembre,** December

### DAYS

**domingo,** Sunday
**lunes,** Monday
**martes,** Tuesday
**miércoles,** Wednesday
**jueves,** Thursday
**viernes,** Friday
**sábado,** Saturday

### WHEN?

**ahora,** now
**anoche,** last night
**antes de,** before
**el año,** year
**ayer,** yesterday
**¿cuándo?,** when?
**después de,** after
**el día,** day
**entonces,** then
**la fecha,** date
**la hora,** time (hour)
**hoy,** today
**luego,** then
**mañana,** tomorrow
**la mañana,** morning
**medianoche,** midnight
**mediodía,** noon
**el mes,** month
**el minuto,** minute
**la noche,** night
**nunca,** never
**pasado, -a,** last (past)
**pronto,** soon
**próximo, -a,** next
**la semana,** week
**siempre,** always
**tarde,** late
**la tarde,** afternoon
**temprano,** early

*GROUP V—COUNTRIES, INHABITANTS, AND LANGUAGES*

| | | |
|---|---|---|
| **Alemania,** Germany | **los alemanes,** Germans | **el alemán,** German |
| **la Argentina,** Argentina | **los argentinos,** Argentinians | **el español,** Spanish |
| **el Canadá,** Canada | **los canadienses,** Canadians | **el inglés,** English<br>**el francés,** French |
| **España,** Spain | **los españoles,** Spaniards | **el español**<br>**el castellano** } Spanish |
| **los Estados Unidos,** the United States | **los norteamericanos,** Americans | **el inglés,** English |
| **Francia,** France | **los franceses,** French | **el francés,** French |
| **Inglaterra,** England | **los ingleses,** English | **el inglés,** English |
| **Italia,** Italy | **los italianos,** Italians | **el italiano,** Italian |
| **México,** Mexico | **los mexicanos,** Mexicans | **el español,** Spanish |
| **Portugal,** Portugal | **los portugueses,** Portuguese | **el portugués,** Portuguese |
| **Rusia,** Russia | **los rusos,** Russians | **el ruso,** Russian |

*EXERCISES*

**A. ¿Sí o No?** If the statement is true, write **sí;** if it is false, correct it by changing the words in italics, writing the correct words in the blank.

**1.** Hay *seis* horas entre mediodía y medianoche. ______________________

**2.** Hay *sesenta* minutos en una hora. ______________________

**3.** Después de abril viene el mes de *marzo.* ______________________

**4.** El otoño *termina* en septiembre. ______________________

**5.** En muchas partes nieva en el *invierno.* ______________________

**6.** Los mexicanos hablan *español.* ______________________

**7.** En Inglaterra los habitantes hablan *italiano.* ______________________

**8.** Hace *frío* en el invierno. ______________________

**9.** Esta mañana y esta tarde ocurren el mismo *día.* ______________________

**10.** No hay *clases* los sábados y los domingos. ______________________

**11.** Cuando *hace sol* uso un paraguas. ______________________

**12.** En *el Canadá* hablan inglés y francés. ______________________

**13.** Julio es el *séptimo* mes del año. ______________________

**14.** El sexto día de la semana es *martes.* ______________________

**15.** Hay *trece* días en el mes de mayo. ______________________

**B.** Underline the word in each group that is not related to the other words in the group.

**1.** noviembre, junio, agosto, viernes

**2.** Alemania, Colón, los Estados Unidos, México

**3.** Rusia, España, Nuevo Mundo, Italia

**4.** verano, canadiense, alemán, norteamericano

**5.** hace calor, hace viento, la semana próxima, hace fresco

6. día, enero, tarde, noche
7. luego, ruso, ayer, el año pasado
8. invierno, nevar, lunes, llover
9. estación, ahora, entonces, pronto
10. fecha, mes, año, paraguas

**C.** Underline the word in parentheses that best completes each of the following sentences.

1. La clase comienza a las nueve, pero yo llego a las nueve y media; llego (tarde, temprano).
2. La celebración de la Navidad ocurre en (octubre, diciembre).
3. Mi estación favorita es la (nieve, primavera).
4. El miércoles viene antes del (jueves, lunes).
5. El (castellano, portugués) es la lengua de España.
6. Las palabras *nunca* y *siempre* son (sinónimos, antónimos).
7. Mañana es el día que viene después de (hoy, ayer).
8. Vuelvo de la escuela por la (tarde, mañana).
9. Hay cincuenta y dos (meses, semanas) en un año.
10. Febrero es el (octavo, segundo) mes del año.

## 12. MASTERY EXERCISES

(LESSONS 7–11)

**A.** From the list below, choose a synonym for each of the words or expressions in italics.

| | | | |
|---|---|---|---|
| **amigos** | **empezaron** | **hallamos** | **mozos** |
| **automóvil** | **entiendo** | **la prueba** | **mujer** |
| **cuartos** | **estudiantes** | **las muelas** | **partió** |
| **de nada** | **faltas** | **médico** | **respondió** |
| **de nuevo** | **guapa** | **montes** | **termino** |

1. El dentista examinó *los dientes.* ________________
2. Su *esposa* tiene el pelo moreno. ________________
3. Te *comprendo* perfectamente. ________________
4. La semana pasada *comenzaron* la octava lección. ________________
5. Ella es inteligente y *bonita.* ________________
6. El tren *salió* lleno de viajeros. ________________
7. Hay cuatrocientos *alumnos* en la escuela. ________________
8. Había solamente dos *camareros* en el restaurante. ________________
9. Si Vd. me dice "gracias," yo contesto: "*No hay de qué.*" ________________
10. Hay cincuenta *habitaciones* en el hotel. ________________
11. Al llegar a casa *encontramos* la invitación. ________________
12. No salimos bien en *el examen* de geografía. ________________
13. En el mapa aparecen numerosos ríos y *montañas.* ________________
14. El ladrón desapareció *otra vez.* ________________
15. ¿Puede Vd. pronunciar sin hacer *errores*? ________________
16. Yo le pregunté "¿Qué tal?" y él me *contestó* "Sin novedad." ________________
17. Naturalmente, mis *compañeros* saben bailar el tango. ________________
18. Todas las noches *completo* mis tareas. ________________
19. ¿Sabe vuestro tío conducir un *coche*? ________________
20. El *doctor* me dio una receta. ________________

**B.** In each of the following groups underline the two words with similar meanings.

1. andar, camarero, caminar, chico
2. al fin, algunas veces, a menudo, finalmente
3. ciudad, nación, campo, país
4. a veces, varios, unos, muchas veces
5. desear, ir a pie, regresar, volver
6. poseer, tener, hallar, querer

**7.** niño, profesor, maestro, alumno

**8.** camarero, alcoba, dormitorio, estudiante

**9.** luego, feliz, mozo, entonces

**10.** historia, luego, cuento, de nada

**C.** To the left of each word in column *A*, first write the letter of its synonym in column *B*, then the letter of its antonym in column *C*.

| | *A* | *B* (synonym) | *C* (antonym) |
|---|---|---|---|
| ------- | **1.** alegre | *a.* comenzar | A. preguntar |
| ------- | **2.** delante de | *b.* varios | B. terminar |
| ------- | **3.** bonito | *c.* diligente | C. triste |
| ------- | **4.** amigo | *d.* guapo | D. feo |
| ------- | **5.** empezar | *e.* hallar | E. ningunos |
| ------- | **6.** a menudo | *f.* contento | F. detrás de |
| ------- | **7.** responder | *g.* contestar | G. enemigo |
| ------- | **8.** algunos | *h.* en frente de | H. perezoso |
| ------- | **9.** aplicado | *i.* frecuentemente | I. perder |
| ------- | **10.** encontrar | *j.* compañero | J. pocas veces |

**D.** Answer the following questions negatively, using an antonym of the word or expression in italics.

**1.** ¿Son *bajos* los precios? ----------------------------------------

**2.** ¿Es *fácil* la pronunciación? ----------------------------------------

**3.** ¿Conoce Vd. a *alguien* en Buenos Aires? ----------------------------------------

**4.** ¿Usa Vd. la mano *derecha* para escribir? ----------------------------------------

**5.** ¿Ponemos las alfombras *debajo del* suelo? ----------------------------------------

**6.** ¿Son difíciles las *preguntas*? ----------------------------------------

**7.** ¿Sabe Vd. *algo* del latín? ----------------------------------------

**8.** ¿Asiste Vd. a un templo *pequeño*? ----------------------------------------

**9.** ¿*Cierra* Vd. la puerta para entrar en la casa? ----------------------------------------

----------------------------------------

**10.** ¿Hace mucho calor en el *invierno*? ----------------------------------------

**11.** ¿Te gusta el té *con* limón? ----------------------------------------

**12.** ¿Tiene Vd. *menos* años que su hermano menor? ----------------------------------------

----------------------------------------

**13.** ¿Hay *algunos* alumnos estúpidos en esta clase? ----------------------------------------

----------------------------------------

**14.** ¿*Olvida* Vd. las cosas importantes? ----------------------------------------

**15.** ¿Está México *cerca* de Europa? ----------------------------------------

**16.** ¿Hace sol a *medianoche*? ----------------------------------------

17. ¿Tiene Vd. la nariz *larga*? ______________________________

18. ¿Toma Vd. café en una taza *vacía*? ______________________________

19. ¿Es *barato* el vino? ______________________________

20. ¿Tiene su papá el pelo *blanco*? ______________________________

**E.** In each group, underline the antonym of the word in italics.

1. *siempre:* más tarde, nunca, ahora
2. *viejo:* hermoso, joven, mujer
3. *diligente:* perezoso, bueno, nieto
4. *vender:* comprar, ganar, robar
5. *ayer:* temprano, mañana, día
6. *ponerse:* sentarse, quitarse, levantarse
7. *despacio:* perezosamente, tarde, rápidamente
8. *ruido:* espectáculo, noche, silencio
9. *pobre:* mucho, mayor, rico
10. *antes de:* como, mientras, después de
11. *subir:* bajar, tomar, responder
12. *este:* oeste, espacio, allí
13. *rubio:* hombre, abuelo, moreno
14. *fuerte:* débil, bien, difícil
15. *ausente:* ocupado, presente, mal
16. *morir:* entrar, salir, vivir
17. *ancho:* dar, poco, estrecho
18. *abajo:* norte, aquí, arriba
19. *triste:* feliz, malo, nuevo
20. *caliente:* frío, nevar, sur

**F. ¿Sí o No?** If the statement is true, write **sí;** if it is false, correct it by changing the words in italics, writing the correct words in the blanks.

1. Hay *libros* en una biblioteca. ______________________________
2. El hijo de mi *padre* es mi sobrino. ______________________________
3. Muchas personas beben gaseosas como *refresco*. ______________________________
4. Hay *cuadros* en un museo de bellas artes. ______________________________
5. *El sótano* está debajo de la casa. ______________________________
6. La mañana viene *antes de* la tarde. ______________________________
7. Para *escribir* usamos un lápiz o una pluma. ______________________________
8. En el Canadá hablan inglés y *español*. ______________________________
9. Vemos el sol durante *la noche*. ______________________________

**10.** El cuarto mes del año es *febrero*. ----------------------------------------

**11.** Las cerezas y las naranjas son *frutas*. ----------------------------------------

**12.** Las gallinas tienen *cuatro* pies. ----------------------------------------

**13.** Cuando hace *calor* llevamos abrigo y guantes. ----------------------------------------

**14.** La hierba y las hojas son *grises*. ----------------------------------------

**15.** El *carnicero* corta el pelo. ----------------------------------------

**G.** To the left of each word in column *A*, write the letter of its description in column *B*.

*A*

------- **1.** cárcel
------- **2.** tocadiscos
------- **3.** inglés
------- **4.** azul
------- **5.** hospital
------- **6.** zapato
------- **7.** bosque
------- **8.** jueves
------- **9.** español
------- **10.** azúcar
------- **11.** traje
------- **12.** abuela
------- **13.** elefante
------- **14.** sobrina
------- **15.** cabeza
------- **16.** octubre
------- **17.** año
------- **18.** enero
------- **19.** clavel
------- **20.** templo
------- **21.** verano
------- **22.** vaca
------- **23.** paraguas
------- **24.** carnicería
------- **25.** vocabulario

*B*

*a.* día entre miércoles y viernes
*b.* hija de mi hermano
*c.* primer mes del año
*d.* las personas religiosas asisten los sábados o domingos
*e.* lengua de los habitantes de los Estados Unidos
*f.* lugar con muchos árboles
*g.* tienda donde mamá compra carne
*h.* yo soy su nieto
*i.* estación en que hace calor
*j.* lugar para los enfermos, donde hay médicos y enfermeras
*k.* tiene trescientos sesenta y cinco días
*l.* muchas palabras que tengo que aprender
*m.* el animal más grande de la selva
*n.* instrumento en que ponemos discos si queremos oír música
*o.* uno de los colores de la bandera americana
*p.* flor blanca o roja
*q.* lengua que hablan en la Argentina
*r.* mes que viene antes de noviembre
*s.* edificio grande para los ladrones
*t.* parte del cuerpo donde tenemos los ojos, la nariz, la boca, y el pelo
*u.* cosa que usamos cuando llueve
*v.* cosa que las personas llevan en los pies, sobre las medias
*w.* cosa dulce y blanca que pongo en el café
*x.* ropa de hombre; chaqueta y pantalones
*y.* animal que da leche

**H.** Underline the two related words in each group.

1. gato, cocina, playa, comedor
2. manzana, panadero, pera, cantar
3. pimienta, palacio, pariente, primo
4. pronto, amarillo, verde, labio
5. lunes, postre, mercado, martes
6. dedo, pie, botón, cama
7. nieve, camisa, blusa, sobre
8. criado, resfriado, enfermedad, baúl
9. cielo, estrella, diciembre, primavera
10. pájaro, julio, sombrero, abril
11. sol, rosado, minuto, hora
12. patio, cine, película, cuaderno
13. león, huevo, avión, tigre
14. teatro, fresco, otoño, piso
15. mesa, ensalada, pardo, escritorio
16. agosto, bicicleta, camino, lápiz
17. iglesia, jardín, catedral, negro
18. puente, bodega, burro, panadería
19. sastre, zapatero, dolor, ascensor
20. oreja, pizarra, borrador, fecha

**I.** Supply the missing names in the following chart.

| *Country* | *Inhabitants* | *Language(s)* |
|---|---|---|
| Rusia | | |
| Portugal | | |
| | los italianos | |
| | los españoles | |
| Inglaterra | | |
| | los mexicanos | |
| | los franceses | |
| Alemania | | |

**J.** Using the definite article, write the Spanish words for:

1. three members of your immediate family

------------------------------------------------------------

2. three rooms in your home

------------------------------------------------------------

3. three articles of furniture in your room

------------------------------------------------------------

4. three of your activities outside of school [verbs; no definite articles]

------------------------------------------------------------

5. three ways of traveling

---------------------------------------------------------------------------

6. three wild animals

---------------------------------------------------------------------------

7. three buildings used for educational purposes

---------------------------------------------------------------------------

8. three flowers

---------------------------------------------------------------------------

9. three things we can see in the sky

---------------------------------------------------------------------------

10. four articles of clothing you wear daily

---------------------------------------------------------------------------

11. four seasons

---------------------------------------------------------------------------

12. five parts of the body

---------------------------------------------------------------------------

13. five things you do in school [verbs; no definite articles]

---------------------------------------------------------------------------

14. five occupations or professions

---------------------------------------------------------------------------

15. five foods usually eaten at supper

---------------------------------------------------------------------------

# Part V—Hispanic Civilization

## 1. SPANISH INFLUENCE IN THE UNITED STATES

### A. Early Spanish Settlements in the United States

1. **St. Augustine** (Florida). The oldest city in what is now the United States; established 1565.
2. **Santa Fe** (New Mexico). Established 1609; the oldest capital city in what is now the United States.
3. There were numerous Spanish missions established by missionaries, mainly in the Southwest. **Fray** (friar) **Junípero Serra** established a chain of twenty-one missions in California, from San Diego northward to San Francisco (1769–1782), along the "Camino Real" (which is today called Coast Highway 101).

### B. Geographic Names of Spanish Origin in the United States

1. *States*

California
Colorado
Florida
Montana (montaña)
Nevada

2. *Cities*

El Paso (Texas)
Las Vegas (Nevada, New Mexico)
Los Álamos (New Mexico)
Los Ángeles (California)
Sacramento (California)
San Francisco (California)
Santa Fe (New Mexico)

There are many others, especially in California, New Mexico, Colorado, and Texas.

3. *Rivers*

Brazos River (Texas)
Colorado River (Colorado, Utah, Arizona)
Río Grande (New Mexico, Texas) and many others

4. *Mountains*

Sangre de Cristo Mountains (Colorado, New Mexico)
San Juan Mountains (Colorado)
Sierra Nevada (California)

### C. Spanish Influence in Architecture

1. Many modern American homes and buildings, especially in the Southwest, show the influence of the old adobe houses and mission buildings built by the Spaniards.
2. *Characteristics of Spanish Architecture:*
   *a.* **Patio** (inner courtyard). An attractive spot for family relaxation; frequently has flowers, shade trees, etc.
   *b.* **Reja** (iron grating on windows). Used for security and decoration. In Spanish-speaking countries, it has been a traditional meeting place for sweethearts (the young lady would sit inside the house, the suitor outside, on the other side of the *reja*).
   *c.* **Balcón** (balcony). Used for relaxation and coolness.
   *d.* **Tejas** (tiles). Used for covering roofs.
   *e.* **Arcada** (arcade). A covered passage along the front of the building; provides protection from the weather (rain or hot sun).

## D. Spanish Influence on Economic Life

1. *Cattle Raising:*

   *a.* Spaniards brought the first cows, horses, goats, pigs, and sheep to the New World. Many of the sheep-herders in the West are descendants of the Basques (northern Spain).

   *b.* Much of the ranching technique, equipment, vocabulary, and dress of the cowboy has been copied from the Spaniards.

2. *Mining.* Spaniards developed the first gold and silver mines in the New World. Their methods and success influenced the mining industry in America.

## E. Spanish Influence in Language

Spanish explorers, missionaries, and settlers in North America contributed many Spanish words to our language. Some of these words are identical in English and Spanish. Others are slightly changed. Some of the more common words are:

1. *Ranch life:*

   bronco
   corral
   lariat (la reata)
   lasso (lazo)
   mustang (mostrenco)
   ranch (rancho)
   rodeo
   stampede (estampido)

2. *Foods and Beverages:*

   banana
   barbecue (barbacoa)
   chocolate
   cocoa (cacao)
   coffee (café)
   potato (patata)
   sherry (Jerez)
   tomato (tomate)
   vanilla (vainilla)

3. *Clothing:*

   bolero
   brocade (brocado)
   mantilla
   poncho
   sombrero

4. *Animals:*

   alligator (el lagarto)
   burro
   chinchilla
   llama
   mosquito

5. *People:*

   comrade (camarada)
   Creole (criollo)
   desperado (desesperado)
   padre
   peón
   renegade (renegado)
   vigilante

6. *Nature:*

   arroyo
   canyon (cañón)
   cordillera
   hurricane (huracán)
   lagoon (laguna)
   mesa
   sierra
   tornado

7. *Shipping and Commerce:*

   armada
   canoe (canoa)
   cargo
   contraband (contrabando)
   embargo
   flotilla
   galleon (galeón)

8. *Buildings and Streets:*

adobe
alameda
hacienda
patio
plaza

## F. Mexican Foods Popular in the United States

1. **Tortilla:** flat thin cornmeal pancake.
2. **Enchilada:** rolled tortilla filled with chopped meat and served with hot chile sauce.
3. **Tamal:** crushed corn mixed with seasoned chopped meat.
4. **Chile con carne:** red pepper, chopped meat, and hot chile sauce.
5. **Taco:** a crisp tortilla folded over and filled with seasoned chopped meat, tomatoes, etc.

## G. Spanish-American Dances Popular in the United States

tango (Argentina)
rumba (Cuba)
mambo (Cuba)
cha-cha-chá (Cuba)
merengue (Dominican Republic)
jarabe tapatío (Mexico):
also called the "Mexican Hat Dance"

### *EXERCISES*

**A.** To the left of each expression in column *A*, write the letter of the related item in column *B*.

| | *A* | *B* |
|---|---|---|
| _______ | **1.** tango | *a.* tortilla with chopped meat |
| _______ | **2.** Sangre de Cristo | *b.* roofing material |
| _______ | **3.** Camino Real | *c.* inner courtyard |
| _______ | **4.** Santa Fe | *d.* covered passageway |
| _______ | **5.** Las Vegas | *e.* city in Nevada |
| _______ | **6.** arcada | *f.* old capital city in New Mexico |
| _______ | **7.** enchilada | *g.* animal's name derived from Spanish |
| _______ | **8.** alligator | *h.* Argentine dance |
| _______ | **9.** patio | *i.* road connecting the Spanish missions |
| _______ | **10.** tejas | *j.* mountain range |

**B. ¿Sí o No?** If the statement is true, write **sí**; if it is false, correct it by changing the words in italics, writing the correct words in the blank.

**1.** Fray Junípero Serra established *twenty-seven* missions in California. ________________________

**2.** There are *many* houses of Spanish-style architecture in the southwestern United States. ________________________

**3.** The *American* cowboy copied a great deal from the Spanish cowboy. ________________________

**4.** The Spaniards used *adobe* for building. ________________________

**5.** The *Spaniards* established the cattle-raising industry in the New World. ________________________

**6.** The words "rodeo" and "corral" are related to Spanish *city* life. ________________________

**7.** The oldest city in the United States is *San Diego*. ________________________

**8.** In *New Mexico* there are numerous cities that have Spanish names. ________________________

**9.** The *gratings* of Spanish houses have flowers and trees. ________________________

**10.** The *tortilla* is an animal of North America. ________________________

**C.** Complete the following statements:

**1.** ________________________ is a mountain range in California with a Spanish name.

**2.** ________________________ is a river that passes through Colorado, Utah, and Arizona.

**3.** The ________________________ is a popular dance of the Dominican Republic.

**4.** ________________________ and ________________________ are two states with Spanish names.

**5.** A popular Cuban dance is the ________________________.

**6.** A city in the United States with a Spanish name is ________________________.

**7.** ________________________ is an animal that the Spaniards brought from Spain to the New World.

**8.** The San Juan mountain range is in the state of ________________________.

**9.** A city in Texas with a Spanish name is ________________________.

**10.** The oldest city in the United States is ________________________.

**D.** In each of the following sets of words, underline the word that is not related to the others, either because it is not derived from Spanish or because it belongs to a different classification.

EXAMPLE: burro, chinchilla, llama, banana

**1.** rumba, jarabe tapatío, stampede, mambo

**2.** bronco, flotilla, mustang, rodeo

**3.** hill, tornado, arroyo, mesa

**4.** green, chocolate, barbecue, vanilla

**5.** sombrero, suit, poncho, mantilla

**6.** patio, hacienda, house, alameda

**7.** taco, tamal, enchilada, sandwich

**8.** comrade, tomato, coffee, cocoa

**9.** peón, Creole, renegade, teacher

**10.** armada, contraband, canoe, ship

## 2. GEOGRAPHY OF SPANISH AMERICA

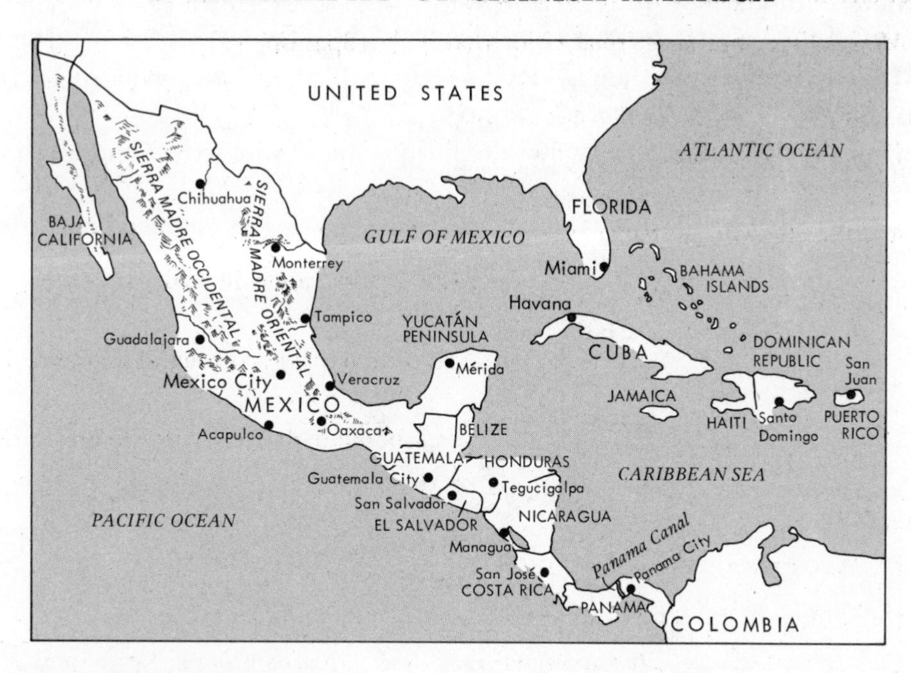


### A. Countries and Their Capitals

1. **México** (capital: **México City**). Directly south of the United States, bordering the states of Texas, New Mexico, Arizona, and California; our nearest Spanish-American neighbor.

2. **In Central America**

   *a.* **Costa Rica** (capital: **San José**). One of the most progressive countries in Central America.

   *b.* **El Salvador** (capital: **San Salvador**). The smallest country in Central America.

   *c.* **Guatemala** (capital: **Guatemala City**). The principal producer of *chicle,* used in the manufacture of chewing gum.

   *d.* **Honduras** (capital: **Tegucigalpa**). Has important mineral and timber resources.

   *e.* **Nicaragua** (capital: **Managua**). The largest country in Central America.

   *f.* **Panamá** (capital: **Panamá City**). An isthmus joining North and South America. The Panama Canal is located here.

3. **In the West Indies (Antilles)**

   *a.* **Cuba** (capital: **Havana**). The largest island of the West Indies.

   *b.* **Dominican Republic** (capital: **Santo Domingo**). Together with Haiti, forms the island of Hispaniola.

   *c.* **Puerto Rico** (capital: **San Juan**). A free state associated with the United States.

4. **In South America**

   *a.* **Argentina** (capital: **Buenos Aires**). The largest Spanish-speaking country in South America.

   *b.* **Bolivia** (capitals: **La Paz, Sucre**). Has two capitals. The only country in South America without an outlet to the sea.

   *c.* **Colombia** (capital: **Bogotá**). The only South American country with seacoasts on both the Atlantic and Pacific Oceans.

*d.* **Chile** (capital: **Santiago**). The longest (and narrowest) country in South America.

*e.* **Ecuador** (capital: **Quito**). The *sombreros de jipijapa*, which we call "Panama hats," are made here. They were called Panama hats by Americans, who first saw them in Panama.

*f.* **Paraguay** (capital: **Asunción**). Produces *yerba* (hierba) *mate*, a popular tea used widely in Argentina and Paraguay.

*g.* **Perú** (capital: **Lima**). The land of the Incas, Indians who were living here in the era of discovery.

*h.* **Uruguay** (capital: **Montevideo**). The smallest Spanish-speaking country in South America.

*i.* **Venezuela** (capital: **Caracas**). Richest oil-producing country of South America; birthplace of Simón Bolívar, "The Liberator."

*Note*

Some countries are not discussed here because their national language is not Spanish but French (*Haiti, Martinique, Guadeloupe, French Guiana*), English (*Belize, Jamaica, Trinidad and Tobago, Guyana*), Portuguese (*Brazil*), or Dutch (*Suriname*).

## B. Geographic Features

1. *Mountain Ranges:*

   *a.* **Andes.** Extend the entire length of South America, along the west coast. There are many high peaks; the highest (Aconcagua) has an altitude of nearly 23,000 feet (more than four miles!), and is the highest peak in the Western Hemisphere. There are many other peaks nearly as high.

   *b.* **Sierra Madre** (México). Two parallel mountain chains, **Oriental** (Eastern) and **Occidental** (Western), with a great plateau between them.

2. *Principal Rivers:*

   *a.* **Orinoco** (Venezuela). The longest single river in Spanish America. (The Amazon River, which is more than twice as long, is in Brazil.)

   *b.* **Río de la Plata** (between Uruguay and Argentina). On its banks are the capitals of both countries, **Buenos Aires** (Argentina) and **Montevideo** (Uruguay).

   *c.* **Paraná-Paraguay River System.** The Paraná and Paraguay Rivers form a huge river system connecting with the Río de la Plata, and are the chief water outlet from the interior regions to the sea.

   *d.* **Magdalena** (Colombia). Crosses the whole country from south to north; is the principal means of transportation.

3. *Climate:*

   *a.* Argentina, Uruguay, Paraguay, and Chile are in the South Temperate Zone (the seasons are the reverse of ours). Northern México is in the North Temperate Zone. The rest of Spanish America lies in the tropics (Torrid Zone).

   *b.* Most of the principal cities located in the tropics have a cool climate because they are situated at great altitudes.

## C. Animal Life

1. *Birds:*

   *a.* **Cóndor.** Probably the largest of flying birds; found in the Andes.

   *b.* **Quetzal.** Brilliantly colored bird of Guatemala. It is the national emblem. The Guatemala dollar is called the *quetzal*.

2. *Wool-Bearing Animals:*

   *a.* **Alpaca, guanaco, llama, vicuña** (in the Andes).

   *b.* **Sheep** (mainly in Argentina and Uruguay).

3. *Beasts of Burden:*

   *a.* **Burro.** The most common beast of burden in Spanish America.

   *b.* **Llama.** The main beast of burden of the Andes (Perú, Ecuador, etc.).

## D. Important Products

1. Some of the products that Spanish America gave to the world are potatoes, corn, tomatoes, chocolate, vanilla, pineapples, peanuts, pecan and cashew nuts.

2. *Agricultural Products*

| *Agricultural Products* | *Important Producers* |
|---|---|
| coffee | Colombia, Venezuela |
| sugar | Cuba, Puerto Rico |
| tobacco | Cuba |
| wheat | Argentina, Uruguay |
| beef | Argentina, Uruguay |
| bananas | most Central American countries |
| cacao (bean used in making chocolate) | Ecuador, Venezuela |
| tagua nuts (used in making buttons) | Ecuador |

3. *Minerals*

| *Minerals* | *Important Producers* |
|---|---|
| tin | Bolivia |
| silver | México, Perú |
| petroleum | Venezuela, México |
| platinum | Colombia |
| emeralds | Colombia |
| copper | Chile, Perú |
| nitrates (used for fertilizer) | Chile |

## *EXERCISES*

**A. ¿Sí o No?** If the statement is true, write **sí;** if it is false, correct it by changing the words in italics, writing the correct words in the blank.

1. Two important products of Cuba are *sugar* and *tobacco*. ____sí____
2. Lima is the capital of *Argentina*. ____Peru____
3. *Santiago* is the capital of Colombia. ____Bogota____
4. Costa Rica and Honduras produce many *bananas*. ____sí____
5. The Paraná River flows into the *Pacific Ocean*. ____Atlantic Ocean____
6. Spanish is the language of *six* countries in South America. ____nine____
7. *Montevideo* is the capital of Venezuela. ____Caracas____
8. The cóndor lives in *Andes*. ____sí____
9. México and Perú produce much *silver*. ____sí____
10. There are *six* countries in Central America. ____~~seven~~ sí____

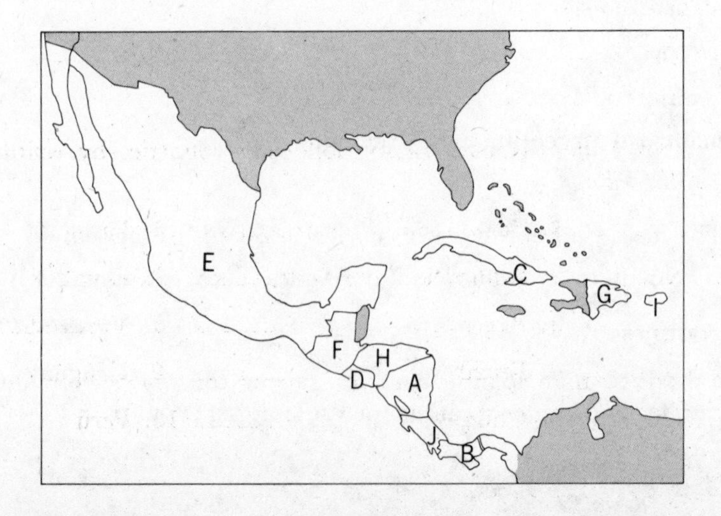

**B.** In the map on page 336, identify each of the following countries by writing its corresponding letter in the blank on the left:

| | | | |
|---|---|---|---|
| B | **1.** Panamá | C | **6.** Cuba |
| F | **2.** Guatemala | H | **7.** Honduras |
| G | **3.** Santo Domingo | A | **8.** Nicaragua |
| I | **4.** Puerto Rico | J | **9.** Costa Rica |
| E | **5.** México | D | **10.** El Salvador |

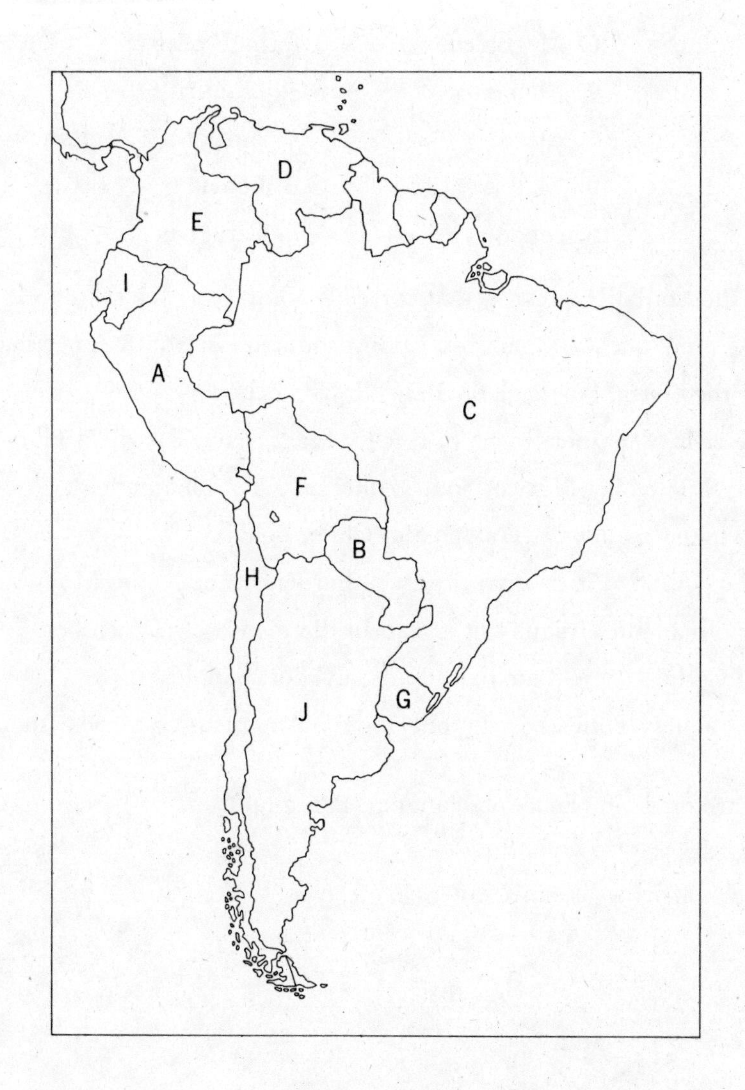


**C.** In the map above, identify each of the following countries by writing its corresponding letter in the blank on the left:

| | | | |
|---|---|---|---|
| F | **1.** Bolivia | B | **6.** Paraguay |
| E | **2.** Colombia | I | **7.** Ecuador |
| J | **3.** Argentina | D | **8.** Venezuela |
| C | **4.** Brazil | G | **9.** Uruguay |
| H | **5.** Chile | A | **10.** Perú |

**D.** To the left of each item in column *A*, write the letter of the matching item in column *B*.

| | *A* | *B* |
|---|---|---|
| _______ | **1.** Sierra Madre | *a.* river in Colombia |
| _______ | **2.** tagua | *b.* capital of Nicaragua |
| _______ | **3.** yerba mate | *c.* chocolate |
| _______ | **4.** Aconcagua | *d.* alpaca |
| _______ | **5.** tin | *e.* mountains in México |
| _______ | **6.** Magdalena | *f.* high peak |
| _______ | **7.** Managua | *g.* buttons |
| _______ | **8.** cacao | *h.* bird of the Andes |
| _______ | **9.** wool | *i.* Bolivia |
| _______ | **10.** cóndor | *j.* Paraguay |

**E.** Underline the word or expression that correctly completes each sentence.

1. There are (six, nine, twenty) Spanish-speaking countries in South America.
2. Spanish is not the official language of (Perú, Brazil, Ecuador).
3. The longest river in Venezuela is the (Orinoco, Magdalena, Río de la Plata).
4. The Andes are situated in (México, South America, Central America).
5. The quetzal is found mainly in (Guatemala, Chile, Bolivia).
6. The (llama, horse, burro) is the main beast of burden in the Andes Mountains.
7. In Chile, Argentina, and Uruguay, it is cold in the month of (December, July, January).
8. The capital of Costa Rica is (San Juan, San Salvador, San José).
9. (Colombia, Paraguay, Bolivia) is the only South American country without an outlet to the ocean.
10. Panamá hats are made in (Ecuador, Panamá, Paraguay).

**Diego Rivera (1886–1957) was a noted Mexican mural painter. His art portrays the oppressed and downtrodden workers and peasants of his country. Rivera's murals decorate the walls of many public buildings in Mexico and the United States.**

## 3. FAMOUS NAMES IN SPANISH AMERICA

### A. Discoverers and Explorers

1. Cristóbal **Colón** (Christopher Columbus). Discovered the New World in 1492. Made four voyages, touching various parts of Spanish America.
2. Hernán **Cortés.** Conquered México, defeating the Aztecs and their king, Montezuma.
3. Francisco **Pizarro.** Conquered Perú and founded the city of Lima.
4. Juan **Ponce de León.** Discovered Florida (1513). He named it *la Florida* because it was discovered at Easter (*la Pascua Florida*).
5. Álvar Núñez **Cabeza de Vaca.** Explored much of the southern coastal area of what is now the United States, from Florida to Texas, walking thousands of miles. During six years of wandering, he lived for a time as a slave and medicine man to the Indians.
6. Francisco Vásquez de **Coronado.** Explored the southwestern part of what is now the United States (1542), searching for the rich "Seven Cities of Cíbola." He discovered the Grand Canyon (Arizona).
7. Hernando **de Soto.** Discovered the Mississippi River (1541).
8. Vasco Núñez de **Balboa.** Discovered the Pacific Ocean.

### B. National Heroes

1. Simón **Bolívar** (1783–1830). The principal figure in the fight for South American independence from Spain. He won independence for the northern part of South America. Was called "el Libertador" (the Liberator). Bolivia was named in his honor.
2. José de **San Martín** (1778–1850). An Argentine general who won independence for the southern part of South America.
3. Bernardo **O'Higgins** (1778–1842). A Chilean general who helped San Martín in the liberation of Chile. He became the first president of Chile.
4. Antonio José de **Sucre** (1795–1830). Defeated the Spanish army in the battle of Ayacucho (Perú), the last battle of the revolution (1824).
5. Miguel **Hidalgo** (1753–1811). A Mexican priest and patriot who began the struggle for Mexican independence (1810).
6. Benito **Juárez** (1806–1872). Fought to free México from Maximilian. He was called the "Abraham Lincoln of México."
7. José **Martí** (1853–1895). A famous Cuban poet and patriot who died fighting for Cuban independence from Spain.

### C. Writers

1. Andrés **Bello** (1781–1865). Poet, critic, and a leading intellectual of Spanish America. Wrote *Gramática de la lengua castellana.*
2. Domingo Faustino **Sarmiento** (1811–1888). An Argentine educator and statesman. Was known as the "Schoolmaster President." He wrote *Facundo*, which deals with the life of a gaucho leader.
3. Ricardo **Palma** (1833–1919). Wrote *Tradiciones peruanas*, a collection of stories about life in Perú during colonial times.
4. Rubén **Darío** (1867–1916). Was born in Nicaragua. He was the greatest poet of Spanish America. He introduced a new poetic style called "modernism."

5. Mariano **Azuela** (1873–1952). A Mexican novelist who wrote *Los de abajo*, a novel of the Mexican revolution of 1910–1920.
6. Gabriela **Mistral** (1889–1957) and Pablo **Neruda** (1904–1973). Chilean poets who won the Nobel Prize for Literature in 1945 and 1971, respectively.
7. Rómulo **Gallegos** (1884–1969). A Venezuelan novelist and statesman. He wrote *Doña Bárbara*, a novel of life on the plains of Venezuela.
8. Octavio **Paz** (1914– ). Mexican poet and essayist. He won the Nobel Prize for Literature in 1990.
9. Gabriel **García Márquez** (1928– ). A Colombian novelist who wrote *Cien años de soledad*, the history of an imaginary town in Colombia. He received the Nobel Prize for Literature in 1982.

**D. Painters**

1. Diego **Rivera,** José **Orozco,** and David **Siqueiros** are the three most important painters of México. All three specialized in mural painting, and all treated political and social topics.
2. Bernaldo de **Quirós,** of Argentina, painted scenes of gaucho life.

**E. Composers and Musicians**

1. Carlos **Chávez** (1899–1978), a famous Mexican composer and orchestra conductor.
2. Claudio **Arrau** was a famous Chilean pianist.

*EXERCISES*

**A.** Identify each of the following as:

*a.* explorer *b.* writer *c.* painter *d.* composer-musician *e.* national hero

------- **1.** Mariano Azuela
------- **2.** Francisco Pizarro
------- **3.** Álvar Núñez Cabeza de Vaca
------- **4.** Diego Rivera
------- **5.** Andrés Bello
------- **6.** Vasco Núñez de Balboa
------- **7.** Bernardo O'Higgins
------- **8.** Hernando de Soto
------- **9.** Rubén Darío
------- **10.** Carlos Chávez
------- **11.** Rómulo Gallegos
------- **12.** Claudio Arrau
------- **13.** Antonio José de Sucre
------- **14.** Bernaldo de Quirós
------- **15.** Benito Juárez

**B.** To the left of each item in column *A*, write the letter of the matching item in column *B*.

*A*

------- **1.** Ponce de León
------- **2.** Sarmiento
------- **3.** San Martín
------- **4.** Martí
------- **5.** García Márquez
------- **6.** Coronado
------- **7.** Orozco
------- **8.** Palma
------- **9.** Bolívar
------- **10.** Cortés

*B*

*a.* novelist
*b.* Seven Cities of Cíbola
*c.* *Tradiciones peruanas*
*d.* Schoolmaster President
*e.* Montezuma
*f.* Florida
*g.* painter
*h.* Argentine independence
*i.* Cuban patriot
*j.* "the Liberator"

**C.** Underline the name, title, or word that correctly completes each statement.

**1.** (Siqueiros, Pizarro, Columbus) discovered the New World.

**2.** (Juárez, Hidalgo, San Martín) was called the "Abraham Lincoln of México."

**3.** The greatest poet of Spanish America was (Ricardo Palma, Rubén Darío, Rómulo Gallegos).

**4.** (*Doña Bárbara*, *Facundo*, *Los de abajo*) is a novel of the Mexican revolution.

**5.** (Claudio Arrau, Bernardo O'Higgins, Gabriela Mistral) was a famous Chilean pianist.

**6.** Diego Rivera was a famous (musician, novelist, painter).

**7.** The last battle in the struggle for South American independence took place at (Lima, Ayacucho, México).

**8.** (Gabriela Mistral, José Martí, Andrés Bello) won the Nobel Prize for Literature.

**9.** The first president of Chile was (Sucre, O'Higgins, Azuela).

**10.** Sarmiento wrote (*Facundo*, *Gramática de la lengua castellana*, *Tradiciones peruanas*).

**D. 1.** Write the name of a (an, the) . . .

*a.* city founded by Pizarro ______________________

*b.* Mexican painter ______________________

*c.* Argentine educator ______________________

*d.* Spanish-American novelist ______________________

*e.* Spanish-American poet ______________________

*f.* conqueror of México ______________________

*g.* country named for Bolívar ______________________

*h.* Mexican composer ______________________

*i.* discoverer of the Mississippi River ______________________

*j.* discoverer of Florida ______________________

**2.** Who wrote . . . ?

*a.* *Facundo* ______________________

*b.* *Doña Bárbara* ______________________

*c.* *Tradiciones peruanas* ______________________

*d.* *Los de abajo* ______________________

*e.* *Cien años de soledad* ______________________

**E.** Complete the following statements:

**1.** Montezuma was king of the ______________________.

**2.** *Doña Bárbara* was written by ______________________.

**3.** San Martín won independence for Chile and ______________________.

**4.** Bernaldo de Quirós painted scenes of the life of the ______________________.

**5.** The Mexican movement for independence from Spain was begun by ______________________.

6. Columbus made ------------------ voyages to the New World.

7. The Spanish army was defeated by Sucre at the battle of --------------------------.

8. José Orozco was a Mexican ----------------------.

9. José Martí was killed in the war for the independence of ---------------------.

10. ---------------------------------------------- discovered the Mississippi River.

**The Pan-American Union building in Washington, D.C., is the permanent headquarters of the Organization of American States. This magnificent marble structure has sometimes been called the "House of the Americas."**

**Flags of the twenty-one American Republics and busts of their heroes are displayed in the central hall. One of the attractions of this building is its tropical patio in which are found brilliantly colored birds and exotic plants from all the American nations.**

## 4. PLACES OF INTEREST IN SPANISH AMERICA

### A. Interesting Places in México

1. **México City.** The capital of México. It was the old capital (*Tenochtitlán*) of the Aztec Indians. Today it is a large and modern city, the largest Spanish-speaking city in the world.
   *a.* **Cathedral of México:** The largest and oldest cathedral on the North American continent.
   *b.* **Piedra del Sol** (Stone of the Sun): An ancient stone inscribed with the Aztec calendar.
   *c.* **Chapultepec:** A large, beautiful park; contains a beautiful castle.
   *d.* **Palacio de Bellas Artes** (Palace of Fine Arts): Contains a beautiful theater and art museum.
   *e.* **University City:** The site of the National University, the oldest university of the North American continent.
   *f.* **Popocatépetl** and **Ixtaccíhuatl:** Picturesque volcanoes overlooking México City.
   *g.* **Xochimilco:** Town near México City, famous for its floating gardens.
2. **Taxco.** The most picturesque city in México. The Spanish colonial atmosphere is still preserved.
3. **Acapulco.** A fashionable seaside resort on the west coast.
4. **Guadalajara.** The second largest city in México. It is an important industrial city.

### B. Interesting Places in South America

1. **Buenos Aires** (Argentina). One of the most beautiful capitals in the world.
2. **Lima** (Perú). The capital and main industrial and cultural center of Perú. The **University of San Marcos,** the oldest university in South America, is located here.
3. **Cuzco** (Perú). The ancient capital of the Inca civilization. Nearby are the famous Inca ruins of **Machu-Picchu.**
4. **Valparaíso** (Chile). The largest seaport on the entire west coast of South America.
5. **Bogotá** (Colombia). The capital and most important cultural center of Colombia. It has many excellent examples of colonial architecture.
6. **Quito** (Ecuador). Is located a few miles from the equator, but has a pleasant climate, due to its great altitude (nearly 10,000 feet). There are many excellent examples of colonial architecture.
7. **Lake Titicaca.** In the Andes Mountains, between Bolivia and Perú. It is the highest navigable lake in the world.
8. **Iguazú Falls.** Spectacular waterfall between Argentina and Brazil; higher than Niagara Falls.
9. **Cristo de los Andes.** A giant statue of Christ located in the Andes Mountains, on the border between Chile and Argentina. It was erected to commemorate the peaceful settlement of a boundary dispute.
10. **Viña del Mar** (Chile). A famous seaside resort. It has excellent beaches and casinos.

*EXERCISES*

**A.** To the left of each item in column *A*, write the letter of the matching item in column *B*.

| | *A* | *B* |
|---|---|---|
| _______ | **1.** Valparaíso | *a.* floating gardens |
| _______ | **2.** Tenochtitlán | *b.* seaside resort |
| _______ | **3.** Cristo de los Andes | *c.* second largest city in México |
| _______ | **4.** Popocatépetl | *d.* statue |
| _______ | **5.** Cuzco | *e.* important Chilean seaport |
| _______ | **6.** Iguazú | *f.* Aztec capital |
| _______ | **7.** Xochimilco | *g.* lake |
| _______ | **8.** Viña del Mar | *h.* volcano in México |
| _______ | **9.** Titicaca | *i.* Inca capital |
| _______ | **10.** Guadalajara | *j.* waterfall |

**B. ¿Sí o No?** If the statement is true, write **sí**; if it is false, correct it by changing the words in italics, writing the correct words in the blank.

1. The *Piedra del Sol* is a famous theater in México. ______________________
2. The city of *Quito* is located near the equator. ______________________
3. The University of San Marcos is located in *Perú*. ______________________
4. Bogotá is the capital of *Colombia*. ______________________
5. Taxco is a picturesque city in *Argentina*. ______________________
6. *Acapulco* is a famous beach in México. ______________________
7. *The "Christ of the Andes"* is located between Bolivia and Perú. ______________________
8. The largest Spanish-speaking city in the world is *Buenos Aires*. ______________________
9. The oldest university in North America is located in *México*. ______________________
10. The ruins of Machu-Picchu are located near *Cuzco*. ______________________

**C.** Complete the following statements:

1. The volcanoes Popocatépetl and Ixtaccíhuatl are located near ______________________.
2. The highest navigable lake in the world is ______________________.
3. The oldest university of South America is located in ______________.
4. "Christ of the Andes" commemorates the settlement of a dispute between Argentina and ______________.
5. The largest seaport on the west coast of South America is ______________________.
6. The second largest city in México is ______________________.

7. Quito has a pleasant climate because of its ________________________.

8. Between Brazil and Argentina there is a waterfall called ______________________.

9. Viña del Mar is a seaside resort in _________________.

10. Cuzco was the ancient capital of the ___________________.

D. Identify each of the following in an English sentence:

1. Palacio de Bellas Artes ____________________________________________

2. Ixtaccíhuatl ____________________________________________

3. Viña del Mar ____________________________________________

4. Chapultepec ____________________________________________

5. Guadalajara ____________________________________________

6. Titicaca ____________________________________________

7. Buenos Aires ____________________________________________

8. Piedra del Sol ____________________________________________

9. Xochimilco ____________________________________________

10. Cathedral of México ____________________________________________

**General Francisco Franco led the Nationalist forces against the Republican government during the Spanish Civil War (1936–1939). This bitter struggle attracted thousands of volunteers from other nations, who came to fight for one side or the other. After the overthrow of the Republic in 1939, Franco became dictator of Spain, and ruled the country till his death in 1975.**

## 5. PEOPLE AND CUSTOMS OF SPANISH AMERICA

### A. People of Spanish America

Most countries of Spanish America have populations of several different racial groups. The four principal groups are:

1. **Whites:** Descendants of the Spanish settlers and of later European immigrants (from Italy, Germany, England, Ireland and the Slavic countries). In Argentina and Uruguay the population is mostly white.
2. **Indians:** Found in great numbers in most Spanish-American countries, especially in México, Ecuador, Bolivia, and Perú. Most are descendants of two ancient Indian civilizations, the Aztecs (México) and the Incas (Perú, Ecuador, and Bolivia).
3. **Mestizos** (people of mixed Spanish and Indian blood): In many Spanish-American countries these are the largest single group.
4. **Negroes:** The descendants of Negroes who were brought to Spanish America for heavy labor in colonial days. They are most numerous in the West Indies.

### B. National Holidays

1. **Día de la Raza** (October 12): Corresponds to *Columbus Day*, and is celebrated throughout the Spanish-speaking world (Spain and all of Spanish America).
2. **Pan-American Day** (April 14): Celebrated in all of Spanish America, and in the United States.
3. **September 16:** The Mexican national holiday. It commemorates the beginning of the rebellion against Spain (1810).
4. **May 5:** Commemorates the Mexican struggle for freedom against France and the emperor Maximilian.

### C. Religious Holidays

1. **Christmas** (la Navidad—December 25): The most important religious holiday in Spanish America.
2. **Las Posadas** (December 16–24): Parties in which a jar, called a *piñata*, is broken and the children try to catch the candy it contains. It is celebrated mostly in México during the nine days before Christmas.
3. **Carnival** (Carnaval): A celebration which takes place during the three days before Lent.
4. **Easter** (Pascua Florida): Celebrated throughout Spanish America.
5. **All Souls' Day** (Día de los Difuntos): Observed solemnly throughout the Spanish-speaking world (November 2).

### D. Picturesque Types

1. El **charro:** The typical Mexican cowboy.
2. La **china poblana:** The companion of the charro.
3. Los **mariachis:** Groups of Mexican street singers.
4. El **gaucho:** The cowboy of the Argentine *pampas* (plains).

### E. Clothing

Generally in the cities people dress as we do in the United States. However, one often sees traditional dress, especially during holiday celebrations.

1. El **sarape:** A bright colored Mexican blanket (serape). It is worn by men, slung over the shoulder.
2. El **poncho:** A cape worn by the *gaucho* as protection from the rain.
3. El **rebozo:** A shawl worn by Mexican women.
4. El **sombrero de jipijapa** (Panamá hat): Straw hats made in Ecuador, not in Panamá. They are of excellent quality.

### F. Sports and Spectacles

1. El **fútbol** (Spanish word for soccer): A very popular game in all Spanish-speaking countries.
2. El **jai-alai:** A game that originated in the Basque region of Spain. It is also popular in Cuba and Florida. Jai-alai is somewhat similar to handball.
   *a.* El **frontón.** A three-walled court on which jai-alai is played.
   *b.* La **cesta.** A curved basket strapped to the player's wrist, in which the ball is caught and thrown against the wall. (See illustration, page 372.)
3. **Bullfight** (la corrida de toros): Prohibited in some Spanish-American countries, but it is popular in México, Perú, Colombia, and Venezuela.

*EXERCISES*

**A.** To the left of each item in column *A*, write the letter of the related item in column *B*.

| | *A* | *B* |
|---|---|---|
| ------- | **1.** charro | *a.* jai-alai |
| ------- | **2.** Día de los Difuntos | *b.* Lent |
| ------- | **3.** Las Posadas | *c.* jipijapa |
| ------- | **4.** gaucho | *d.* Argentina |
| ------- | **5.** Pan-American Day | *e.* Christmas |
| ------- | **6.** frontón | *f.* china poblana |
| ------- | **7.** sarape | *g.* April 14 |
| ------- | **8.** Carnaval | *h.* Columbus Day |
| ------- | **9.** Panama hat | *i.* November 2 |
| ------- | **10.** Día de la Raza | *j.* blanket |

**B. ¿Sí o No?** If the statement is true, write **sí;** if it is false, correct it by changing the words in italics, writing the correct words in the blank.

**1.** The principal Indian culture of México is that of the *charros.* ------------------------------------

**2.** All Souls' Day is celebrated on *October 12.* ------------------------------------

**3.** The cowboy of Argentina is the *gaucho.* ------------------------------------

**4.** The gauchos wear *ponchos* as protection from the rain. ----------------------------------

**5.** Panama hats are made in *Panamá.* ----------------------------------

**6.** *Pan-American* Day is celebrated in Spanish America and the United States. ----------------------------------

**7.** *Jai-alai* originated among the Basques in Spain. ----------------------------------

**8.** Bullfights are popular in *México.* ----------------------------------

**9.** Las Posadas occur immediately *after* Christmas. ----------------------------------

**10.** A *serape* is a Mexican blanket. ----------------------------------

**C.** Underline the word or expression that correctly completes each sentence.

**1.** Mexican women wear a shawl called a (rebozo, poncho, cesta).

**2.** In (Argentina, Bolivia, Uruguay) many of the inhabitants are Indians.

**3.** A frontón is used for (jai-alai, a bullfight, soccer).

**4.** The most important religious holiday in Spanish America is (Christmas, All Souls' Day, Carnival).

**5.** The Mexican street singers are called (charros, mariachis, gauchos).

**6.** The Mexican national holiday is (April 14, September 16, October 12).

**7.** A person of mixed Indian and Spanish blood is called a (sarape, china poblana, mestizo).

**8.** May 5 commemorates the Mexican rebellion against (Spain, Perú, France).

**9.** "Día de la Raza" corresponds to (Pan-American Day, Easter, Columbus Day).

**10.** The piñata is broken during (Las Posadas, Pan-American Day, Carnival).

**D.** Identify each of the following in an English sentence:

**1.** china poblana ----------------------------------

**2.** Día de la Raza ----------------------------------

**3.** Aztecs ----------------------------------

**4.** poncho ----------------------------------

**5.** mariachi ----------------------------------

**6.** cesta ----------------------------------

**7.** sombrero de jipijapa ----------------------------------

**8.** sarape ----------------------------------

**9.** piñata ----------------------------------

**10.** Incas ----------------------------------

## 6. MASTERY EXERCISES

(LESSONS 1–5)

**A.** Match each country in column *A* with its capital in column *B*.

| | *A* | *B* |
|---|---|---|
| ------- | **1.** Dominican Republic | *a.* Montevideo |
| ------- | **2.** Uruguay | *b.* Bogotá |
| ------- | **3.** Cuba | *c.* Asunción |
| ------- | **4.** Chile | *d.* Santo Domingo |
| ------- | **5.** Bolivia | *e.* San José |
| ------- | **6.** Argentina | *f.* La Paz |
| ------- | **7.** Ecuador | *g.* Caracas |
| ------- | **8.** Costa Rica | *h.* Quito |
| ------- | **9.** Perú | *i.* Managua |
| ------- | **10.** Paraguay | *j.* Havana |
| ------- | **11.** Nicaragua | *k.* Tegucigalpa |
| ------- | **12.** Honduras | *l.* San Juan |
| ------- | **13.** Colombia | *m.* Buenos Aires |
| ------- | **14.** Puerto Rico | *n.* Lima |
| ------- | **15.** Venezuela | *o.* Santiago |

**B.** Match each person with the name of the place with which he is most closely associated.

| | *A* | *B* |
|---|---|---|
| ------- | **1.** Cortés | *a.* Perú |
| ------- | **2.** San Martín | *b.* Chile |
| ------- | **3.** Coronado | *c.* Mississippi River |
| ------- | **4.** O'Higgins | *d.* Pacific Ocean |
| ------- | **5.** Pizarro | *e.* México |
| ------- | **6.** Martí | *f.* Ayacucho |
| ------- | **7.** de Soto | *g.* Florida |
| ------- | **8.** Balboa | *h.* Cuba |
| ------- | **9.** Ponce de León | *i.* Argentina |
| ------- | **10.** Sucre | *j.* Grand Canyon |

**C.** Match each writer, painter, or musician in column *A* with the item in column *B* for which he is famous.

| | *A* | *B* |
|---|---|---|
| _______ | **1.** Rubén Darío | *a. Tradiciones peruanas* |
| _______ | **2.** Gabriel García Márquez | *b.* orchestra conductor |
| _______ | **3.** Ricardo Palma | *c.* Nobel Prize for Literature, 1945 |
| _______ | **4.** Diego Rivera | *d.* mural paintings |
| _______ | **5.** Rómulo Gallegos | *e.* modernism |
| _______ | **6.** Carlos Chávez | *f.* gaucho life |
| _______ | **7.** Andrés Bello | *g. Facundo* |
| _______ | **8.** Gabriela Mistral | *h. Doña Bárbara* |
| _______ | **9.** Bernaldo de Quirós | *i. Gramática castellana* |
| _______ | **10.** Domingo F. Sarmiento | *j.* Nobel Prize for Literature, 1982 |

**D.** Underline the word or expression that correctly completes each statement.

**1.** Between Chile and Argentina stands the famous statue of (Viña del Mar, Christ of the Andes, Bolívar).

**2.** An important tin-producing country is (Guatemala, México, Bolivia).

**3.** José Orozco was a Mexican (general, pianist, painter).

**4.** (Quito, Cuzco, Xochimilco) was the ancient capital of the Incas.

**5.** A celebration that takes place in México just before Christmas is (All Souls' Day, Carnival, las Posadas).

**6.** The floating gardens of (Viña del Mar, Xochimilco, Taxco) attract many tourists.

**7.** Many South-American cities located in the tropics have a fairly cool climate because of the (storms, size, altitude).

**8.** In Spanish America many houses have a (bolero, merengue, patio).

**9.** The llama lives in (Central America, the Sierra Madre, the Andes).

**10.** Valparaíso is an important port of (Chile, Ecuador, Argentina).

**11.** The South-American country that has ports on two oceans is (Colombia, Argentina, Venezuela).

**12.** (Soccer, Bullfighting, Jai-alai) is prohibited in some Spanish-American countries.

**13.** An important product of Paraguay is (chicle, bananas, yerba mate).

**14.** The first university in South America was established in (Lima, Quito, Caracas).

**15.** The most important product of Venezuela is (tobacco, emeralds, petroleum).

**16.** (Colombia, Argentina, Bolivia) is an important producer of wheat and beef.

**17.** (Columbus Day, May 5, September 16) is an important holiday in all of Spanish America.

**18.** *Los de abajo*, a novel of the Mexican revolution, was written by (Azuela, Arrau, Siqueiros).

**19.** One of the highest lakes in the world is called (Orinoco, Iguazú, Titicaca).

**20.** (Sugar, Copper, Platinum) is an important product of Cuba.

21. The Camino Real is in the state of (California, Nevada, Colorado).
22. Panamá hats are made in (Panamá, Colombia, Ecuador).
23. The Río de la Plata flows between (Argentina and Uruguay, Argentina and Chile, Colombia and Venezuela).
24. A famous volcano of México is (Chapultepec, Popocatépetl, Andes).
25. The famous Palacio de Bellas Artes is in (Bogotá, Taxco, México City).
26. The street singers of México are called (rebozos, mariachis, charros).
27. Spanish America gave the world (potatoes and tomatoes, rice and wheat, cows and sheep).
28. The plains of Argentina are called (ponchos, pampas, arroyos).
29. The state of (New Mexico, Montana, California) has many missions established by fray Junípero Serra.
30. (San Martín, Bolívar, Montezuma) was called "The Liberator."
31. (Juárez, Cabeza de Vaca, Columbus) discovered the New World.
32. The Magdalena River is in (México, Colombia, Venezuela).
33. (Cabeza de Vaca, Ponce de León, Balboa) wandered for six years along the southern coast of the United States.
34. Miguel Hidalgo started the rebellion for the independence of (El Salvador, Panamá, México).
35. A great part of the population of (Argentina, Ecuador, Uruguay) is of Indian origin.
36. The ancient inhabitants of México were the (Aztecs, mestizos, Incas).
37. The oldest city in the United States is (Santa Fe, St. Augustine, San Francisco).
38. The largest Spanish-speaking city in the world is (México City, Lima, Panama).
39. The (guanaco, quetzal, cóndor) is a bird of Guatemala.
40. (Guadalajara, Piedra del Sol, Acapulco) is a well-known seaside resort.
41. The Inca ruins of Machu-Picchu are near (Lima, Cuzco, Guadalajara).
42. The "Abraham Lincoln of México" was (Juárez, Sarmiento, Maximilian).
43. Pizarro founded the city of (San Salvador, Tenochtitlán, Lima).
44. A South-American country without a seacoast is (Ecuador, Bolivia, Uruguay).
45. The highest peak in South America is (Aconcagua, Ixtaccíhuatl, Titicaca).
46. The smallest country in Central America is (Honduras, Costa Rica, El Salvador).
47. An important product of Chile is (silver, emeralds, nitrates).
48. To protect himself from the rain, the gaucho wears a (poncho, serape, sombrero de jipijapa).
49. The oldest cathedral on the North-American continent is located in (Guatemala City, Havana, México City).
50. A famous dance of México is the (jarabe tapatío, tango, rumba).

## 7. GEOGRAPHY OF SPAIN

**A. Location**

The southwestern part of Europe; occupies most of the Iberian Peninsula (Spain and Portugal)

**B. Size and Population**

Has an area of about 200,000 square miles (four times the size of New York State); about 40,000,000 inhabitants.

**C. Mountains**

1. The **Pyrenees** (los Pirineos): In the northeast. They separate Spain from France.
2. **Cantabrian** Mountains (los Montes Cantábricos): In the northwest.
3. **Guadarrama** Mountains (la Sierra de Guadarrama): Near Madrid.
4. **Sierra Nevada** and **Sierra Morena:** In the south.

**D. Rivers**

1. El **Ebro** (northeast): Flows into the Mediterranean Sea.
2. El **Tajo** (center): Longest river in Spain. Passes by the city of Toledo.
3. El **Guadalquivir** (south): Deepest and most navigable river in Spain. The cities of Seville and Córdoba are located along its banks.

**E. Outlying Possessions**

1. **Balearic Islands** (Islas Baleares): A group of islands in the Mediterranean Sea; a popular resort area; Mallorca is the largest island in the group.
2. **Canary Islands** (Islas Canarias): A group of islands in the Atlantic Ocean, off the coast of Africa.
3. In Africa: **Ceuta** and **Melilla,** two port cities in Morocco.

**F. Important Products**

1. Spain is both an industrial and an agricultural country.
2. The principal agricultural products are olives, oranges, grapes, rice, almonds, and cork.
   *a.* Spain occupies third place in Europe in the production of wines.
   *b.* The wines of Jerez (sherry) and Málaga are world-famous.
   *c.* Spain is the world's leading producer of olive oil.
3. Mineral resources are coal, iron, mercury, lead, and copper.

**G. Regions of Spain**

Historically, Spain is divided into fifteen regions, which were at one time separate kingdoms.

**Cantabria:** north
**Galicia:** northwest
**Asturias:** north
**Basque country** (País Vasco): north, bordering the Pyrenees
**Navarre** (Navarra): north
**Aragon** (Aragón): northeast
**Catalonia** (Cataluña): northeast
**Rioja** (La Rioja): north
**Castile and Leon** (Castilla y León): north and center
**Castile-La Mancha** (Castilla-La Mancha): center
**Madrid:** center
**Valencia:** east

**Extremadura:** west

**Murcia:** southeast

**Andalusia** (Andalucía): south

**H. Languages**

1. **Spanish** (el español, el castellano): The principal language spoken in Spain.
2. **Galician** (el gallego): Spoken in Galicia.
3. **Basque** (el vascuence): Spoken in the Basque country.
4. **Catalán:** Spoken in Catalonia.

*EXERCISES*

**A.** To the left of each item in column *A*, write the letter of a related item in column *B*.

| | *A* | *B* |
|---|---|---|
| ------- | **1.** Asturias | *a.* Balearic Islands |
| ------- | **2.** el castellano | *b.* Atlantic Ocean |
| ------- | **3.** Sierra Morena | *c.* Spain's longest river |
| ------- | **4.** el gallego | *d.* region in the northeast |
| ------- | **5.** Tajo | *e.* wine |
| ------- | **6.** Guadalquivir | *f.* language spoken in the northwest |
| ------- | **7.** Jerez | *g.* most navigable river |
| ------- | **8.** Canary Islands | *h.* mountains |
| ------- | **9.** Catalonia | *i.* region in the north |
| ------- | **10.** Mallorca | *j.* principal language of Spain |

**B. ¿Sí o No?** If the statement is true, write **sí**; if it is false, correct it by changing the words in italics, writing the correct words in the blank.

**1.** The Pyrenees separate Spain from *Portugal.* ------------------------

**2.** The Mediterranean Sea is situated *west* of Spain. ------------------------

**3.** Spain and Portugal form the *Iberian* Peninsula. ------------------------

**4.** Some Spanish *wines* are world-famous. ------------------------

**5.** Spain has a population of about *40,000,000.* ------------------------

**6.** Spain is *four* times as large as New York State. ------------------------

**7.** The Cantabrian Mountains are in the *south* of Spain. ------------------------

**8.** The most navigable river of Spain is the *Guadalquivir.* ------------------------

**9.** *Málaga* is an important wine-producing center. ------------------------

**10.** The principal language of Spain is *Basque.* ------------------------

**C.** Underline the word or expression that correctly completes each sentence.

1. The (Guadarrama, Pyrenees, Cantabrian) Mountains separate Spain from France.
2. (Apples, Oranges, Machines) are an important product of Spain.
3. Spain is located in the (southwestern, northeastern, central) part of Europe.
4. Spain has two ports that are situated in (South America, Africa, México).
5. A popular resort area of Spain is (the Balearic Islands, the Canary Islands, Extremadura).
6. The (Tajo, Ebro, Guadalquivir) River passes by Toledo.
7. (Murcia, Aragón, Galicia) is in the northwestern part of Spain.
8. An important mineral resource of Spain is (gold, tin, mercury).
9. Spain has an area of (40,000,000; 200,000; 13) square miles.
10. The Sierra (Morena, Nevada, de Guadarrama) is near Madrid.

**D.** Complete the following statements.

1. The ________________________________ is the longest river in Spain.
2. The ____________________________________ are islands in the Mediterranean Sea that belong to Spain.
3. ____________________________________ is a region of central Spain.
4. Spain is the world's leading producer of ______________________.
5. ________________________________ is a region that covers most of southern Spain.
6. The Cantabrian Mountains are in the _________________________ part of Spain.
7. Spain consists of _________________ regions.
8. The Sierra Nevada is a mountain range in the _________________________ part of Spain.
9. The regional language of Catalonia is _________________________.
10. A Spanish river that flows into the Mediterranean Sea is the __________________.

## 8. IMPORTANT AND INTERESTING PLACES IN SPAIN

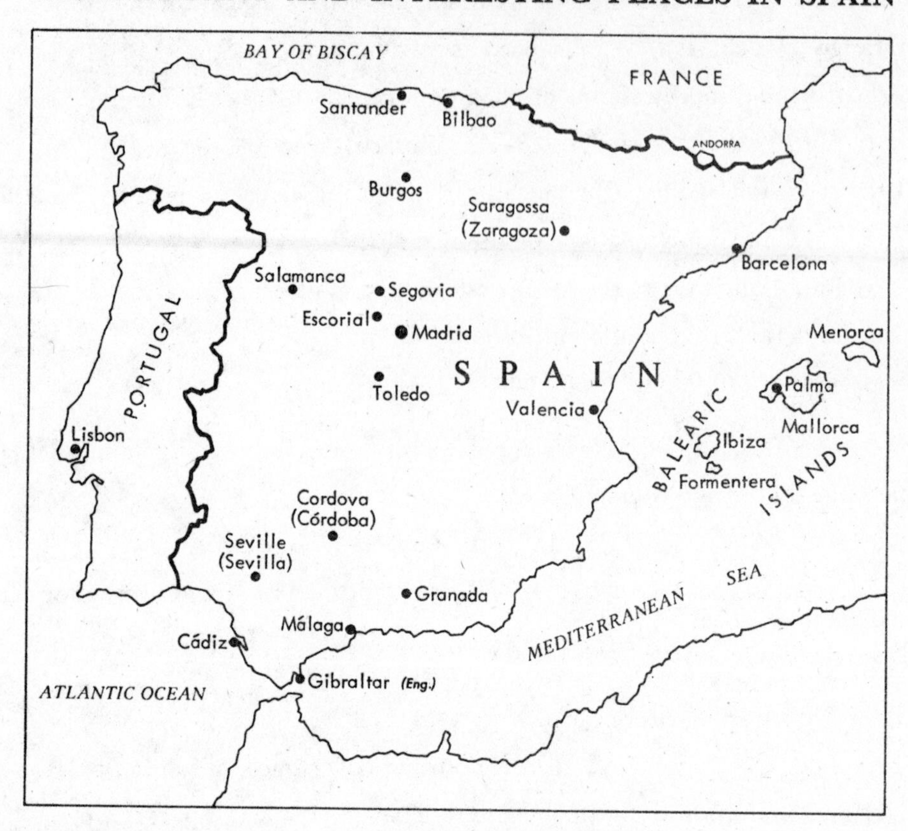


1. **Madrid:** The capital and largest city in Spain (population about 4,000,000). In or near Madrid there are many interesting places to visit, among which are:

   *a.* **El Prado:** A famous art museum, which contains many of the works of great Spanish painters.

   *b.* **The National Palace** (el Palacio Nacional): One of the largest and most luxurious palaces in Europe.

   *c.* **Puerta del Sol:** The central plaza of Madrid. Streets radiate from it in all directions, to all parts of the city.

   *d.* **El Escorial:** Near Madrid. A huge building combining a palace, monastery, library and burial place for Spanish kings. It was built (1563–84) by order of Philip II.

   *e.* **Valley of the Fallen** (el Valle de los Caídos): Near Madrid. An enormous monument in memory of the soldiers who died in the Spanish Civil War (1936–39).

2. **Barcelona:** The principal city of Catalonia and the second largest city in Spain (population about 2,000,000). It is Spain's largest seaport (Mediterranean Sea), and the main industrial city. Nearby is the famous monastery of **Montserrat.**

3. **Seville** (Sevilla): In Andalusia, on the Guadalquivir River. It is Spain's most picturesque city.

   *a.* The **Cathedral of Seville** is the largest in Spain, and one of the largest in the world. It contains the tomb of Columbus.

   *b.* **La Giralda:** The tower of the Seville cathedral. It is an admirable example of Moorish architecture.

4. **Valencia:** On the Mediterranean coast. It is in a rich agricultural region called the "garden spot of Spain." It is a leading export center for oranges and rice.

5. **Granada:** In the south. It is a picturesque city, the last Moorish possession in Spain, recaptured by the Christians in 1492. The **Alhambra,** a famous Moorish palace, attracts visitors from everywhere.
6. **Toledo:** In central Spain. A famous medieval city near Madrid, on the **Tajo** River. It is important in metalwork, especially fine steel and exquisite jewelry. It was the home of the painter **El Greco,** and contains many of his works.
7. **Salamanca:** The site of the **University of Salamanca,** the oldest university in Spain, and one of the oldest and greatest universities of Europe. It was established in the 13th century.
8. **Cordova** (Córdoba): On the **Guadalquivir** River. During the 10th and 11th centuries it was the Moorish capital of Spain, and one of the most important cultural centers of Europe. Its **mosque** (mezquita—a Moslem place of worship) is an important tourist attraction.
9. **Burgos:** The home of **El Cid,** Spain's national hero. Its cathedral is one of the finest in Europe, and contains the tomb of El Cid.
10. **Bilbao:** In the north. An important seaport, and the most important mining and steel-manufacturing city in Spain.
11. **Segovia:** In central Spain. An ancient city, settled by the Romans. An ancient Roman aqueduct (which still stands) provided the city's water supply until 1958.

## *EXERCISES*

**A. ¿Sí o No?** If the statement is true, write **sí;** if it is false, correct it by changing the words in italics, writing the correct words in the blank.

1. Barcelona is an important seaport on the *Atlantic Ocean.* ____________________
2. The National Palace is in *Segovia.* ____________________
3. The largest cathedral in Spain is located in *Seville.* ____________________
4. Valencia and Bilbao are important *cities* of Spain. ____________________
5. The Escorial was built by order of *Charles V.* ____________________
6. *Madrid* is located on the Guadalquivir River. ____________________
7. *Granada* was the last Moorish possession in Spain. ____________________
8. Toledo was the home of *El Greco.* ____________________
9. Cordova was an important cultural center in the *19th* century. ____________________
10. The aqueduct of *Segovia* is an important Roman monument. ____________________

**B.** Underline the word or expression that correctly completes each sentence.

1. A burial place for Spanish kings is located in the (cathedral of Burgos, Valley of the Fallen, Escorial).
2. The Alhambra is located in (Granada, Bilbao, Salamanca).
3. An important mining area of Spain is located near (Segovia, Madrid, Bilbao).
4. The Valley of the Fallen is near (Barcelona, Madrid, Burgos).
5. The mosque in (Córdoba, Cádiz, Toledo) is famous.

6. The university of (Madrid, Salamanca, Toledo) is one of the oldest universities in Europe.
7. (Barcelona, Seville, Madrid) is the second largest city in Spain.
8. Valencia is famous for its (minerals, oranges, wines).
9. The (Prado, Giralda, Escorial) is a famous art museum in Madrid.
10. The population of Madrid is about (2,000,000; 4,000,000; 37,000,000).

**C.** To the left of each item in column *A*, write the letter of the matching item in column *B*.

| | *A* | *B* |
|---|---|---|
| ------- | **1.** mosque | *a.* Madrid |
| ------- | **2.** Valencia | *b.* Alhambra |
| ------- | **3.** La Giralda | *c.* the "garden of Spain" |
| ------- | **4.** Granada | *d.* tower in Seville |
| ------- | **5.** Puerta del Sol | *e.* Burgos |
| ------- | **6.** el Cid | *f.* Moorish temple |
| ------- | **7.** Toledo | *g.* steel-manufacturing center |
| ------- | **8.** Montserrat | *h.* university |
| ------- | **9.** Salamanca | *i.* medieval city |
| ------- | **10.** Bilbao | *j.* Barcelona |

**D.** Complete the following statements:

1. The cities of Seville and Cordova are located on the ________________________________ River.
2. ____________________ is Spain's most picturesque city.
3. ____________________________________________ is a monument to the soldiers who died in the Spanish Civil War.
4. The central plaza of Madrid is called ________________________________________.
5. ____________________________ was one of the most important cultural centers of Europe during the 10th century.
6. Many Spanish kings are buried in __________________________________.
7. ____________________________ is the capital of Spain.
8. The most important industrial city of Spain is ____________________________.
9. Toledo is located on the ______________________ River.
10. Granada was captured from the Moors in the year __________________.

## 9. HISTORY OF SPAIN

### A. Early Inhabitants

1. The **Iberians** (los iberos) and the **Celts** (los celtas): The earliest inhabitants of Spain, who united to form the **Celtiberians.**
2. The **Phoenicians** and the **Greeks:** Established colonies and trading posts in Spain from about the 11th to the 8th century B.C.
3. The **Carthaginians** invaded Spain in the 3rd century B.C.
4. The **Romans** (los romanos):
   *a.* Defeated the Carthaginians (about 200 B.C.).
   *b.* Ruled Spain for six centuries (till about 400 A.D.).
   *c.* Built bridges, aqueducts, roads.
   *d.* Introduced their language, Latin, from which present-day Spanish is derived.
5. The **Visigoths** (los visigodos): A Germanic tribe that defeated the Romans (409 A.D.) and invaded Spain.
6. The **Moors** (los moros): Invaded Spain, defeating the Visigoths in 711 A.D. They ruled large areas of Spain for about seven centuries, and were finally driven out of Spain in 1492.
   *a.* Developed philosophy and sciences (medicine, mathematics, astronomy, etc.).
   *b.* Developed commerce and agriculture. Devised an irrigation system by means of a waterwheel, called a *noria.*
   *c.* Introduced many Arabic words into the Spanish language, mostly those beginning with *al-* (algodón, alcalde, álgebra, etc.).

### B. Heroes of the Reconquest

1. **Pelayo:** The first leader in the Reconquest of Spain from the Moors. He defeated the Moors in the Battle of Covadonga (718).
2. **El Cid** (Rodrigo Díaz de Vivar): Is considered the national hero of Spain.
   *a.* Continued the struggle against the Moors.
   *b.* Captured Valencia from the Moors (1094).

### C. Important Rulers

1. **Ferdinand** (Fernando) and **Isabella** (Isabel): Called "los Reyes Católicos" (the Catholic Rulers).
   *a.* Completed the Reconquest by driving the Moors from Granada (1492).
   *b.* Helped Columbus in the discovery of America.
2. **Charles** (Carlos) **V**: The grandson of Ferdinand and Isabella.
   *a.* The most powerful king (1516–56) of Spain.
   *b.* During his reign Spain ruled most of Europe and the New World.
3. **Philip** (Felipe) **II**: Son of Charles V. His "Invincible Armada" was defeated in an attempt to invade England (1588).

**D. 19th and 20th Centuries**

1. **War of Independence** (1808–14): Started with a rebellion of the people against French rule under Napoleon (May 2). This date has become the Spanish national holiday.
2. **Spanish-American War** (1898): Spain was defeated by the United States and and lost Cuba, Puerto Rico, the Philippine Islands, and Guam.
3. **Civil War** (1936–39): General Francisco Franco overthrew the republic and set up a dictatorship. After his death in 1975, Spain became a constitutional monarchy.
4. **Spain Today:** In 1975, King Juan Carlos was proclaimed king. In 1982, Felipe González Márquez became prime minister. Three years later, Spain joined the European Common Market.

*EXERCISES*

**A.** To the left of each item in colum *A*, write the letter of the matching item in column *B*.

| | *A* | *B* |
|---|---|---|
| ------- | **1.** Pelayo | *a.* early inhabitants of Spain |
| ------- | **2.** noria | *b.* dictator |
| ------- | **3.** 711 A.D. | *c.* "Catholic Rulers" |
| ------- | **4.** el Cid | *d.* Moorish defeat at Granada |
| ------- | **5.** Philip II | *e.* Rodrigo Díaz de Vivar |
| ------- | **6.** 1808 | *f.* "Invincible Armada" |
| ------- | **7.** 1492 | *g.* Moorish waterwheel |
| ------- | **8.** Celtiberians | *h.* War of Independence |
| ------- | **9.** Franco | *i.* Moorish invasion |
| ------- | **10.** Ferdinand and Isabella | *j.* Covadonga |

**B. ¿Sí o No?** If the statement is true, write **sí;** if it is false, correct it by changing the words in italics, writing the correct words in the blank.

**1.** The "Invincible Armada" tried to invade England in *1588*. ------------------------

**2.** The Moors governed Spain for *two* centuries. ------------------------

**3.** The *Celtiberians* established trading posts in Spain. ------------------------

**4.** The *Visigoths* invaded Spain in 711 A.D. ------------------------

**5.** Charles V was the father of *Philip II.* ------------------------

**6.** El Cid captured *Valencia* from the Moors. ------------------------

**7.** The *Carthaginians* built bridges and aqueducts in Spain. ------------------------

**8.** Ferdinand and Isabella completed the Reconquest from the *Moors.* ------------------------

**9.** The *Moors* developed philosophy and the sciences. ------------------------

**10.** The *Phoenicians* conquered the Carthaginians. ------------------------

**C.** Underline the word or expression that correctly completes each sentence.

**1.** The first leader in the Reconquest of Spain was (Franco, Pelayo, el Cid).

**2.** The Spanish-American War took place in (1898, 1936, 1516).

**3.** Philip II was the son of (Ferdinand and Isabella, el Cid, Charles V).

4. The Spanish language is derived from (Portuguese, Basque, Latin).
5. The Moors were driven out of Spain in (1588, 1492, 1808).
6. The Romans ruled Spain for (6, 2, 8) centuries.
7. Many Spanish words that begin with *al-* are of (Greek, Arabic, Portuguese) origin.
8. The "Invincible Armada" attempted to invade (France, Portugal, England).
9. Columbus' voyages were helped by (Charles V, Ferdinand and Isabella, Philip II).
10. The national hero of Spain is (Pelayo, el Cid, Napoleon).

**D.** *a.* When did . . .

1. the Moors invade Spain? ____________________
2. Pelayo win at Covadonga? ____________________
3. Ferdinand and Isabella capture Granada? ____________________
4. the Spaniards rebel against Napoleon? ____________________
5. the "Invincible Armada" try to invade England? ____________________

*b.* Who . . .

6. captured Valencia from the Moors? ____________________
7. financed Columbus' voyages? ____________________
8. were the grandparents of Charles V? ____________________
9. is the national hero of Spain? ____________________
10. overthrew the Spanish republic in 1939? ____________________

**Along the *Costa Brava* (Spain's "Riviera"), a springtime event that draws thousands of spectators is the Barcelona-Sitges Rally: a race of antique automobiles that runs from Barcelona to a coastal village 30 miles away. The motorists, dressed in appropriate "period" costumes, sputter along at full speed in cars of the early 1900's.**

## 10. SPANISH LITERATURE, SCIENCE, AND THE ARTS

### A. Writers

1. **Golden Age** (Siglo de Oro 1535–1680)
   - *a.* **Cervantes** (1547–1616): Spain's greatest novelist. Wrote the world-famous novel *Don Quijote de la Mancha.*
   - *b.* **Lope de Vega** (1562–1635): Spain's leading dramatist. Wrote hundreds of plays.
   - *c.* **Calderón** (1600–81): The last great figure of the Golden Age. His most famous play is *La vida es sueño.*

2. **19th and 20th Centuries**
   - *a.* **Pérez Galdós** (1845–1920): The greatest Spanish movelist since Cervantes, and the most famous writer of the 19th century.
   - *b.* **Blasco Ibáñez** (1867–1928): Famous novelist who wrote *The Four Horsemen of the Apocalypse* (*Los cuatro jinetes del Apocalipsis*) and *Blood and Sand* (*Sangre y arena*). He also wrote many novels about Valencia, of which the most famous is *La barraca.*
   - *c.* Jacinto **Benavente** (1866–1954): Famous dramatist, winner of the Nobel Prize for Literature in 1922.
   - *d.* Juan Ramón **Jiménez** (1881–1958) and Vicente **Aleixandre** (1898–1984): Famous poets, winners of the Nobel Prize for Literature in 1956 and 1977, respectively.
   - *e.* Camilo José **Cela** (1916–      ): Famous novelist, winner of the Nobel Prize for Literature in 1989.

### B. Scientists

1. Santiago **Ramón y Cajal:** Winner of the Nobel Prize in Medicine (1906), for his studies on the structure of the nervous system.
2. Juan de la **Cierva:** Aeronautical engineer who invented the autogyro (1923), the forerunner of the helicopter.
3. Severo **Ochoa:** Winner of the Nobel Prize in Medicine (1959) for his studies on heredity.

### C. Painters

1. **El Greco:** Greek painter of the 16th century who settled in Toledo, where many of his works can still be found. Most of his paintings are of a religious nature.
2. **Velázquez:** Considered by many Spain's greatest painter. He was court painter to Philip IV (17th century). His most famous work is *Las meninas.*
3. **Goya:** The greatest Spanish painter of the 18th and 19th centuries. His work attacks the social and political decay of the period.
4. **Picasso:** One of the outstanding painters of the 20th century. The founder of *cubism*, a style of painting in which geometric forms represent human figures.

### D. Composers and Musicians

1. Isaac **Albéniz:** Composer of music for the piano.
2. Manuel de **Falla:** Spain's greatest composer and foremost representative of modern Spanish music.
3. José **Iturbi:** Famous pianist, composer, and conductor.
4. Andrés **Segovia:** Probably the most famous guitarist in the world. Has given many concerts all over the world.
5. Pablo **Casals:** Cellist of international fame.

## *EXERCISES*

**A. ¿Sí o No?** If the statement is true, write **sí**; if it is false, correct it by changing the words in italics, writing the correct words in the blank.

1. Andrés Segovia was a world-famous *guitarist.* ______________________________
2. *Pablo Casals* was Spain's greatest composer. ______________________________
3. Blasco Ibáñez wrote *The Four Horsemen of the Apocalypse.* ______________________________
4. Lope de Vega was Spain's leading *dramatist.* ______________________________
5. *Ramón y Cajal* invented the autogyro. ______________________________
6. *Cervantes* was the greatest Spanish novelist. ______________________________
7. Calderón was the *first* great writer of the Golden Age. ______________________________
8. *Velázquez* was the founder of cubism. ______________________________
9. Goya lived in the *16th* century. ______________________________
10. Many of el Greco's works can be found in *Toledo.* ______________________________

**B.** To the left of each item in column *A*, write the letter of the matching item in column *B*.

| | *A* | *B* |
|---|---|---|
| ------- | **1.** Pablo Casals | *a.* 20th century dramatist |
| ------- | **2.** Lope de Vega | *b.* religious paintings |
| ------- | **3.** Ramón y Cajal | *c.* *Las meninas* |
| ------- | **4.** Albéniz | *d.* *Don Quijote de la Mancha* |
| ------- | **5.** Benavente | *e.* Golden Age dramatist |
| ------- | **6.** Blasco Ibáñez | *f.* studies of the nervous system |
| ------- | **7.** el Greco | *g.* cellist |
| ------- | **8.** Cervantes | *h.* novels about Valencia |
| ------- | **9.** Velázquez | *i.* cubism |
| ------- | **10.** Picasso | *j.* composer |

**C.** Underline the word or expression that correctly completes each statement.

1. The Golden Age occurred during the (18th and 19th, 19th and 20th, 16th and 17th) centuries.
2. Lope de Vega was a famous (dramatist, painter, novelist).
3. The last great dramatist of the Golden Age was (Velázquez, Calderón, Blasco Ibáñez).
4. The most famous Spanish composer was (Isaac Albéniz, Manuel de Falla, Pablo Casals).
5. The greatest painter of 18th century Spain was (Goya, Velázquez, Picasso).
6. (Juan de la Cierva, Severo Ochoa, Pablo Picasso) invented the autogyro.
7. A Spanish dramatist who won the Nobel Prize was (Cervantes, Benavente, Ochoa).
8. The greatest novelist of Spain was (Cervantes, Pérez Galdós, Blasco Ibáñez).
9. Juan Ramón Jiménez was a famous (poet, musician, dramatist).
10. (Calderón, Goya, Segovia) was a great Spanish guitarist.

**D.** Complete the following statements:

1. A 16th century painter who lived in Toledo was ______________________.
2. A famous dramatist of the 20th century was ______________________________.
3. ______________________________ won the Nobel prize for his studies in heredity.
4. ______________________________ was a famous pianist and orchestra conductor.
5. *Sangre y arena* was written by ______________________________.
6. ______________________________ was the most famous 19th century Spanish novelist.
7. __________________________ was the author of *La Vida es sueño.*
8. ______________________________ was a famous Spanish guitarist.
9. ______________________________________ invented the autogyro.
10. ______________________________ was court painter to Philip IV.

**E.** *a.* Who wrote . . .

1. *Don Quijote de la Mancha*? ______________________________
2. *Sangre y arena*? ______________________________
3. *La vida es sueño*? ______________________________
4. hundreds of plays? ______________________________
5. *La barraca*? ______________________________

*b.* Who was . . .

6. Spain's greatest composer? ______________________________
7. Isaac Albéniz? ______________________________
8. the father of cubism? ______________________________
9. el Greco? ______________________________
10. Santiago Ramón y Cajal? ______________________________

# 11. PEOPLE AND CUSTOMS OF SPAIN

## A. Names

1. **Family names:**

   *a.* Spaniards have two family names, the family name of the father followed by the maiden name of the mother, often joined by **y.**

   Example: Pedro **Ortega** (**y**) **Gómez**

   This is sometimes shortened to Pedro **Ortega** by omitting the mother's family name.

   *b.* When a woman marries, she keeps her family name and takes on the family name of her husband, which is preceded by **de.** Thus, Pedro's wife, whose maiden name was Elena **López y Suárez,** might be called:

   Elena **López de Ortega**

   (*Note.* The mother's family names of both Pedro and Elena are omitted.)

2. **Saint's Day** (el día del santo). Most Spanish children have, as their given name, the name of a saint. They generally celebrate their saint's day instead of, or in addition to, their birthday.

## B. Customs

1. La **tertulia:** An informal social gathering for the purpose of meeting and chatting with friends.
2. La **siesta:** An afternoon nap or rest following the noon meal.
3. The **lottery** (la lotería): Government-controlled. Frequent drawings are held.

## C. Religious Holidays

1. **Christmas** (la Navidad). The most important religious holiday in Spain. Christmas trees are not used. Instead, each home has its Nativity scene (nacimiento), clay figures representing the scene of the birth of Christ. On Christmas Eve (Nochebuena) people attend a **Midnight Mass** (misa del gallo). Children receive gifts on January 6, the Day of the **Three Wise Men** (Día de los Reyes Magos). The Reyes Magos play the same role in Spanish life as Santa Claus.
2. **Carnival** (Carnaval). A celebration that occurs during the three days before Lent.
3. **Easter** (La Pascua Florida). Celebrated throughout Spain and Spanish America. **Holy Week** (la Semana Santa) is observed the week before, with solemn ceremonies. The Holy Week celebration in Seville is world-famous.
4. **All Souls' Day** (Día de los Difuntos) is observed solemnly. The people visit the graves of dead relatives and friends (Nov. 2).

## D. National Holidays

1. **May 2** (el Dos de Mayo). Commemorates the uprising of the Spanish people against French rule (1808). It is celebrated as the national holiday.
2. **Día de la Raza** (October 12). Corresponds to *Columbus Day,* and is celebrated throughout Spain and Spanish America.

## E. Sports and Spectacles

1. **Bullfight** (la corrida de toros): Very popular in Spain. The bullfighters (toreros) attempt to show their skill and bravery fighting against a ferocious bull (toro), specially bred for strength and bravery.

2. **Jai-alai:** A game of Basque origin, somewhat similar to handball.
   *a.* El **frontón.** A three-walled court on which jai-alai is played.
   *b.* La **cesta.** A curved basket strapped to the player's wrist, in which the ball is caught and thrown against the wall.
3. El **fútbol** (the Spanish word for soccer): Very popular in Spain.

**F. Regional Dances**

1. Andalusia: **bolero, fandango, flamenco.** Generally accompanied on the guitar.
2. Aragón: **jota**
3. Catalonia: **sardana**

**G. Typical Foods**

1. **Arroz con pollo** (chicken and rice): Popular in Spain and Spanish America.
2. **Paella:** Chicken and rice, with seafood.
3. **Cocido** (stew): The most usual dish among farmers and laborers.

**H. Typical Beverages**

1. **Chocolate:** Thick hot chocolate usually served at breakfast.
2. **Horchata:** Cold drink of crushed almonds, water, and sugar.

**I. Picturesque Types**

1. El **sereno** (night watchman): Patrols the houses in his district; carries a lantern and keys, to open the door for those who come home late in the evening.
2. El **gitano** (Gypsy): Found mostly in the south, especially around Seville and Granada.

## *EXERCISES*

**A.** To the left of each item in column *A*, write the letter of the matching item in column *B*.

| | *A* | *B* |
|---|---|---|
| _______ | **1.** saint's day | *a.* soccer |
| _______ | **2.** Carnival | *b.* afternoon nap |
| _______ | **3.** torero | *c.* beverage |
| _______ | **4.** Holy Week | *d.* birthday celebration |
| _______ | **5.** siesta | *e.* Lent |
| _______ | **6.** fútbol | *f.* Santa Claus |
| _______ | **7.** Reyes Magos | *g.* Midnight Mass |
| _______ | **8.** tertulia | *h.* Easter |
| _______ | **9.** horchata | *i.* bullfight |
| _______ | **10.** Christmas | *j.* social gathering |

**B.** Underline the word or expression that correctly completes each statement.

1. A popular Spanish dish is the (sardana, paella, tertulia).
2. Spaniards usually have (horchata, chocolate, tea) at breakfast.
3. The lottery is managed (by the church, privately, by the government).
4. Instead of Christmas trees, Spaniards usually have a (cesta, toro, nacimiento) set up in the home.
5. The *jota* is a Spanish (dance, musical instrument, dish).
6. The Spanish national holiday is (May 2, October 12, November 2).
7. *Jai-alai* is played in a (bullring, frontón, cesta).
8. The city of (Seville, Valencia, Granada) is famous for its Holy Week celebration.
9. Spanish children receive their Christmas gifts on (December 16, December 25, January 6).
10. Spaniards visit the cemeteries on (their saint's day, All Souls' Day, Christmas day).

**C.** Complete the following sentences:

1. The *fandango* is a regional dance of ----------------------------.
2. Juan López y Serrano marries Dolores Moreno y Ortega. The wife's full name is now ---------------------------------------------------.
3. Juan and Dolores have a son, Carlos, whose full name is -------------------------------------------------.
4. Christmas Eve is called ----------------------------------------- in Spain.
5. The night watchman is called a -------------------------.
6. A typical dish of Spain is ------------------------------------------.
7. ---------------------------- is a sport of Basque origin.
8. The uprising against French rule took place on ---------------------------, 1808.
9. A regional dance of Catalonia is the ----------------------------.
10. ---------------------------------- Day is celebrated on October 12.

**D.** Identify each of the following in an English sentence.

1. arroz con pollo ------------------------------------------------------------
2. Dos de Mayo ------------------------------------------------------------
3. torero ------------------------------------------------------------
4. cocido ------------------------------------------------------------
5. nacimiento ------------------------------------------------------------
6. Día de la Raza ------------------------------------------------------------
7. tertulia ------------------------------------------------------------
8. misa del gallo ------------------------------------------------------------
9. Carnaval ------------------------------------------------------------
10. gitano ------------------------------------------------------------

11. día del santo ______________________________

12. siesta ______________________________

13. cesta ______________________________

14. Día de los Difuntos ______________________________

15. horchata ______________________________

**When Columbus made his triumphal entry into Spain on his return from his first voyage, he was given a royal reception by King Ferdinand and Queen Isabella. Columbus not only described the riches of the newly discovered regions, but exhibited as proof gold trinkets, tropical birds, rare plants and even native Indians he had brought along with him. The king and queen bestowed on Columbus many honors and privileges, naming him "Admiral of the Ocean Sea." In all, Columbus made four voyages of discovery to the New World.**

# 12. MASTERY EXERCISES

(LESSONS 7–11)

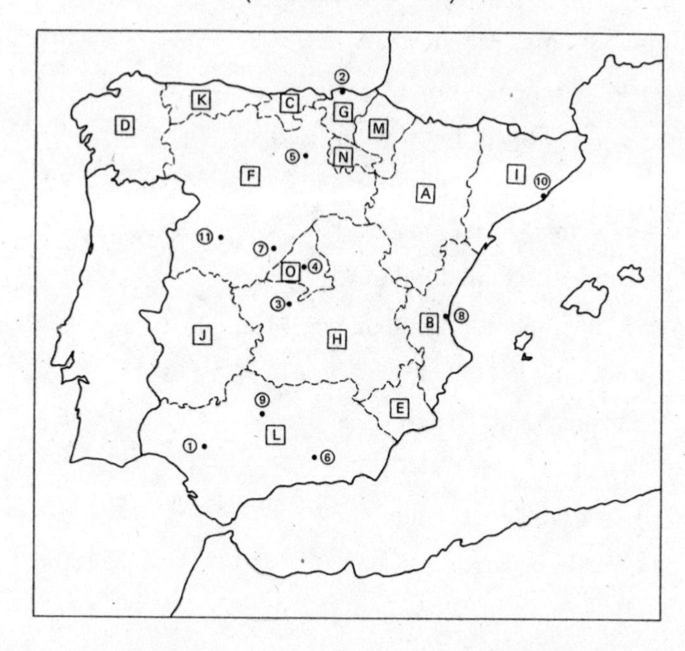


**A.** In the map above, identify each of the following regions by writing its corresponding letter in the blank on the left:

------- **1.** Basque country
------- **2.** Galicia
------- **3.** Andalusia
------- **4.** Murcia
------- **5.** Extremadura
------- **6.** Asturias
------- **7.** Aragón
------- **8.** Castile and León
------- **9.** Cantabria
------- **10.** Navarre
------- **11.** Valencia
------- **12.** Castile-La Mancha
------- **13.** Catalonia

**B.** In the map above, identify each of the following cities by writing its corresponding number in the blank:

------- *a.* Seville
------- *b.* Valencia
------- *c.* Segovia
------- *d.* Bilbao
------- *e.* Salamanca
------- *f.* Barcelona
------- *g.* Toledo
------- *h.* Cordova
------- *i.* Burgos
------- *j.* Madrid
------- *k.* Granada

**C.** In each of the following groups, underline the word or expression that does not belong with the others in the group:

**1.** *mountains:* Sierra Nevada, Guadarrama, Murcia, Pyrenees

**2.** *novelists:* Cervantes, Domingo Ortega, Pérez Galdós, Blasco Ibáñez

3. *languages:* Badajoz, Spanish, Catalán, Basque
4. *customs:* gypsy, tertulia, lottery, siesta
5. *scientists:* Ochoa, Ramón y Cajal, de la Cierva, Jiménez
6. *regions:* Extremadura, Aragón, Andalusia, Málaga
7. *dances:* sereno, bolero, fandango, jota
8. *dramatists:* Lope de Vega, Franco, Benavente, Calderón
9. *composers:* Albéniz, Iturbi, Falla, Galdós
10. *cities:* Burgos, Pelayo, Segovia, Salamanca
11. *rivers:* Tajo, Ebro, Mallorca, Guadalquivir
12. *Christmas:* Holy Week, nacimiento, Nochebuena, Midnight Mass
13. *cities:* Barcelona, Iberia, Bilbao, Valencia
14. *painters:* Picasso, Velázquez, Napoleon, Goya
15. *interesting sights:* el Greco, el Prado, la Giralda, el Escorial
16. *kings:* Philip, Charles, Casals, Ferdinand
17. *foods:* cocido, paella, sardana, arroz con pollo
18. *regions:* Navarre, Galicia, Toledo, Extremadura
19. *interesting sights:* Alhambra, horchata, aqueduct of Segovia, Valley of the Fallen
20. *Reconquest:* Catholic Rulers, Pelayo, Romans, el Cid
21. *musicians:* Iturbi, Casals, Segovia, Velázquez
22. *holidays:* May 2, Easter, Christmas, January 2
23. *early inhabitants:* Phoenicians, French, Carthaginians, Celts
24. *spectacles:* bullfight, jai-alai, noria, soccer
25. *holidays:* Carnival, November 2, February 28, October 12

**D.** Underline the word or expression that correctly completes each statement.

1. Lope de Vega wrote (essays, music, dramas).
2. The famous Moorish tower in Seville is the (National Palace, Giralda, Alhambra).
3. An Andalusian dance is the (jota, sardana, fandango).
4. The Balearic Islands are in the (Atlantic Ocean, Mediterranean Sea, Pacific Ocean).
5. Andrés Segovia is a famous Spanish (musician, painter, writer).
6. The Reconquest was completed in (1492, 1808, 711).
7. A Spanish dish is the (cesta, sereno, cocido).
8. The only important Spanish river that flows into the Mediterranean is the (Ebro, Guadalquivir, Tajo).
9. The mountains between France and Spain are the (Sierra Morena, Cantabrian, Pyrenees).
10. During the three days before Lent, Spaniards celebrate (Holy Week, Easter, Carnival).
11. (Calderón, Benavente, Lope de Vega) won the Nobel Prize for Literature.

**12.** The flamenco is a (dance, musical instrument, beverage).

**13.** The national hero of Spain is (Cervantes, el Cid, Charles V).

**14.** *Don Quijote de la Mancha* is a (drama, novel, poem).

**15.** (El Greco, Pelayo, El Cid) defeated the Moors at Covadonga.

**16.** The inventor of the autogyro was (Calderón, Juan de la Cierva, Severo Ochoa).

**17.** (Barcelona, Madrid, Granada) is a seaport on the Mediterranean.

**18.** Blasco Ibáñez was a great Spanish (painter, writer, musician).

**19.** The jota is a (dance, beverage, dish).

**20.** Valencia is in the (western, eastern, northern) part of Spain.

**21.** (Ramón y Cajal, Lope de Vega, Juan Ramón Jiménez) was a famous doctor.

**22.** Spain produces much (tobacco, cork, coffee).

**23.** The river that passes by Seville is the (Ebro, Tajo, Guadalquivir).

**24.** The (tertulia, sereno, paella) is a Spanish dish.

**25.** The most navigable river of Spain is the (Ebro, Guadalquivir, Tajo).

**E.** Complete the following statements:

**1.** The Escorial is a famous monastery near ___________________________.

**2.** The frontón is the court where ___________________________ is played.

**3.** If Luisa González marries Arturo Pérez her name becomes ___________________________.

**4.** Andalusia is a region in the ____________________ of Spain.

**5.** The largest cathedral of Spain is in ___________________________.

**6.** Many words that begin with *al-* are of ______________________ origin.

**7.** The mosque of Cordova was built by the ______________________.

**8.** The central plaza of Madrid is the ___________________________________.

**9.** The Moorish waterwheel is called a ____________________.

**10.** ___________________________________ was a famous Spanish cellist.

**11.** The Holy Week celebration in the city of ______________________ is famous.

**12.** The bolero is a ____________________.

**13.** El Día de la Raza corresponds to _______________________________ Day.

**14.** The Alhambra is in ___________________________.

**15.** The last great writer of the Golden Age was _______________________________.

**16.** Toledo is on the __________________ River.

**17.** The city of ______________________ was an important cultural center in the 10th century.

**18.** A famous ___________________________ built by the Romans still exists in Segovia.

**19.** Velázquez was a famous Spanish ___________________________.

**20.** Spain has an area of about __________________________ square miles.

**21.** Spain's national holiday occurs on ______________________.

22. *Las meninas* was painted by ________________.

23. The oldest university in Spain is located in ________________.

24. The Prado is a famous ________________ in Madrid.

25. Gypsies are found mainly in the cities of Granada and ________________.

26. All Souls' Day is celebrated on ________________.

27. An important steel-manufacturing center in Spain is ________________.

28. Blasco Ibáñez wrote many novels about the region of ________________.

29. The night-watchman is called a ________________.

30. The founder of the cubist school of painting was ________________.

31. The ________________ invaded Spain about 409 A.D.

32. The capital of Spain is ________________.

33. *La vida es sueño* is the best-known play of ________________.

34. The last city in Spain held by the Moors was ________________.

35. The Day of the Three Wise Men (Día de los Reyes Magos) falls on ________________.

36. Cordova is located on the ________________ River.

37. ________________ is called the "garden spot of Spain."

38. King ________________ sent the "Invincible Armada" to invade England.

39. Second to Cervantes, Spain's greatest novelist was ________________.

40. The ________________ invaded Spain in 711.

**Jai-alai, a game that originated in the Basque country, is popular throughout Spain. It is also very popular in some parts of Spanish America, especially Mexico and Cuba. The game is similar to handball, but in jai-alai the player's hands never touch the ball: he catches it in a basket attached to his wrist and hurls it at the wall with great speed.**

# Part VI—Auditory Comprehension

## A. COMPLETION OF ORAL SENTENCES

*To the Teacher*: For the 50 sentences comprising this exercise, please see the Answer Key to *Spanish First Year* (*second edition*).

*Directions to the Pupil:* The teacher will read aloud a sentence, in Spanish, and will repeat it. After the *second* reading of the sentence, *circle* the letter of the answer that best completes the sentence.

| | | | | | | | | | |
|---|---|---|---|---|---|---|---|---|---|
| **1.** | *a* | *b* | *c* | *d* | **26.** | *a* | *b* | *c* | *d* |
| **2.** | *a* | *b* | *c* | *d* | **27.** | *a* | *b* | *c* | *d* |
| **3.** | *a* | *b* | *c* | *d* | **28.** | *a* | *b* | *c* | *d* |
| **4.** | *a* | *b* | *c* | *d* | **29.** | *a* | *b* | *c* | *d* |
| **5.** | *a* | *b* | *c* | *d* | **30.** | *a* | *b* | *c* | *d* |
| **6.** | *a* | *b* | *c* | *d* | **31.** | *a* | *b* | *c* | *d* |
| **7.** | *a* | *b* | *c* | *d* | **32.** | *a* | *b* | *c* | *d* |
| **8.** | *a* | *b* | *c* | *d* | **33.** | *a* | *b* | *c* | *d* |
| **9.** | *a* | *b* | *c* | *d* | **34.** | *a* | *b* | *c* | *d* |
| **10.** | *a* | *b* | *c* | *d* | **35.** | *a* | *b* | *c* | *d* |
| **11.** | *a* | *b* | *c* | *d* | **36.** | *a* | *b* | *c* | *d* |
| **12.** | *a* | *b* | *c* | *d* | **37.** | *a* | *b* | *c* | *d* |
| **13.** | *a* | *b* | *c* | *d* | **38.** | *a* | *b* | *c* | *d* |
| **14.** | *a* | *b* | *c* | *d* | **39.** | *a* | *b* | *c* | *d* |
| **15.** | *a* | *b* | *c* | *d* | **40.** | *a* | *b* | *c* | *d* |
| **16.** | *a* | *b* | *c* | *d* | **41.** | *a* | *b* | *c* | *d* |
| **17.** | *a* | *b* | *c* | *d* | **42.** | *a* | *b* | *c* | *d* |
| **18.** | *a* | *b* | *c* | *d* | **43.** | *a* | *b* | *c* | *d* |
| **19.** | *a* | *b* | *c* | *d* | **44.** | *a* | *b* | *c* | *d* |
| **20.** | *a* | *b* | *c* | *d* | **45.** | *a* | *b* | *c* | *d* |
| **21.** | *a* | *b* | *c* | *d* | **46.** | *a* | *b* | *c* | *d* |
| **22.** | *a* | *b* | *c* | *d* | **47.** | *a* | *b* | *c* | *d* |
| **23.** | *a* | *b* | *c* | *d* | **48.** | *a* | *b* | *c* | *d* |
| **24.** | *a* | *b* | *c* | *d* | **49.** | *a* | *b* | *c* | *d* |
| **25.** | *a* | *b* | *c* | *d* | **50.** | *a* | *b* | *c* | *d* |

## B. SUITABLE RESPONSES TO QUESTIONS OR STATEMENTS

*To the Teacher*: For the 50 questions or statements that comprise this exercise, please see the Answer Key to *Spanish First Year (second edition)*.

*Directions to the Pupil:* The teacher will read aloud a question or statement, in Spanish, and will repeat it. After the *second* reading of the question or statement, *circle* the letter of the alternative that is the most suitable response to the oral question or statement.

**1.** *a.* ¿Desea Vd. un taxi?
*b.* El burro no llega a tiempo.
*c.* Sí, ya salió.
*d.* En trece minutos.

**2.** *a.* No leo mucho.
*b.* Vd. lee demasiado.
*c.* Aquí lo tengo.
*d.* ¿Sabe Vd. escribir?

**3.** *a.* ¿Por qué? ¿No hay clases?
*b.* Es el mes de marzo.
*c.* Es viernes.
*d.* Tiene veinte y cuatro horas.

**4.** *a.* una hora cada día
*b.* en la escuela
*c.* antes de cenar
*d.* Deseo aprenderlo.

**5.** *a.* Es imposible llevarlo.
*b.* Es muy pequeño para mí.
*c.* Me gusta el color.
*d.* Mi cuerpo es demasiado grande.

**6.** *a.* Sí, hace sol.
*b.* Sí, y voy a ponerme el abrigo.
*c.* No, los coches pasan fácilmente.
*d.* No, ya tengo bastante.

**7.** *a.* la máscara
*b.* la autoridad
*c.* la pronunciación
*d.* la servilleta

**8.** *a.* Juega al béisbol todo el día.
*b.* Se acuesta muy tarde.
*c.* Duerme mucho.
*d.* Vive en una casa particular.

**9.** *a.* ¿Dónde vive Vd.?
*b.* Ayer asistí a la celebración del Carnaval.
*c.* ¿Puede Vd. andar libremente por el campo?
*d.* Hoy es el día de fiesta nacional.

**10.** *a.* No necesito mucho.
*b.* Sí, es muy barato.
*c.* Eres un buen amigo.
*d.* Sí, ¿cuánto necesitas?

**11.** *a.* Es necesario correr.
*b.* Tienen solamente ocho.
*c.* Se divierten mucho.
*d.* ¿No llevan chaqueta?

**12.** *a.* Sé nadar muy bien.
*b.* No sé nada.
*c.* No hay nada que hacer.
*d.* ¿Es bueno para la salud?

**13.** *a.* No, hable Vd. un poco más despacio.
*b.* Con permiso, señorita.
*c.* Sí, vamos a comprarlo mañana.
*d.* ¿Cómo se llama Vd.?

**14.** *a.* El supermercado todavía está cerrado.
*b.* ¿Quiere Vd. fumar?
*c.* ¿Va Vd. a escribir en la pizarra?
*d.* ¿Lo quiere Vd. negro o con leche?

**15.** *a.* en la clase
*b.* un alumno diligente
*c.* Muy bien.
*d.* Vuelvo a las tres.

**16.** *a.* Sí, trabajó mucho hoy.
*b.* No, tiene exactamente tres dólares.
*c.* Sí, es estúpido.
*d.* No, es pobre.

**17.** *a.* No hay bastante espacio.
*b.* ¿Busca Vd. un tenedor?
*c.* ¿Qué es esto?
*d.* Aquí está el ascensor.

**18.** *a.* Vds. tienen mucha hambre.
*b.* Sirven cosas muy buenas.
*c.* Les gustan los postres.
*d.* Las comidas son muy caras, ¿verdad?

**19.** *a.* No tengo la llave.
*b.* Es de madera.
*c.* Nadie puede entrar.
*d.* Ciérrela, por favor.

**20.** *a.* El dueño está furioso.
*b.* Es pardo.
*c.* Es muy caro.
*d.* No puedo pagar cuatrocientos dólares.

**21.** *a.* Los niños no duermen bien.
*b.* Pedro rompió mi juguete.
*c.* Hay un parque en frente de la casa.
*d.* La lección es muy fácil.

**22.** *a.* Leyó muchos libros.
*b.* No aprendió a escribir.
*c.* Trabaja en una biblioteca.
*d.* ¿Qué escribió?

**23.** *a.* Prepara la comida.
*b.* Asiste a la escuela.
*c.* Mira la televisión.
*d.* Visita a mi abuelo.

**24.** *a.* ¿Vive Vd. arriba o abajo?
*b.* Me gusta el apartamiento.
*c.* Vd. as muy generoso.
*d.* No hay lugar para los muebles.

**25.** *a.* Con mucho gusto.
*b.* Hasta la vista.
*c.* No visité a mis tíos ayer.
*d.* No recuerdo su nombre.

**26.** *a.* Sí, tengo sed.
*b.* Sí, tengo calor.
*c.* Sí, tengo hambre.
*d.* Sí, estoy cansado.

**27.** *a.* Estoy ocupado.
*b.* Los compré ayer.
*c.* Es imposible salir hoy.
*d.* El museo está cerrado el domingo.

**28.** *a.* Yo; todos los días.
*b.* No pongo nada en la mesa.
*c.* Ponen los platos en la mesa.
*d.* La mesa está en el comedor.

**29.** *a.* Creo que no.
*b.* Está contenta.
*c.* Sí, muchos insectos pueden entrar ahora.
*d.* Sí, voy a cerrarla inmediatamente.

**30.** *a.* Veo muchos programas interesantes.
*b.* Vd. se acuesta temprano.
*c.* ¿Le gustan a Vd. los programas de música?
*d.* ¿Escucha Vd. a la maestra con atención?

**31.** *a.* La canción es muy larga.
*b.* No aprendió la canción.
*c.* Sí, tiene una voz dulce.
*d.* Ella cantó una canción triste ayer.

**32.** *a.* Ella estudia frecuentemente.
*b.* Estuve muy ocupada.
*c.* Tengo mala memoria.
*d.* Dispense Vd., señor maestro.

**33.** *a.* Es una mujer sincera.
*b.* Lo siento mucho.
*c.* Tengo un dolor en la mano izquierda.
*d.* Tiene las orejas largas.

**34.** *a.* Voy a hacerlo en seguida.
*b.* Son las cuatro.
*c.* No tengo mucho tiempo.
*d.* Llueve ahora.

**35.** *a.* Sí, es muy guapa.
*b.* Me habla dulcemente.
*c.* Sí, habla sinceramente.
*d.* Sí, cree en la democracia.

**36.** *a.* Finalmente volvimos a casa.
*b.* Pasamos dos semanas en la playa.
*c.* Gastamos seiscientos dólares.
*d.* Fue un espectáculo glorioso.

**37.** *a.* Hace mal tiempo.
*b.* Sale a las doce.
*c.* Perdí mi reloj.
*d.* Pasé dos horas allí.

**38.** *a.* Mi cumpleaños es la semana que viene.
*b.* ¿Dónde están?
*c.* El reloj está en la pared.
*d.* No sé la regla.

**39.** *a.* Prefiero sentarme en el sofá.
*b.* Me gusta ir a pie a la escuela.
*c.* Sí, un coche es una necesidad estos días.
*d.* Yo sé el camino correcto.

**40.** *a.* Tiene más años que mi madre.
*b.* Tiene veinte años.
*c.* Tiene sed y hambre.
*d.* No tiene razón.

**41.** *a.* Mis padres me aman mucho.
*b.* No, mi padre no es alcalde.
*c.* Tengo tres hermanos menores.
*d.* Mi familia es pequeña.

**42.** *a.* Yo sé la respuesta correcta.
*b.* No me creen.
*c.* No sé si es verdad.
*d.* No recuerdo su nombre.

**43.** *a.* Está muy nervioso.
*b.* Es su cumpleaños.
*c.* Yo recibí una invitación ayer.
*d.* Tiene muchos amigos.

**44.** *a.* Sí, tiene catorce años.
*b.* Sí, tiene un resfriado.
*c.* Sí, fue al teatro con sus amigas.
*d.* Sí, es una muchacha simpática.

**45.** *a.* Es un regalo de mi hermano.
*b.* Escribe muy bien.
*c.* Ahora está en el pupitre.
*d.* Tiene tinta azul.

**46.** *a.* También hay una revista en la mesa.
*b.* Sí, las noticias son malas.
*c.* Sí, me baño todos los días.
*d.* El libro tiene quinientas páginas.

**47.** *a.* No, hoy llevo abrigo.
*b.* No voy a salir hoy.
*c.* Sí, tengo mucho frío.
*d.* No, ya está lleno de ropa.

**48.** *a.* ¿Hay una buena película?
*b.* No, porque no sé bailar.
*c.* Cené a las seis.
*d.* Fui al campo el verano pasado.

**49.** *a.* Vd. pronuncia muy bien.
*b.* Voy a copiar otro párrafo.
*c.* No hay dictadura aquí.
*d.* Vd. es muy inteligente.

**50.** *a.* La tela es muy fuerte.
*b.* Examínela bien.
*c.* Es amarilla, como mi gorra.
*d.* Hoy tiene un precio especial.

# Part VII—Passages for Reading Comprehension

## GROUP I

Read each passage. Then, in each exercise, circle the letter of the correct answer.

**1.** En un restaurante un hombre llama al camarero y le dice:
—Mire Vd. Aquí en la sopa hay un insecto.
—Pues, señor—contesta el camarero—un insecto no puede beber mucho.

El camarero cree que

*a.* un insecto en la sopa no es importante
*b.* los insectos son buenos
*c.* no hay insecto en la sopa
*d.* el hombre no debe comer la sopa

**2.** Después de cenar la familia pasa algún tiempo en la sala. El padre, sentado en un sillón, fuma un cigarro mientras mira un programa de televisión. La madre escribe una carta. Los dos hijos, Juan y Luisa, están muy ocupados. Preparan sus lecciones para mañana.

Esta escena ocurre probablemente a

*a.* las tres de la tarde
*b.* las ocho de la noche
*c.* medianoche
*d.* mediodía

**3.** El pequeño Juanito encontró un día en la calle una moneda. Corrió alegremente a la tienda para comprar dulces. Al entrar en la tienda, dio la moneda al dueño y dijo:
—Déme Vd. diez centavos de dulces.
—Pero, niño, esta moneda es una moneda francesa.
—Pues, déme Vd. dulces franceses.

¿Por qué pide Juanito dulces franceses?

*a.* Tiene dinero francés.
*b.* El dueño es francés.
*c.* Le gustan más los dulces franceses.
*d.* Cuestan diez centavos.

**4.** Ayer fue domingo. Por la mañana preparé la lección de geografía para la clase de hoy. Por la tarde fui al cine. Al entrar en la escuela esta mañana, lunes, un compañero de clase me dijo que había numerosas faltas en mi trabajo. Ahora es necesario hacerlo de nuevo. Naturalmente, estoy muy triste.

La muchacha no está contenta porque

*a.* no preparó perfectamente la lección
*b.* tiene muchas clases los lunes
*c.* no escribió nada el domingo
*d.* tiene muchos compañeros de clase

**5.** Asisto a una universidad que está muy lejos de mi casa, en otra ciudad. Por eso, no puedo volver a casa a menudo. Tengo que esperar las vacaciones. Generalmente viajo por avión, porque no me gusta ni el autobús ni el ferrocarril. Así puedo pasar más tiempo con mi familia y mis amigos.

A este muchacho

*a.* no le gusta estar con sus amigos
*b.* le gustan los viajes largos
*c.* le gustan las vacaciones
*d.* no le gustan las vacaciones

**6.** Al entrar en la casa pongo el abrigo y el sombrero en el armario. Después, me lavo las manos y la cara, y voy a la cocina para tomar un refresco. Generalmente tomo un vaso de leche o una taza de café caliente con pastel. Luego me siento a la mesa para estudiar hasta la cena.

Esta muchacha necesita

*a.* preparar la cena

*b.* llevar el abrigo en casa

*c.* estudiar después de cenar

*d.* comer algo por la tarde

**7.** Un hombre que tiene solamente un ojo dice un día a un amigo:
—¿Sabe Vd.? Yo con un ojo puedo ver más que Vd. con dos.
—Eso es imposible.
—No, es verdad. ¿Cuántos ojos ve Vd. en mi cara?
—Uno.
—Pues, yo veo dos ojos en la cara de Vd. Así, yo veo más que Vd.

El hombre con un ojo dice que ve más que su amigo porque

*a.* su amigo no puede ver bien

*b.* ve más ojos que su amigo

*c.* ve que su amigo no tiene dos ojos

*d.* puede ver muy poco

**8.** Una señora pregunta un día a un hombre que anda por la calle, con un violín en la mano:
—¿Dónde toca Vd. su violín?
—En la calle, señora.
—¿Y cuánto dinero gana Vd.?
—Más de cien dólares cada semana.
—¿Cien dólares para tocar el violín en la calle?
—No, señora. La gente me paga para no tocar.

El hombre

*a.* no anda por las calles

*b.* gana muy poco dinero

*c.* toca mal el violín

*d.* es un buen músico

**9.** Ayer celebramos la Navidad. Por primera vez este año, yo me levanté muy temprano. En seguida corrí a la sala para ver mis regalos. Los encontré debajo del árbol de Navidad. Recibí unos libros, una bicicleta, y media docena de camisas. En un sobre blanco encontré veinte dólares de mi padre. ¡Qué buen día es la Navidad!

A este muchacho

*a.* le gustan sus regalos

*b.* no le gustan sus regalos

*c.* no le gusta la Navidad

*d.* le gusta levantarse temprano

**10.** Un millonario (*millionaire*) viaja por Europa en su coche. Pasa la noche en un hotel pequeño. En la cena pide un par de huevos. Después de comerlos, pregunta al dueño:
—¿Cuánto dinero le debo por los dos huevos?
—Veinte dólares, señor.
—¿Cómo? ¿Veinte dólares por dos huevos? ¿Por qué? ¿Hay pocos huevos en este país?
—No, señor. Hay pocos millonarios.

El hombre tiene que pagar mucho porque

*a.* los huevos siempre cuestan mucho

*b.* no hay muchos huevos

*c.* es muy rico

*d.* el hotel es pequeño

**11.** El turista baja del tren y comienza a caminar por las calles de la ciudad. Es de noche, y en las calles hay luces (*lights*) de muchos colores. Busca un restaurante donde comer, pero no sabe en qué dirección ir. Al fin ve un café de donde sale la música de una canción bonita. Entra y se sienta a una mesa.

Este viajero

*a.* no desea oír la música

*b.* desea cantar

*c.* conoce bien la ciudad

*d.* tiene hambre

**12.** Ésta es la estación de mucho frío. Nieva a menudo, y por todas partes la tierra parece blanca. La gente no sale mucho de casa, solamente si es necesario. Para salir, llevan abrigo de lana y guantes.

Pero pronto viene la primavera, cuando la vida es más agradable. Las plantas muestran sus hojas, y todo el mundo parece más alegre.

Esta estación es

*a.* la primavera *b.* el otoño *c.* el verano *d.* el invierno

**13.** Alfredo es un alumno muy perezoso. Un día el maestro le da papel y le dice:

—Alfredo, Vd. nunca estudia y no hace nada en la clase. Ahora, Vd. debe escribir cien veces: "No debo ser perezoso."

Después de media hora Alfredo devuelve el papel al maestro. El maestro mira el papel y grita:

—¡Pero Vd. no escribió nada! ¿Por qué?

—Porque soy muy perezoso, señor maestro.

Alfredo no escribe nada en el papel porque

*a.* no le gusta trabajar
*b.* devuelve el papel al maestro
*c.* no debe ser perezoso
*d.* prefiere estudiar en casa

**14.** Esta noche toda la familia—mis padres, mis dos hermanos, y yo—vamos al teatro para celebrar el cumpleaños de mi madre. Yo no quiero ir porque estoy un poco enferma y tengo dolor de cabeza. Pero no voy a decir nada, y voy a acompañarlos, porque hoy es un día especial, y debe ser un día feliz para mamá.

(1) ¿Cuántas personas hay en esta familia?

*a.* tres *b.* cinco *c.* dos *d.* cuatro

(2) Esta muchacha

*a.* siempre se divierte en el teatro
*b.* no va al teatro
*c.* quiere a su madre
*d.* está bien de salud

**15.** Una señorita fue un día al hospital para ver a un amigo enfermo. Al llegar, dijo a una señora en la oficina:

—Deseo ver al señor López. ¿En qué cuarto está?

—Lo siento, señorita, pero solamente los parientes pueden visitarle.

La señorita, un poco nerviosa, contestó:

—Pero yo soy . . . soy . . . su hermana.

—Tengo mucho gusto en conocer a Vd.—exclamó la señora. —Yo soy su madre.

La señorita no sabe

*a.* que la señora es la madre de su amigo
*b.* que su amigo tiene familia
*c.* que su amigo está enfermo
*d.* dónde está el hospital

**16.** Ayer fue un día hermoso de junio, y por la tarde fui a ver a mi amigo Luis. Después de pasar una hora en su casa, él y yo salimos a dar un paseo al sol. Entramos en una tienda donde venden refrescos. Tomamos dos helados cada uno, y mucho chocolate. Después, en la cena, yo no pude comer nada. A mi madre no le gustó esto.

El muchacho no come porque

*a.* es domingo
*b.* prefiere dar un paseo
*c.* comió en casa de su amigo
*d.* comió demasiados dulces

**17.** Juanito volvió de la escuela una tarde, muy triste. Al entrar en la casa, comenzó a llorar. Su madre, al verle, le preguntó por qué. El niño contestó:
—La maestra me dio una nota mala hoy.
—¿Por qué? ¿Hiciste una cosa mala?
—No. No hice nada.
—No comprendo esto—dijo su madre.
—Sí. Yo no hice la lección para hoy, y ella me dio una nota mala.

Juanito recibió una nota mala porque

*a.* no asistió a la escuela
*b.* no comprende a su mamá
*c.* lloró mucho
*d.* no preparó la lección

**18.** El niño Carlos va a celebrar su cumpleaños la semana que viene. Su madre le dice:
—Puedes invitar a la fiesta a todos tus amigos.
El día de la fiesta, todo está preparado. Por la tarde Carlos pregunta a su madre:
—Mamá, ¿puedo comenzar ahora a comer los pasteles y el helado?
—No. Debes esperar a tus amigos.
—Pues no vienen, porque no invité a nadie. Yo prefiero comerlo todo.

Carlos no invita a nadie porque

*a.* no tiene amigos
*b.* su mamá no preparó nada
*c.* es un buen amigo
*d.* le gusta comer las cosas buenas

**19.** En los pueblos de España y de la América española la plaza central es muy importante. Por la tarde la gente va a la plaza, cuando hace sol, para ver a los amigos y hablar con ellos. Muchas personas van allí para leer, dar un paseo, o simplemente para escuchar la música. También es el lugar favorito de los muchachos y las muchachas. Allí pueden verse (*see each other*) y hablar. Después, todos vuelven a casa para cenar.

(1) La gente va a la plaza

*a.* antes de almorzar
*b.* para estudiar la música
*c.* cuando hace buen tiempo
*d.* después de cenar

(2) Los muchachos desean

*a.* ver a las muchachas *b.* leer *c.* comer *d.* escuchar la música

**20.** Enrique generalmente se levanta a las nueve de la mañana. Pero hoy tiene que estudiar para un examen, y se levanta a las seis. Se baña y se viste, y después baja a la cocina para desayunarse. Generalmente come mucho en el desayuno, pero hoy no tiene tiempo para comer bien. Toma solamente un huevo, un vaso de leche, pan, y un poco de queso. No pone mantequilla en el pan porque no le gusta.

(1) Hoy Enrique se levanta

*a.* tarde *b.* por la noche *c.* temprano *d.* después de mediodía

(2) En el desayuno Enrique

*a.* no desea comer *b.* come cuatro cosas *c.* come tres cosas *d.* bebe solamente

**21.** En la América del Sur las estaciones no son como aquí. Por ejemplo, en los Estados Unidos, en el mes de noviembre, los días ya son cortos. Empieza a hacer frío porque pronto viene el invierno. Pero en la Argentina y Chile, en este mismo mes, las hojas aparecen en los árboles, y de la tierra empiezan a salir flores bonitas, de muchos colores. Los días se vuelven (*become*) largos, y hace buen tiempo. Allí noviembre es como el mes de mayo aquí.

Cuando nosotros tenemos el otoño, en la América del Sur tienen

*a.* el otoño *b.* el verano *c.* la primavera *d.* el invierno

**22.** Pedro es un muchacho muy perezoso. No le gusta estudiar. Prefiere jugar y divertirse. Un día su padre quiere saber cómo anda Pedro en sus estudios, y le pregunta:

—Pedro, ¿cómo vas en la escuela?

—No muy bien, papá—contesta Pedro. —El maestro dice que no estudio bastante.

—¿Sabes, Pedro, que cuando Jorge Wáshington era (*was*) niño como tú, era el primero de la clase?

Pedro contesta: —Pero, ¿sabe Vd., papá, que cuando Wáshington era hombre como Vd., ya era presidente?

(1) El padre dice que Pedro

*a.* debe jugar
*b.* debe ser como Wáshington
*c.* debe ser perezoso
*d.* no debe estudiar

(2) Pedro dice que su padre

*a.* debe ser presidente
*b.* es como Wáshington
*c.* nunca fue niño
*d.* no es un hombre importante como Wáshington

**23.** Una señora pasa el verano en un pueblo pequeño cerca de la playa. Este pueblo es un lugar favorito de muchos turistas. Un día ella dice a uno de los viejos habitantes:

—¿Sabe Vd. por qué me gusta este pueblo? Es porque aquí la vida es más simple. Las personas que veo no son inteligentes y saben muy poco de la civilización.

—Eso es verdad—contestó el otro. —Pero al fin del verano, en septiembre, todas esas personas estúpidas salen de aquí, y vuelven a las ciudades grandes.

(1) La señora pasa el verano en el pueblo porque

*a.* le gusta el pueblo
*b.* habla mucho
*c.* le gusta la civilización
*d.* puede ver a muchos turistas

(2) El viejo habitante dice que los turistas

*a.* son viejos *b.* son estúpidos *c.* se quedan en el pueblo *d.* son inteligentes

**24.** Carlos, un niño de diez años, asiste a la escuela. Es muy diligente y aprende mucho. Le gusta escuchar a la maestra, especialmente cuando ella habla de la historia.

Un día la maestra dice a la clase la famosa historia de Cristóbal Colón, y cómo descubrió a América.

Carlos levanta la mano y pregunta:

—¿En qué año ocurrió esto?

—En el año 1492 (mil cuatrocientos noventa y dos). Ya son más de cuatrocientos años—contesta la maestra.

Carlos mira a la maestra un momento y luego dice, lleno de admiración:

—Señora maestra, Vd. tiene una memoria excelente.

Carlos cree que

*a.* la maestra habla demasiado
*b.* la maestra es muy vieja
*c.* la maestra no dice la verdad
*d.* la historia no es interesante

**25.** El señor Álvarez está enfermo y necesita visitar a un médico. Un amigo le dice que el doctor Ortiz es muy bueno.

—¿Cuánto cuesta la visita?—pregunta Álvarez a su amigo.

—La primera visita cuesta mucho: veinte y cinco dólares. Pero las otras visitas cuestan cinco dólares cada una.

El día próximo Álvarez visita al doctor Ortiz. Pero no desea pagar los veinte y cinco dólares por la primera visita. Por eso, al entrar en la oficina, dice al médico:

—Buenos días, señor doctor. Aquí estoy por segunda vez.

El médico le mira un momento y dice:

—Tome Vd. la misma medicina como antes.

(1) Álvarez desea visitar al médico porque

*a.* no está bien *b.* su amigo es bueno *c.* cuesta mucho *d.* su amigo es médico

(2) Álvarez dice que está allí por segunda vez porque

*a.* no desea pagar nada

*b.* desea pagar veinte y cinco dólares

*c.* no desea tomar la medicina

*d.* desea pagar solamente cinco dólares

## GROUP II

**1.** Read the following story. Then do the exercise below, circling the correct answers.

El señor Gómez cayó enfermo. El médico le examinó, le dio una medicina, y le dijo:

—Su enfermedad no es importante. Tome Vd. esta medicina, pase Vd. varios días en la cama, y va a estar bien.

Una semana más tarde el médico volvió. Vio que Gómez todavía estaba enfermo.

—No es nada—dijo. —Espere Vd. algunos días más.

Pasó otra semana, y el señor Gómez, todavía enfermo. El médico, al verle esa tarde, le dijo otra vez:

Eso no es nada. El año pasado yo sufrí la misma enfermedad. Y aquí estoy, completamente bien.

—Sí, doctor. Pero yo no tengo el mismo médico que Vd.

Complete each statement, choosing the answer based on the story.

(1) El médico le dice que

*a.* la enfermedad es muy grave

*b.* no está muy enfermo

*c.* no debe tomar la medicina

*d.* debe salir de la cama

(2) Después de varios días

*a.* el médico confiesa su error

*b.* Gómez no está en la cama

*c.* Gómez no está bien

*d.* Gómez llama a otro médico

(3) Gómez cree que

*a.* está bien

*b.* su médico es excelente

*c.* el médico está enfermo

*d.* su médico no sabe mucho

**2.** Read the following story. Then do the exercise below.

Un hombre entra en un museo porque en la calle llueve mucho. Pasa y mira varios cuadros, sin interés, y finalmente se detiene (*he stops*) delante de un cuadro en que aparece la figura de una mujer.

Este cuadro le parece interesante. Entiende muy poco del arte, pero le gusta dar su opinión libremente sobre todas las cosas. Después de mirar el cuadro algunos minutos, dice a otro hombre que está allí:

—Ese cuadro es muy malo.

El otro le mira un momento, y luego responde en voz muy fría:

—Pues, señor, yo pinté el cuadro.

Lleno de confusión, el primero dice:

—Yo no hablo del cuadro. Quiero decir que la modelo es una mujer muy fea.

—Es mi esposa—contesta el artista, furioso.

Each of the following statements is based on the above story. Write *T* if the statement is true, *F* if it is false.

------- 1. Hace buen tiempo.

------- 2. Le gusta mucho mirar cuadros.

------- 3. Un cuadro especial es interesante para él.

------- 4. Sabe mucho del arte.

------- 5. Nunca ofrece su opinión.

------- 6. No conoce al hombre que está cerca de él.

------- 7. Cree que el cuadro no vale mucho.

------- 8. Le gusta al artista la opinión del hombre.

------- 9. El hombre dice que la mujer del cuadro no es bonita.

------- 10. El artista pintó la mujer del hombre.

**3.** Read the following story. Then answer each question in a complete *English* sentence.

Hace mal tiempo. No hace sol, y llueve mucho. En la clase la maestra da a los alumnos una tarea: escribir una composición en que describen un partido (*game*) de béisbol.

Los alumnos están muy ocupados. Pero Jorge, el alumno más perezoso de la clase, escribe muy poco. Después de veinte minutos, varios alumnos leen sus composiciones a la clase. Al fin, la maestra llama a Jorge.

—Mi composición es muy corta—dice Jorge. —Tiene solamente una frase.

—Pues, lea Vd.—dice la maestra.

Jorge lee: —Llueve mucho y no hay partido de béisbol.

1. What must the pupils do? ----------------------------------------
2. How long do they work? ----------------------------------------
3. How much does George work? ----------------------------------------
4. How long is George's composition? ----------------------------------------
5. What does George say about the baseball game? ----------------------------------------

**4.** Read the following story. Then answer each question in a complete *English* sentence.

El pequeño Pablo está sentado una tarde con su padre y su abuelo. El muchacho mira la cabeza de su padre, y ve que tiene algunos pelos grises.

—Papá—dice Pablo—¿por qué tiene Vd. esos pelos grises?

—Pues—contesta el padre—cada vez que tú eres un muchacho malo, tengo otro pelo gris.

Pablo mira con atención la cabeza completamente gris de su abuelo.

—Entonces, papá, Vd. también fue un niño malo. Mire Vd. que el abuelo tiene el pelo completamente gris.

1. With whom is Paul sitting? ______________________________
2. What does his father have on his head? ______________________________
3. What does Paul ask his father? ______________________________
4. What does his father answer? ______________________________
5. Why does Paul think his father was a bad boy? ______________________________

**5.** Read the following story. Then answer each question in a complete *English* sentence.

El señor González visita al dentista porque tiene dolor de muelas.
—Cinco dólares para sacar el diente—dice el dentista.
Después de sacar el diente, el dentista le dice:
—Vd. tiene que pagarme veinte dólares.
—Pero Vd. me dijo que cuesta cinco dólares.
—Es verdad. Pero Vd. gritó tanto (*so much*) que todos los otros pacientes salieron y volvieron a casa.

1. Why does Mr. González visit the dentist? ______________________________
2. How much does the dentist usually charge for extracting a tooth? ______________________________
3. What price does he mention after extracting the tooth? ______________________________
4. Why does González protest? ______________________________
5. Why did the dentist increase the price? ______________________________

**6.** Read the following passage. Then do the exercise below.

En algunos pueblos de España y de la América española hay día de mercado solamente una vez por semana. Es un día especial para la gente. Generalmente ocurre en la plaza central del pueblo. Allí vienen los campesinos con sus familias. Todos, padres y niños, llevan cosas para vender: quesos, huevos, legumbres, y otros productos. También llevan una lista de cosas que necesitan comprar.

La plaza está llena de gente. Todo el mundo está muy ocupado; todos compran y venden. También es un día social, un día para saludar a los amigos, para hablar, y para divertirse.

Complete the following statements in *English:*

1. Market day occurs ________________ each week.
2. It takes place in the ________________ of the town.
3. The farmers bring ______________________________ to sell.
4. They don't only sell; they also need to ________________________.
5. Everyone is very ________________ all day.
6. It is also a ________________ occasion.

**7.** Read the following story. Then answer each question in a complete *English* sentence.

Un hombre que parece muy pobre dice a una señora en la calle:
—¿Puede Vd. darme cinco dólares? Soy muy pobre.
La señora, furiosa, le dice:
—¿Cinco *dólares*? Es mucho dinero. Si Vd. quiere dinero, debe pedir cinco o diez *centavos*. No, no le doy ningún dinero.
—Señora, tengo necesidad de cinco dólares. Si Vd. no me da ese dinero, voy a hacer una cosa terrible. Adiós.
Y va rápidamente por la calle.

La señora está triste. Cree que el hombre va a hacer un crimen. Llama al hombre y le da los cinco dólares. El hombre acepta el dinero y da las gracias a la señora. Entonces la señora le pregunta:

—Dígame, buen hombre, ¿qué cosa terrible pensó Vd. hacer?

—Pensé buscar trabajo, señora.

1. ¿Cuánto dinero pide el hombre a la señora? ______________________________
2. ¿Cuánto dinero debe pedir? ______________________________
3. ¿Por qué llama la señora al hombre? ______________________________
4. ¿Qué da la señora al hombre? ______________________________
5. ¿Qué cosa terrible pensó hacer el hombre? ______________________________

**8.** Read the following story. Then show how statements *a* to *f*, below, can be used as an outline of the story by writing, to the left of each statement, the number (from 1 to 6) corresponding to its correct order in the outline.

Al señor Cobos le gusta dar un paseo por la tarde. Una tarde, mientras anda por la calle, un hombre viene a él y le dice:

—Présteme Vd. veinte dólares, por favor.

—Pero, señor, no tengo el honor de conocer a Vd.—contesta el señor Cobos.

—Por eso le pido dinero a Vd., señor. Las personas que me conocen no desean prestarme nada.

_____ *a.* He wants to borrow money.

_____ *b.* Mr. Cobos likes to take a walk.

_____ *c.* People who know him refuse to lend him money.

_____ *d.* A man approaches him.

_____ *e.* Mr. Cobos is walking down the street.

_____ *f.* Mr. Cobos doesn't know him.

**9.** Read the following story. Then answer each question in a complete *English* sentence.

Son las siete y media de la mañana. Arturo debe levantarse para ir a la escuela, pero no quiere. Prefiere dormir. Su madre le dice:

—¿No sabes, Arturo, que las personas que se levantan temprano tienen buena fortuna? La semana pasada, a las seis de la mañana, un hombre encontró en la calle un sobre con cien dólares.

—Pero, mamá—dice Arturo—si ese hombre encontró el dinero a las seis, el hombre que perdió el dinero se levantó antes de las seis.

1. ¿Qué hora es? ______________________________
2. ¿Qué debe hacer Arturo? ______________________________
3. ¿Qué desea hacer? ______________________________
4. ¿Qué encontró el hombre que se levantó temprano? ______________________________
5. ¿Cuándo se levantó el hombre que lo perdió? ______________________________

# Part VIII—Verb Summary Chart

## 1. REGULAR VERBS

| *Infinitive* | *Present* | *Preterite* | *Imperfect* | *Future* | *Commands* |
|---|---|---|---|---|---|
| cantar | canto | canté | cantaba | cantaré | cante Vd. |
| | cantas | cantaste | cantabas | cantarás | canten Vds. |
| | canta | cantó | cantaba | cantará | canta tú |
| | cantamos | cantamos | cantábamos | cantaremos | |
| | cantáis | cantasteis | cantabais | cantaréis | |
| | cantan | cantaron | cantaban | cantarán | |
| beber | bebo | bebí | bebía | beberé | beba Vd. |
| | bebes | bebiste | bebías | beberás | beban Vds. |
| | bebe | bebió | bebía | beberá | bebe tú |
| | bebemos | bebimos | bebíamos | beberemos | |
| | bebéis | bebisteis | bebíais | beberéis | |
| | beben | bebieron | bebían | beberán | |
| abrir | abro | abrí | abría | abriré | abra Vd. |
| | abres | abriste | abrías | abrirás | abran Vds. |
| | abre | abrió | abría | abrirá | abre tú |
| | abrimos | abrimos | abríamos | abriremos | |
| | abrís | abristeis | abríais | abriréis | |
| | abren | abrieron | abrían | abrirán | |

## 2. IRREGULAR VERBS

*Note.* (1) Except for the command forms (see Note 3*b* and 3*c*, below), only forms that are irregular are given in the chart.

(2) Verbs that are similar in structure to the verbs in the chart are listed alphabetically at the end of the chart.

(3) The following irregular verb forms are not studied in this textbook, and therefore are not listed in the chart:

*a.* Preterite forms of the following verbs:

| | | | |
|---|---|---|---|
| almorzar | empezar | pagar | sacar |
| buscar | explicar | pedir | sentir |
| comenzar | jugar | preferir | servir |
| divertirse | llegar | referir | tocar |
| dormir | morir | repetir | vestirse |

*b.* Polite command forms of the following verbs:

| | | |
|---|---|---|
| almorzar | explicar | pagar |
| buscar | jugar | sacar |
| comenzar | llegar | tocar |
| empezar | | |

All the other polite command forms, regular and irregular, are listed in the chart.

*c.* Familiar command forms of the following verbs:

| | | |
|---|---|---|
| decir | poner | tener |
| hacer | salir | valer |
| ir | ser | venir |

All the regular command forms are listed in the chart.

(4) The only verbs that are irregular in the imperfect are:

**ir: iba, ibas, iba, íbamos, ibais, iban**
**ser: era, eras, era, éramos, erais, eran**
**ver: veía, veías, veía, veíamos, veíais, veían**

| *Infinitive* | *Present* | *Preterite* | *Future* | *Commands* |
|---|---|---|---|---|
| almorzar | **almuerzo**<br>**almuerzas**<br>**almuerza**<br>almorzamos<br>almorzáis<br>**almuerzan** | (See Note 3*a*.) | | (See Note 3*b*.)<br>**almuerza** tú |
| andar | | **anduve**<br>**anduviste**<br>**anduvo**<br>**anduvimos**<br>**anduvisteis**<br>**anduvieron** | | ande Vd.<br>anden Vds.<br>anda tú |
| caer | **caigo**<br>caes<br>cae<br>caemos<br>caéis<br>caen | caí<br>**caíste**<br>**cayó**<br>**caímos**<br>**caísteis**<br>**cayeron** | | **caiga** Vd.<br>**caigan** Vds.<br>cae tú |
| conocer | **conozco**<br>conoces<br>conoce<br>conocemos<br>conocéis<br>conocen | | | **conozca** Vd.<br>**conozcan** Vds.<br>conoce tú |
| creer | | creí<br>**creíste**<br>**creyó**<br>**creímos**<br>**creísteis**<br>**creyeron** | | crea Vd.<br>crean Vds.<br>cree tú |
| dar | **doy**<br>das<br>da<br>damos<br>**dais**<br>dan | **di**<br>**diste**<br>**dio**<br>**dimos**<br>**disteis**<br>**dieron** | | **dé** Vd.<br>**den** Vds.<br>da tú |
| decir | **digo**<br>**dices**<br>**dice**<br>decimos<br>decís<br>**dicen** | **dije**<br>**dijiste**<br>**dijo**<br>**dijimos**<br>**dijisteis**<br>**dijeron** | **diré**<br>**dirás**<br>**dirá**<br>**diremos**<br>**diréis**<br>**dirán** | **diga** Vd.<br>**digan** Vds.<br>(See Note 3*c*.) |

| *Infinitive* | *Present* | *Preterite* | *Future* | *Commands* |
|---|---|---|---|---|
| dormir | **duermo**<br>**duermes**<br>**duerme**<br>dormimos<br>dormís<br>**duermen** | (See Note 3*a*.) | | **duerma** Vd.<br>**duerman** Vds.<br>**duerme** tú |
| empezar | **empiezo**<br>**empiezas**<br>**empieza**<br>empezamos<br>empezáis<br>**empiezan** | (See Note 3*a*.) | | (See Note 3*b*.)<br>**empieza** tú |
| estar | **estoy**<br>**estás**<br>**está**<br>estamos<br>estáis<br>**están** | **estuve**<br>**estuviste**<br>**estuvo**<br>**estuvimos**<br>**estuvisteis**<br>**estuvieron** | | **esté** Vd.<br>**estén** Vds.<br>**está** tú |
| hacer | **hago**<br>haces<br>hace<br>hacemos<br>hacéis<br>hacen | **hice**<br>**hiciste**<br>**hizo**<br>**hicimos**<br>**hicisteis**<br>**hicieron** | **haré**<br>**harás**<br>**hará**<br>**haremos**<br>**haréis**<br>**harán** | **haga** Vd.<br>**hagan** Vds.<br>(See Note 3*c*.) |
| ir | **voy**<br>**vas**<br>**va**<br>**vamos**<br>**vais**<br>**van** | **fui**<br>**fuiste**<br>**fue**<br>**fuimos**<br>**fuisteis**<br>**fueron** | | **vaya** Vd.<br>**vayan** Vds.<br>(See Note 3*c*.) |
| jugar | **juego**<br>**juegas**<br>**juega**<br>jugamos<br>jugáis<br>**juegan** | (See Note 3*a*.) | | (See Note 3*b*.)<br>**juega** tú |
| llover | **llueve**<br>(3rd pers.<br>sing. only) | | | |
| mostrar | **muestro**<br>**muestras**<br>**muestra**<br>mostramos<br>mostráis<br>**muestran** | | | **muestre** Vd.<br>**muestren** Vds.<br>**muestra** tú |
| nevar | **nieva**<br>(3rd pers.<br>sing. only) | | | |

| *Infinitive* | *Present* | *Preterite* | *Future* | *Commands* |
|---|---|---|---|---|
| oír | **oigo**<br>**oyes**<br>**oye**<br>**oímos**<br>**oís**<br>**oyen** | oí<br>**oíste**<br>**oyó**<br>**oímos**<br>**oísteis**<br>**oyeron** | | **oiga** Vd.<br>**oigan** Vds.<br>**oye** tú |
| pedir | **pido**<br>**pides**<br>**pide**<br>pedimos<br>pedís<br>**piden** | (See Note 3*a*.) | | **pida** Vd.<br>**pidan** Vds.<br>**pide** tú |
| pensar | **pienso**<br>**piensas**<br>**piensa**<br>pensamos<br>pensáis<br>**piensan** | | | **piense** Vd.<br>**piensen** Vds.<br>**piensa** tú |
| perder | **pierdo**<br>**pierdes**<br>**pierde**<br>perdemos<br>perdéis<br>**pierden** | | | **pierda** Vd.<br>**pierdan** Vds.<br>**pierde** tú |
| poder | **puedo**<br>**puedes**<br>**puede**<br>podemos<br>podéis<br>**pueden** | **pude**<br>**pudiste**<br>**pudo**<br>**pudimos**<br>**pudisteis**<br>**pudieron** | **podré**<br>**podrás**<br>**podrá**<br>**podremos**<br>**podréis**<br>**podrán** | **pueda** Vd.<br>**puedan** Vds.<br>**puede** tú |
| poner | **pongo**<br>pones<br>pone<br>ponemos<br>ponéis<br>ponen | **puse**<br>**pusiste**<br>**puso**<br>**pusimos**<br>**pusisteis**<br>**pusieron** | **pondré**<br>**pondrás**<br>**pondrá**<br>**pondremos**<br>**pondréis**<br>**pondrán** | **ponga** Vd.<br>**pongan** Vds.<br>(See Note 3*c*.) |
| preferir | **prefiero**<br>**prefieres**<br>**prefiere**<br>preferimos<br>preferís<br>**prefieren** | (See Note 3*a*.) | | **prefiera** Vd.<br>**prefieran** Vds.<br>**prefiere** tú |
| querer | **quiero**<br>**quieres**<br>**quiere**<br>queremos<br>queréis<br>**quieren** | **quise**<br>**quisiste**<br>**quiso**<br>**quisimos**<br>**quisisteis**<br>**quisieron** | **querré**<br>**querrás**<br>**querrá**<br>**querremos**<br>**querréis**<br>**querrán** | **quiera** Vd.<br>**quieran** Vds.<br>**quiere** tú |

| *Infinitive* | *Present* | *Preterite* | *Future* | *Commands* |
|---|---|---|---|---|
| saber | **sé** | **supe** | **sabré** | **sepa** Vd. |
| | sabes | **supiste** | **sabrás** | **sepan** Vds. |
| | sabe | **supo** | **sabrá** | **sabe** tú |
| | sabemos | **supimos** | **sabremos** | |
| | sabéis | **supisteis** | **sabréis** | |
| | saben | **supieron** | **sabrán** | |
| salir | **salgo** | | **saldré** | **salga** Vd. |
| | sales | | **saldrás** | **salgan** Vds. |
| | sale | | **saldrá** | (See Note 3*c*.) |
| | salimos | | **saldremos** | |
| | salís | | **saldréis** | |
| | salen | | **saldrán** | |
| sentir | **siento** | (See Note 3*a*.) | | **sienta** Vd. |
| | **sientes** | | | **sientan** Vds. |
| | **siente** | | | **siente** tú |
| | sentimos | | | |
| | sentís | | | |
| | **sienten** | | | |
| ser | **soy** | **fui** | | **sea** Vd. |
| | **eres** | **fuiste** | | **sean** Vds. |
| | **es** | **fue** | | (See Note 3*c*.) |
| | **somos** | **fuimos** | | |
| | **sois** | **fuisteis** | | |
| | **son** | **fueron** | | |
| tener | **tengo** | **tuve** | **tendré** | **tenga** Vd. |
| | **tienes** | **tuviste** | **tendrás** | **tengan** Vds. |
| | **tiene** | **tuvo** | **tendrá** | (See Note 3*c*.) |
| | tenemos | **tuvimos** | **tendremos** | |
| | tenéis | **tuvisteis** | **tendréis** | |
| | **tienen** | **tuvieron** | **tendrán** | |
| traducir | **traduzco** | **traduje** | | **traduzca** Vd. |
| | traduces | **tradujiste** | | **traduzcan** Vds. |
| | traduce | **tradujo** | | **traduce** tú |
| | traducimos | **tradujimos** | | |
| | traducís | **tradujisteis** | | |
| | traducen | **tradujeron** | | |
| traer | **traigo** | **traje** | | **traiga** Vd. |
| | traes | **trajiste** | | **traigan** Vds. |
| | trae | **trajo** | | **trae** tú |
| | traemos | **trajimos** | | |
| | traéis | **trajisteis** | | |
| | traen | **trajeron** | | |
| venir | **vengo** | **vine** | **vendré** | **venga** Vd. |
| | **vienes** | **viniste** | **vendrás** | **vengan** Vds. |
| | **viene** | **vino** | **vendrá** | (See Note 3*c*.) |
| | venimos | **vinimos** | **vendremos** | |
| | venís | **vinisteis** | **vendréis** | |
| | **vienen** | **vinieron** | **vendrán** | |

| *Infinitive* | *Present* | *Preterite* | *Future* | *Commands* |
|---|---|---|---|---|
| ver | **veo** | | | **vea** Vd. |
| | ves | | | **vean** Vds. |
| | ve | | | ve tú |
| | vemos | | | |
| | **veis** | | | |
| | ven | | | |
| volver | **vuelvo** | | | **vuelva** Vd. |
| | **vuelves** | | | **vuelvan** Vds. |
| | **vuelve** | | | **vuelve** tú |
| | volvemos | | | |
| | volvéis | | | |
| | **vuelven** | | | |

## Other Verbs with Irregular Forms

acostarse (*see* mostrar)
aparecer (*see* conocer)
cerrar (*see* pensar)
comenzar (*see* empezar)
conducir (*see* traducir)
confesar (*see* pensar)
contar (*see* mostrar)
costar (*see* mostrar)
defender (*see* perder)
desaparecer (*see* conocer)
despertarse (*see* pensar)
devolver (*see* volver)
divertirse (*see* sentir)
encontrar (*see* mostrar)
entender (*see* perder)
gobernar (*see* pensar)
leer (*see* creer)
morir (*see* dormir)
obedecer (*see* conocer)
ofrecer (*see* conocer)
parecer (*see* conocer)
poseer (*see* creer)
producir (*see* traducir)
reconocer (*see* conocer)
recordar (*see* mostrar)
referir (*see* preferir)
repetir (*see* pedir)
resolver (*see* volver)
sentarse (*see* pensar)
servir (*see* pedir)
sonar (*see* mostrar)
valer (*see* salir)
vestirse (*see* pedir)
volar (*see* mostrar)

# Part IX—Spanish-English Vocabulary

**a,** to, at; **a casa,** (to) home; **a la escuela (iglesia,** etc.), to school (church, etc.); **a la una,** at one o'clock; **a las dos (tres,** etc.), at two (three, etc.) o'clock; **a medianoche,** at midnight; **a mediodía,** at noon; **a menudo,** often; **a pie,** on foot, walking; **¿a qué hora?,** at what time?; **a tiempo,** on time; **a veces,** at times, sometimes
**abajo,** down, downstairs
**abierto, -a,** open
**abogado,** *m.*, lawyer
**abrigo,** *m.*, coat, overcoat
**abril,** *m.*, April
**abrir,** to open
**abuelo,** *m.*, grandfather; **abuela,** *f.*, grandmother; **abuelos,** *m. pl.*, grandparents
**accidente,** *m.*, accident
**aceptar,** to accept
**acompañar,** to accompany
**acostarse (ue),** to go to bed
**actor,** *m.*, actor; **actriz,** *f.*, actress
**adiós,** goodbye
**admiración,** *f.*, admiration
**admirar,** to admire
**¿adónde? (¿a dónde?),** (to) where?
**agosto,** *m.*, August
**agua (el),** *f.*, water
**ahora,** now
**aire,** *m.*, air; **al aire libre,** in the open air, outdoors
**al,** to the, at the; **al** + *inf.*, on, upon (speaking, etc.); **al aire libre,** in the open air, outdoors; **al fin,** at last, finally
**Alberto,** Albert
**alcalde,** *m.*, mayor
**alcoba,** *f.*, bedroom
**alegre,** happy, merry
**alegremente,** happily, merrily
**alemán, alemana,** German; **alemán,** *m.*, German (language)
**Alemania,** *f.*, Germany
**alfombra,** *f.*, rug, carpet
**Alfonso,** Alphonse
**Alfredo,** Alfred
**algo,** something
**algodón,** *m.*, cotton
**alguien,** someone
**alguno, -a (algún),** some; **alguna vez,** some time, once; **algunas veces,** sometimes
**almorzar (ue),** to have (to eat) lunch
**almuerzo,** *m.*, lunch
**alto, -a,** tall, high, loud; **en voz alta,** in a loud voice
**alumno, -a,** pupil, student
**allí,** there
**amar,** to love
**amarillo, -a,** yellow
**América,** *f.*, America; **América Central,** Central America; **América del Norte,** North America; **América del Sur,** South America
**americano, -a,** American
**amigo, -a,** friend
**Ana,** Ann, Anna
**ancho, -a,** wide
**andar,** to walk, to go
**animal,** *m.*, animal
**anoche,** last night
**antes de,** before
**Antonio,** Anthony, Tony
**anunciar,** to announce
**año,** *m.*, year; **el año pasado,** last year; **el año próximo, el año que viene,** next year; **(el día de) Año Nuevo,** New Year's Day; **¿cuántos años tiene Vd.?,** how old are you?
**aparecer (zco),** to appear
**apartamiento,** *m.*, apartment
**aplicado, -a,** studious, diligent
**aprender,** to learn
**aquel, aquella,** that; **aquellos, -as,** those
**aquí,** here
**árbol,** *m.*, tree
**armario,** *m.*, closet
**arriba,** up, upstairs
**Arturo,** Arthur
**ascensor,** *m.*, elevator
**asiento,** *m.*, seat
**asignatura,** *f.*, course, (school) subject
**asistir (a),** to attend
**atención,** *f.*, attention; **con atención,** attentively; **prestar atención,** to pay attention
**ausente,** absent
**autobús,** *m.*, bus
**automóvil,** *m.*, automobile, car
**autor,** *m.*, author
**autoridad,** *f.*, authority
**avenida,** *f.*, avenue
**avión,** *m.*, airplane, plane; **por avión,** by plane
**ayer,** yesterday
**ayuda,** *f.*, help, aid
**ayudar,** to help, to aid
**azúcar,** *m.*, sugar
**azul,** blue

**bailar,** to dance
**bajar,** to go down, to take down; **bajar de,** to get out of (a vehicle)
**bajo, -a,** low, short; **en voz baja,** in a low voice
**bandera,** *f.*, flag
**bañarse,** to take a bath, to bathe
**barato, -a,** cheap
**barbero,** *m.*, barber
**bastante,** enough
**baúl,** *m.*, trunk
**beber,** to drink
**béisbol,** *m.*, baseball
**besar,** to kiss
**biblioteca,** *f.*, library
**bicicleta,** *f.*, bicycle
**bien,** well; **salir bien,** to pass (*an examination, etc.*)
**billete,** *m.*, ticket
**blanco, -a,** white
**blusa,** *f.*, blouse
**boca,** *f.*, mouth
**bodega,** *f.*, grocery store
**bolsillo,** *m.*, pocket
**bondad,** *f.*, goodness, kindness; **tenga Vd. la bondad de** + *inf.*, please
**bonito, -a,** pretty
**borrador,** *m.*, eraser
**borrar,** to erase
**bosque,** *m.*, forest, woods
**botella,** *f.*, bottle
**botón,** *m.*, button
**brazo,** *m.*, arm
**bueno, -a (buen),** good; **buenas noches,** good evening, good night; **buenas tardes,** good afternoon; **buenos días,** good morning; **hace buen tiempo,** the weather is good
**burro,** *m.*, donkey
**buscar,** to look for, to seek

**caballo,** *m.*, horse
**cabeza,** *f.*, head; **dolor de cabeza,** headache
**cada,** each, every
**caer (go),** to fall
**café,** *m.*, coffee
**cafetería,** *f.*, cafeteria
**caja,** *f.*, box
**calcetín,** *m.*, sock
**caliente,** hot, warm
**calor,** *m.*, heat; **hace calor,** it is hot, it is warm (*weather*); **tiene calor,** he is warm
**calle,** *f.*, street
**cama,** *f.*, bed
**camarero,** *m.*, waiter; **camarera,** *f.*, waitress
**caminar,** to walk
**camino,** *m.*, road, way
**camisa,** *f.*, shirt
**campana,** *f.*, bell
**campesino,** *m.*, farmer, peasant
**campo,** *m.*, country, field
**Canadá,** *m.*, Canada
**canción,** *f.*, song
**cansado, -a,** tired
**cantar,** to sing
**capacidad,** *f.*, capacity
**capital,** *f.*, capital
**cara,** *f.*, face
**cárcel,** *f.*, prison
**Carlos,** Charles
**Carnaval,** *m.*, Carnival (*period just before Lent*)
**carne,** *f.*, meat
**carnicería,** *f.*, butcher shop
**carnicero,** *m.*, butcher
**caro, -a,** expensive, dear
**carta,** *f.*, letter
**cartera,** *f.*, wallet
**casa,** *f.*, house; **a casa,** (to) home; **casa particular,** private house; **de casa,** (from) home; **en casa,** (at) home
**castellano,** *m.*, Castilian, Spanish
**catedral,** *f.*, cathedral
**catorce,** fourteen
**celebración,** *f.*, celebration
**celebrar,** to celebrate
**cena,** *f.*, supper; **tomar la cena,** to have (to eat) supper
**cenar,** to have (to eat) supper
**centavo,** *m.*, cent
**central: América Central,** Central America
**cerca de,** near
**cereza,** *f.*, cherry
**cerrado, -a,** closed
**cerrar (ie),** to close
**cielo,** *m.*, sky, haven
**científico, -a,** scientific, scientist
**ciento (cien),** one (a) hundred
**cinco,** five; **las cinco,** five o'clock
**cincuenta,** fifty
**cine,** *m.*, movie theater, movies
**ciudad,** *f.*, city
**ciudadano, -a,** citizen
**civilización,** *f.*, civilization
**clase,** *f.*, class, classroom; **clase de español (química,** etc.), Spanish (chemistry, etc.) class; **compañero de clase,** classmate; **sala de clase,** classroom
**clavel,** *m.*, carnation
**cocina,** *f.*, kitchen
**coche,** *m.*, car, automobile; **dar un paseo en coche,** to take an automobile ride
**Colón: Cristóbal Colón,** Christopher Columbus
**color,** *m.*, color
**comedor,** *m.*, dining room
**comenzar (ie),** to begin, to commence
**comer,** to eat
**comerciante,** *m.*, merchant
**comida,** *f.*, food, meal,

dinner; **tomar la comida,** to have (to eat) dinner
**como,** as, like
**¿cómo?,** how?; **¡Cómo no!** of course!, why not?; **¿cómo se dice . . .?,** how does one (do you) say . . .?; **¿cómo se llama(n) Vd(s).?,** what is your name?
**cómoda,** *f.*, bureau, dresser
**compañero, -a,** companion, friend; **compañero de clase,** classmate
**completamente,** completely
**completar,** to complete, to finish
**comprar,** to buy
**comprender,** to understand, to comprehend
**con,** with; **con atención,** attentively; **con mucho gusto,** with great pleasure, gladly; **con (su) permiso,** excuse me (*when going before or passing in front of someone*)
**concierto,** *m.*, concert
**conducir (zco),** to lead, to drive
**confesar (ie),** to confess
**conmigo,** with me
**conocer (zco),** to know (*a person*)
**conservar,** to save, to preserve
**contar (ue),** to count
**contento, -a,** contented, happy
**contestar** to answer
**contigo,** with you (*fam.*)
**contra,** against
**copa,** *f.*, (wine) glass
**copiar,** to copy
**corbata,** *f.*, necktie
**correctamente,** correctly
**correcto, -a,** correct
**correr,** to run
**cortar,** to cut
**cortina,** *f.*, curtain
**corto, -a,** short
**cosa,** *f.*, thing
**coser,** to sew
**costar (ue),** to cost
**creer,** to believe; **creo que sí,** I think so; **creo que no,** I think not, I don't think so
**criado,** *m.*, servant; **criada,** *f.*, maid, servant
**crimen,** *m.*, crime
**cuaderno,** *m.*, notebook
**cuadro,** *m.*, picture
**¿cuál?, ¿cuáles?,** which?
**cuando,** when; **¿cuándo?,** when?
**¿cuánto, -a?,** how much?; **¿cuántos, -as?,** how many?; **¿cuánto tiempo?,** how long?; **¿cuántos años tiene Vd.?,** how old are you?
**cuarenta,** forty
**cuarto, -a,** fourth; **cuarto,** *m.*, room, quarter
**cuatro,** four; **las cuatro,** four o'clock
**cuatrocientos, -as,** four hundred
**cubrir,** to cover
**cuchara,** *f.*, spoon
**cuchillo,** *m.*, knife
**cuento,** *m.*, story, tale
**cuerpo,** *m.*, body
**cuidar (de, a),** to take care of
**cultivar,** to cultivate
**cumpleaños,** *m.*, birthday

**chaleco,** *m.*, vest
**chaqueta,** *f.*, jacket
**charlar,** to chat
**chico, -a,** child
**chocolate,** *m.*, chocolate
**chófer,** *m.*, chauffeur

**dar,** to give; **dar las gracias (a),** to thank; **dar un paseo,** to take a walk; **dar un paseo en automóvil (coche),** to take a ride
**de,** of, from, by, than; **de casa,** (from) home; **de la mañana,** in the morning, A.M.; **de la noche,** in the evening, P.M.; **de la tarde,** in the afternoon, P.M.; **de nada,** you're welcome, don't mention it; **de nuevo,** again; **de paseo,** strolling, "for a walk"; **de pie,** standing
**debajo de,** under, beneath
**deber,** should, ought to, to owe
**débil,** weak
**débilmente,** weakly
**decidir,** to decide
**décimo, -a,** tenth
**decir (i, go),** to say, to tell; **querer (ie) decir,** to mean; **¿cómo se dice . . .?,** how do you (does one) say . . .?
**dedo,** *m.*, finger, toe
**defender (ie),** to defend
**dejar,** to let, to allow, to leave
**del,** of the, from the
**delante de,** in front of
**demasiado,** too, too much
**democracia,** *f.*, democracy
**dentista,** *m.*, dentist
**derecho, -a,** right
**desaparecer (zco),** to disappear
**desayunarse,** to have (to eat) breakfast
**desayuno,** *m.*, breakfast; **tomar el desayuno,** to have (to eat) breakfast
**describir,** to describe
**descubrir,** to discover
**desear,** to wish, to want
**despacio,** slowly
**despertarse (ie),** to wake up
**después,** afterwards, then; **después de,** after
**detrás de,** in back of
**devolver (ue),** to return (give back)
**día,** *m.*, day; **buenos días,** good morning
**diciembre,** *m.*, December
**dictado,** *m.*, dictation
**dictadura,** *f.*, dictatorship
**diente,** *m.*, tooth
**diez,** ten; **las diez,** ten o'clock
**difícil,** difficult, hard
**diligente,** diligent, studious
**diligentemente,** diligently
**dinero,** *m.*, money
**dirección,** *f.*, address, direction
**director,** *m.*, director, principal
**disco,** *m.*, (phonograph) record
**dispensar,** to excuse; **dispense(me) Vd.,** excuse me
**divertirse (ie),** to enjoy oneself
**dividir,** to divide
**doce,** twelve; **las doce,** twelve o'clock
**docena,** *f.*, dozen
**doctor,** *m.*, doctor
**dólar,** *m.*, dollar
**dolor,** *m.*, ache, pain, sorrow; **dolor de cabeza,** headache; **dolor de muelas,** toothache
**domingo,** *m.*, Sunday; **el domingo pasado,** last Sunday
**donde,** where; **¿dónde?,** where?
**dormir (ue),** to sleep
**dormitorio,** *m.*, bedroom
**dos,** two; **dos veces,** twice; **las dos,** two o'clock; **los (las) dos,** both
**doscientos, -as,** two hundred
**dueño,** *m.*, master, owner, boss
**dulce,** sweet; **dulces,** *m. pl.*, candy
**dulcemente,** sweetly
**durante,** during
**duro, -a,** hard

**edificio,** *m.*, building
**ejemplo: por ejemplo,** for example
**ejercicio,** *m.*, exercise
**el,** *m.*, the; **el año (mes, semestre, verano,** etc.) **pasado,** last year (month, term, summer, etc.); **el domingo (lunes,** etc.) **pasado,** last Sunday (Monday, etc.); **el año (mes, semestre, verano,** etc.) **próximo,** next year (month, term, summer, etc.); **el lunes (martes,** etc.) **próximo,** next Monday (Tuesday, etc.); **el año (sábado,** etc.) **que viene,** next year (Saturday, etc.)
**él,** *m.*, he, him, it
**elefante,** *m.*, elephant
**ella,** *f.*, she, her, it
**ellos,** *m. pl.*, **ellas,** *f. pl.*, they, them
**empezar (ie),** to begin
**en,** in, on; **en casa,** (at) home; **en frente de (enfrente de),** in front of, opposite; **en lugar de,** instead of; **en punto,** exactly, on the dot, "sharp"; **en seguida,** at once, immediately; **en voz alta,** aloud, in a loud voice; **en voz baja,** in a low voice
**encontrar (ue),** to meet, to find
**enemigo, -a,** enemy
**enero,** *m.*, January
**enfermedad,** *f.*, illness
**enfermera,** *f.*, nurse
**enfermo, -a,** sick, ill, sick person
**Enrique,** Henry
**ensalada,** *f.*, salad
**enseñar,** to teach, to show
**entender (ie),** to understand
**entonces,** then
**entrar (en),** to enter
**entre,** between, among
**error,** *m.*, error, mistake
**escalera,** *f.*, stairs, staircase
**escaparse,** to escape
**escena,** *f.*, scene
**esconder,** to hide
**escribir,** to write
**escritorio,** *m.*, desk, office, study
**escuchar,** to listen (to)
**escuela,** *f.*, school; **a la escuela,** to school
**ese, -a,** that; **esos, -as,** those
**eso,** that; **por eso,** therefore
**espacio,** *m.*, space
**España,** *f.*, Spain
**español, -a,** Spanish; **español,** *m.*, Spanish (language), Spaniard
**especial,** special
**espectáculo,** *m.*, spectacle
**esperar,** to wait (for), to hope
**esposo,** *m.*, husband; **esposa,** *f.*, wife
**estación,** *f.*, station, season
**estado,** *m.*, state
**Estados Unidos,** *m. pl.*, United States
**estar,** to be
**este, -a,** this; **estos, -as,** these; **esta noche,** tonight
**este,** *m.*, east
**esto,** this
**estrecho, -a,** narrow
**estrella,** *f.*, star
**estudiante,** *m.* or *f.*, student
**estudiar,** to study
**estúpido, -a,** stupid
**Europa,** *f.*, Europe

**exactamente,** exactly
**examen,** *m.*, examination, test
**examinar,** to examine
**existir,** to exist
**explicación,** *f.*, explanation
**explicar,** to explain
**expresar,** to express

**fábrica,** *f.*, factory
**fácil,** easy
**fácilmente,** easily
**falda,** *f.*, skirt
**familia,** *f.*, family
**famoso, -a,** famous
**farmacia,** *f.*, drugstore, pharmacy
**favor,** *m.*, favor; **haga(n) Vd(s). el favor de** + *inf.*, please; **por favor,** please
**favorito, -a,** favorite
**febrero,** *m.*, February
**fecha,** *f.*, date
**Felipe,** Philip
**feliz,** happy
**felizmente,** happily
**feo, -a,** ugly
**ferrocarril,** *m.*, railroad
**fiesta,** party, holiday
**fin: al fin,** at last, finally
**finalmente,** finally
**flor,** *f.*, flower
**fotografía (foto),** photograph (photo)
**francés, francesa,** French; **francés,** *m.*, French (language), Frenchman
**Francia,** *f.*, France
**Francisco,** Frank, Francis
**frase,** *f.*, sentence
**frecuentemente,** frequently
**frente: en frente de,** in front of, opposite
**fresco, -a,** cool; **fresco,** *m.*, coolness; **hace fresco,** it is cool (*weather*)
**frío, -a,** cold; **frío,** *m.*, cold; **hace frío,** it is cold (*weather*); **tiene frío,** he is cold
**fruta,** *f.*, fruit
**fuerte,** strong
**fuertemente,** strongly, forcefully
**fumar,** to smoke
**furioso, -a,** furious

**gallina,** *f.*, hen
**gallo,** *m.*, rooster
**ganar,** to earn, to win
**gaseosa,** *f.*, soda pop
**gastar,** to spend (money)
**gato,** *m.*, cat
**generalmente,** usually, generally
**generoso, -a,** generous
**gente,** *f.*, people
**geografía,** *f.*, geography
**gimnasio,** *m.*, gymnasium
**glorioso, -a,** glorious
**gobernar (ie),** to govern
**gorra,** *f.*, cap
**gracias,** *f. pl.*, thanks; **dar las gracias (a),** to thank; **muchas gracias,** thank you very much
**grande,** large, big, great
**gris,** gray
**gritar,** to shout
**guante,** *m.*, glove
**guapo, -a,** handsome, pretty
**guía,** *m.*, guide
**gustar,** to be pleasing; **me gusta,** it is pleasing to me (I like it)
**gusto: con mucho gusto,** gladly, with great pleasure

**había,** there was, there were
**habitación,** *f.*, room
**habitante,** *m.* or *f.*, inhabitant
**hablar,** to speak
**hacer (go),** to make, to do; **hace buen tiempo,** the weather is good; **hace calor,** it is hot, it is warm (*weather*); **hace fresco,** it is cool (*weather*); **hace frío,** it is cold (*weather*); **hace mal tiempo,** the weather is bad; **hace sol,** it is sunny; **hace viento,** it is windy; **hacer un viaje,** to take a trip; **hacer una pregunta,** to ask a question; **hacer una visita,** to pay a visit; **haga(n) Vd(s). el favor de** + *inf.*, please; **¿qué tiempo hace?,** how is the weather?
**hacia,** toward
**hallar,** to find
**hambre (el),** *f.*, hunger; **tener hambre,** to be hungry
**hasta,** till, until, to; **hasta la vista,** goodbye (till I see you again); **hasta luego,** goodbye (see you later); **hasta mañana,** goodbye (see you tomorrow)
**hay,** there is, there are; **hay que** + *inf.*, one must; **no hay de qué,** you're welcome, don't mention it
**helado,** *m.*, ice cream
**hermano,** *m.*, brother; **hermana,** *f.*, sister
**hermoso, -a,** beautiful
**hierba,** *f.*, grass
**hierro,** *m.*, iron
**hijo,** *m.*, son; **hija,** *f.*, daughter; **hijos,** *m. pl.*, children
**historia,** *f.*, history, story
**histórico, -a,** historical
**hoja,** *f.*, leaf
**hombre,** *m.*, man
**hora,** *f.*, hour; **¿a qué hora?,** at what time?; **¿qué hora es?,** what time is it?
**hospital,** *m.*, hospital
**hotel,** *m.*, hotel
**hoy,** today
**huevo,** *m.*, egg

**idea,** *f.*, idea
**iglesia,** *f.*, church; **a la iglesia,** to church
**importante,** important
**imposible,** impossible
**Inglaterra,** *f.*, England
**inglés, inglesa,** English; **inglés,** *m.*, English (language), Englishman
**inmediatamente,** immediately, at once
**insecto,** *m.*, insect
**instrumento,** *m.*, instrument
**inteligente,** intelligent
**interesante,** interesting
**inventar,** to invent
**invierno,** *m.*, winter; **el invierno pasado,** last winter
**invitación,** *f.*, invitation
**invitar,** to invite
**ir,** to go; **irse,** to go away
**Italia,** *f.*, Italy
**italiano, -a,** Italian; **italiano,** *m.*, Italian (language)
**izquierdo, -a,** left

**jardín,** *m.*, garden
**José,** Joseph
**joven,** young, young person
**Juan,** John; **Juanito,** Johnny
**Juana,** Jane, Joan
**jueves,** *m.*, Thursday
**jugar (ue),** to play
**juguete,** *m.*, toy
**julio,** *m.*, July
**junio,** *m.*, June

**la, las,** *f.*, the; it, her, you, them; **la semana pasada,** last week; **la semana próxima,** next week; **la semana que viene,** next week; **la una,** one o'clock; **las dos (tres,** etc.**),** two (three, etc.) o'clock
**labio,** *m.*, lip
**ladrón,** *m.*, thief, robber
**lámpara,** *f.*, lamp
**lana,** *f.*, wool
**lápiz,** *m.*, pencil
**largo, -a,** long
**latín,** *m.*, Latin (language)
**lavar,** to wash; **lavarse,** to wash (oneself), to get washed
**le,** him, to him, to her, you, to you
**lección,** *f.*, lesson
**leche,** *f.*, milk
**leer,** to read
**legumbre,** *f.*, vegetable
**lejos de,** far from
**lengua,** *f.*, language, tongue
**león,** *m.*, lion
**les,** to them, to you (*pl.*)
**levantar,** to raise; **levantarse,** to stand up, to get up
**libre,** free; **al aire libre,** in the open air, outdoors
**libremente,** freely
**libro,** *m.*, book
**limón,** *m.*, lemon
**limpiar,** to clean
**lo,** it, him, you; **los,** the, them, you; **los dos,** both; **todos los, todas las,** every
**lograr** + *inf.*, to succeed in
**luchar,** to fight, to struggle
**luego,** then, soon; **hasta luego,** goodbye (see you later)
**lugar,** *m.*, place; **en lugar de,** instead of
**Luis,** Louis
**Luisa,** Louise
**luna,** *f.*, moon
**lunes,** *m.*, Monday; **el lunes pasado,** last Monday

**llamar,** to call; **llamarse,** to be called, to be named; **¿cómo se llama(n) Vd(s).?,** what is your name?
**llave,** *f.*, key
**llegar,** to arrive, to reach
**llenar,** to fill
**lleno, -a,** full
**llevar,** to carry, to wear
**llorar,** to cry
**llover (llueve),** to rain (it is raining, it rains)

**madera,** *f.*, wood
**madre,** *f.*, mother
**maestro, -a,** teacher
**mal,** badly, poorly, ill; **salir (go) mal,** to fail (an examination, a subject, etc.)
**maleta,** *f.*, suitcase, valise
**malo, -a (mal),** bad; **hace mal tiempo,** the weather is bad
**mamá,** *f.*, mamma, mother
**mano,** *f.*, hand
**mantel,** *m.*, tablecloth
**mantequilla,** *f.*, butter
**manzana,** *f.*, apple
**mañana,** tomorrow; *f.*, morning; **de la mañana,** in the morning, A.M.; **hasta mañana,** goodbye (see you tomorrow); **por la mañana,** in (during) the morning
**mapa,** *m.*, map
**María,** Mary
**Marta,** Martha
**martes,** *m.*, Tuesday; **el martes pasado,** last Tuesday; **el martes próximo,** next Tuesday
**marzo,** *m.*, March
**más,** more; **más tarde,** later
**máscara,** *f.*, mask
**mayo,** *m.*, May
**mayor,** greater, older
**me,** me, to me, myself
**media,** *f.*, stocking
**medianoche,** midnight; **a medianoche,** at midnight
**medicina,** *f.*, medicine

**médico,** *m.*, doctor
**medio, -a,** half; **y media,** half past
**mediodía,** noon; **a mediodía,** at noon
**memoria,** *f.*, memory
**menor,** lesser, younger
**menos,** less, minus
**menudo: a menudo,** often
**mercado,** *m.*, market
**mes,** *m.*, month; **el mes pasado,** last month
**mesa,** *f.*, table; **poner (go) la mesa,** to set the table
**mexicano, -a,** Mexican
**México,** *m.*, Mexico
**mi, mis,** my
**mí,** me
**mientras,** while
**miércoles,** *m.*, Wednesday
**mil,** one (a) thousand
**millón,** *m.*, million
**minuto,** *m.*, minute
**mirar,** to look (at), to watch
**mismo, -a,** same
**mitad,** *f.*, half
**moneda,** *f.*, coin
**montaña,** *f.*, mountain
**monte,** *m.*, mountain
**moreno, -a,** brunette, dark-complexioned
**morir (ue),** to die
**mostrar (ue),** to show
**mozo,** *m.*, waiter
**muchacho,** *m.*, boy; **muchacha,** *f.*, girl
**mucho, -a,** much, a great deal (of); **muchos, -as,** many; **muchas gracias,** thank you very much; **muchas veces,** often; **mucho tiempo,** a long time; **con mucho gusto,** with great pleasure, gladly
**muebles,** *m. pl.*, furniture
**muela,** *f.*, tooth; **dolor de muelas,** toothache
**mujer,** *f.*, woman, wife
**mundo,** *m.*, world; **el Nuevo Mundo,** the New World; **todo el mundo,** everybody
**museo,** *m.*, museum
**música,** *f.*, music
**músico, -a,** musical; *m.*, musician
**muy,** very

**nación,** *f.*, nation
**nacional,** national
**nada,** nothing, not . . . anything; **de nada,** you're welcome, don't mention it
**nadar,** to swim
**nadie,** no one, nobody, not . . . anyone, not . . . anybody
**naranja,** *f.*, orange
**nariz,** *f.*, nose
**naturalmente,** naturally
**Navidad,** *f.*, Christmas
**necesario, -a,** necessary
**necesidad,** *f.*, necessity
**necesitar,** to need
**negro, -a,** black
**nervioso, -a,** nervous
**nevar (nieva),** to snow (it is snowing, it snows)
**ni,** neither; **ni . . . ni . . . ,** neither . . . nor . . .
**nieto,** *m.*, grandson; **nieta,** *f.*, granddaughter; **nietos,** grandchildren
**nieve,** *f.*, snow
**nilón,** *m.*, nylon
**ninguno, -a (ningún),** no, none, not . . . any . . .
**niño, -a,** child
**no,** no, not; **¿no es verdad?,** isn't that so?, aren't you?, isn't he?, don't they?, etc.; **no hay de qué,** you're welcome, don't mention it; **no tener (ie, go) razón,** to be wrong; **¡cómo no!,** of course!, why not?; **creo que no,** I think not, I don't think so
**noche,** *f.*, night, evening; **buenas noches,** good evening, good night; **de la noche,** in the evening, P.M.; **esta noche,** tonight; **por la noche,** in (during) the evening
**nombre,** *m.*, name
**norte,** *m.*, north
**norteamericano, -a,** North American, American
**nos,** us, to us, ourselves
**nosotros, -as,** we, us
**nota,** *f.*, grade, mark
**noticia,** *f.*, news item; *pl.*, news
**novecientos, -as,** nine hundred
**novedad: sin novedad,** same as usual, nothing new
**noveno, -a,** ninth
**noventa,** ninety
**noviembre,** *m.*, November
**nube,** *f.*, cloud
**nuestro, -a,** our
**nueve,** nine; **las nueve,** nine o'clock
**nuevo, -a,** new; **el Nuevo Mundo,** the New World; **(el día de) Año Nuevo,** New Year's Day; **de nuevo,** again
**número,** *m.*, number
**numerosos, -as,** numerous, many
**nunca,** never

**o,** or
**obedecer (zco),** to obey
**octavo, -a,** eighth
**octubre,** *m.*, October
**ocupado, -a,** busy, occupied
**ocurrir,** to happen, to occur
**ochenta,** eighty
**ocho,** eight; **las ocho,** eight o'clock
**ochocientos, -as,** eight hundred
**oeste,** *m.*, west
**ofrecer (zco),** to offer
**oír (go),** to hear
**ojo,** *m.*, eye
**olvidar,** to forget
**omitir,** to omit
**once,** eleven; **las once,** eleven o'clock
**oreja,** *f.*, ear
**oro,** *m.*, gold
**os,** you, to you, yourselves
**otoño,** *m.*, autumn, fall
**otro, -a,** other, another; **otra vez,** again

**Pablo,** Paul
**padre,** *m.*, father; *pl.*, parents
**pagar,** to pay (for)
**página,** *f.*, page
**país,** *m.*, country (nation)
**pájaro,** *m.*, bird
**palabra,** *f.*, word
**palacio,** *m.*, palace
**pan,** *m.*, bread
**panadería,** *f.*, bakery
**panadero,** *m.*, baker
**pantalones,** *m. pl.*, trousers, pants
**pañuelo,** *m.*, handkerchief
**papa,** *f.*, potato
**papá,** *m.*, dad, papa
**papel,** *m.*, paper
**par,** *m.*, pair, couple
**para,** for, in order to; **¿para qué?,** why? (for what purpose?)
**paraguas,** *m.*, umbrella
**pardo, -a,** brown
**parecer (zco),** to seem, to appear
**pared,** *f.*, wall
**pariente, -a,** relative
**parque,** *m.*, park
**párrafo,** *m.*, paragraph
**parte,** *f.*, part; **por todas partes,** everywhere
**particular: casa particular,** private house
**partir,** to leave, to depart
**pasado, -a,** past; **el año (mes, verano,** etc.) **pasado,** last year (month, summer, etc.); **la semana pasada,** last week
**pasar,** to pass, to spend (time)
**paseo,** *m.*, walk, drive; **dar un paseo,** to take a walk; **dar un paseo en coche (automóvil,** etc.), to take a ride; **de paseo,** strolling, "for a walk"
**paso,** *m.*, step
**pastel,** *m.*, pie, cake
**patata,** *f.*, potato
**patinar,** to skate
**patio,** *m.*, courtyard, patio
**patria,** *f.*, (native) country, fatherland
**pedir (i),** to ask for, to request
**Pedro,** Peter
**peinar(se),** to comb (one's hair)
**película,** *f.*, film, movie
**pelo,** *m.*, hair
**pelota,** *f.*, ball
**pensar (ie),** to think, to intend
**pequeño, -a,** small, little
**pera,** *f.*, pear
**perder (ie),** to lose
**perezosamente,** lazily
**perezoso, -a,** lazy
**perfectamente,** perfectly
**periódico,** *m.*, newspaper
**permiso: con (su) permiso,** excuse me (*when going before or passing in front of someone*)
**pero,** but
**persona,** *f.*, person
**Perú,** *m.*, Peru
**perro,** *m.*, dog
**pescado,** *m.*, fish
**piano,** *m.*, piano
**pie,** *m.*, foot; **a pie,** on foot, walking; **de pie,** standing
**piloto,** *m.*, pilot
**pimienta,** *f.*, pepper
**pintar,** to paint
**piso,** *m.*, floor, story (*of a building*), apartment
**pizarra,** *f.*, blackboard
**planta,** *f.*, plant
**plata,** *f.*, silver
**plato,** *m.*, plate, dish
**playa,** *f.*, beach, seashore
**plaza,** *f.*, square, plaza
**pluma,** *f.*, pen, feather
**pobre,** poor
**poco, -a,** little; **pocos, -as,** few; **pocas veces,** rarely; **poco a poco,** little by little, gradually; **un poco de,** a little (bit of)
**poder (ue),** to be able, can
**pollo,** *m.*, chicken
**poner (go),** to put, to set; **poner la mesa,** to set the table; **ponerse,** to put on (*clothing*)
**por,** for, by, through; "times" (×); **por avión (vapor, ferrocarril,** etc.), by plane (ship, railroad, etc.); **por ejemplo,** for example; **por eso,** therefore; **por favor,** please; **por la mañana (tarde, noche),** in (during) the morning (afternoon, evening); **por todas partes,** everywhere
**¿por qué?,** why?
**porque,** because
**portugués, portuguesa,** Portuguese; **portugués,** *m.*, Portuguese (language)
**poseer,** to possess, to own
**posibilidad,** *f.*, possibility
**postre(s),** *m.* or *m. pl.*, dessert
**precio,** *m.*, price, cost
**precioso, -a,** precious
**preferir (ie),** to prefer

**pregunta,** *f.*, question; **hacer (go) una pregunta,** to ask a question
**preguntar,** to ask
**preparar,** to prepare
**presente,** present
**presidente,** *m.*, president
**prestar,** to lend; **prestar atención,** to pay attention
**primavera,** *f.*, spring
**primero, -a (primer),** first
**primo, -a,** cousin
**problema,** *m.*, problem
**producir (zco),** to produce
**profesor, -a,** teacher
**programa,** *m.*, program
**promesa,** *f.*, promise
**prometer,** to promise
**pronto,** soon
**pronunciación,** *f.*, pronunciation
**pronunciar,** to pronounce
**propina,** *f.*, tip
**propio, -a,** proper, own
**próximo, -a,** next; **el año próximo,** next year; **la semana próxima,** next week
**prueba,** *f.*, test, examination
**pueblo,** *m.*, town, "home" town
**puente,** *m.*, bridge
**puerta,** *f.*, door
**pues,** well, . . .
**punto: en punto,** exactly, on the dot, "sharp"
**pupitre,** *m.*, (pupil's) desk

**que,** who, which, that; **hay que** + *inf.*, one must
**¿qué?,** what?; **¿qué hora es?,** what time is it?; **¿qué tal?,** how are things (with you)?, what's new?; **¿qué tiempo hace?,** how is the weather?; **¿qué tiene Vd. (él, etc.)?,** what is the matter with you (him, etc.)?; **¿a qué hora?,** at what time?; **no hay de qué,** you're welcome, don't mention it
**quedarse,** to remain
**querer (ie),** to wish, to want; **querer a,** to love (a person); **querer decir,** to mean
**queso,** *m.*, cheese
**¿quién?, ¿quiénes?,** who?; **¿a quién, -es?,** (to) whom?; **¿con quién, -es?,** with whom?; **¿de quién, -es?,** of whom?, whose?
**química,** *f.*, chemistry
**quince,** fifteen
**quinientos, -as,** five hundred
**quinto, -a,** fifth
**quitar,** to take away; **quitarse,** to take off (*clothing*)

**radio,** *m.* or *f.*, radio
**rápidamente,** rapidly, quickly
**razón: tener (ie, go) razón,** to be right; **no tener razón,** to be wrong
**receta,** *f.*, prescription
**recibir,** to receive
**recientemente,** recently
**reconocer (zco),** to recognize
**recordar (ue),** to remember
**referir (ie),** to tell, to narrate
**refresco,** *m.*, refreshment
**regalo,** *m.*, gift, present
**regla,** *f.*, rule
**regresar,** to return
**religioso, -a,** religious, religious person
**reloj,** *m.*, clock, watch
**remedio,** *m.*, remedy, cure
**repetir (i),** to repeat
**república,** *f.*, republic
**resfriado,** *m.*, cold (*illness*)
**resolver (ue),** to resolve, to solve
**respetar,** to respect
**responder,** to answer, to respond
**respuesta,** *f.*, answer, reply
**restaurante,** *m.*, restaurant
**revista,** *f.*, magazine
**rey,** *m.*, king
**rico, -a,** rich
**río,** *m.*, river
**robar,** to rob, to steal
**rojo, -a,** red
**romper,** to tear, to break
**ropa,** *f.*, clothes, clothing; **tienda de ropa,** clothing store
**rosa,** *f.*, rose
**rosado, -a,** pink
**rubio, -a,** blond
**ruido,** *m.*, noise
**Rusia,** *f.*, Russia
**ruso, -a,** Russian; **ruso,** *m.*, Russian (language)

**sábado,** *m.*, Saturday; **el sábado pasado,** last Saturday; **el sábado que viene,** next Saturday
**saber (sé),** to know, to know how to
**sacar,** to take out
**sal,** *f.*, salt
**sala,** *f.*, living room, hall, parlor; **sala de clase,** *f.*, classroom
**salir (go) (de),** to go out (of), to leave; **salir bien (mal),** to pass (fail) (*an examination, subject, etc.*)
**salud,** *f.*, health
**saludar,** to greet, to salute
**sastre,** *m.*, tailor
**se,** himself, herself, yourself, yourselves, themselves
**sed,** *f.*, thirst; **tener (go) sed,** to be thirsty
**seda,** *f.*, silk
**seguida: en seguida,** at once, immediately
**segundo, -a,** second
**seis,** six; **las seis,** six o'clock
**seiscientos, -as,** six hundred
**semana,** *f.*, week; **la semana pasada,** last week; **la semana próxima, la semana que viene,** next week
**semestre,** *m.*, semester, term
**sentado, -a,** seated
**sentarse (ie),** to sit down
**sentir (ie),** to regret, to be sorry
**señor (Sr.),** *m.*, gentleman, sir, Mr.
**señora (Sra.),** *f.*, lady, madam, Mrs.
**señorita (Srta.),** *f.*, young lady, Miss
**septiembre,** *m.*, September
**séptimo, -a,** seventh
**ser,** to be
**servilleta,** *f.*, napkin
**servir (i),** to serve
**sesenta,** sixty
**setecientos, -as,** seven hundred
**setenta,** seventy
**sexto, -a,** sixth
**si,** if
**sí,** yes; **creo que sí,** I think so
**siempre,** always
**siete,** seven; **las siete,** seven o'clock
**siglo,** *m.*, century
**silencio,** *m.*, silence
**silla,** *f.*, chair
**sillón,** *m.*, armchair
**simpático, -a,** nice, pleasant
**sin,** without; **sin novedad,** same as usual, nothing new
**sinceramente,** sincerely
**sincero, -a,** sincere
**sobre,** on, upon, over; *m.*, envelope
**sobrino,** *m.*, nephew; **sobrina,** *f.*, niece
**sofá,** *m.*, sofa
**sol,** *m.*, sun; **hace sol,** it is sunny
**solamente,** only
**soldado,** *m.*, soldier
**sombrero,** *m.*, hat
**sonar (ue),** to sound, to ring
**sopa,** *f.*, soup
**sótano,** *m.*, cellar
**su, sus,** your, his, her, their
**subir,** to go up, to climb; **subir a,** to get into (*a vehicle*)
**suelo,** *m.*, floor, ground
**sueño,** *m.*, dream, sleep; **tener (ie, go) sueño,** to be sleepy
**sufrir,** to suffer, to undergo; **sufrir un examen,** to take an examination
**supermercado,** *m.*, supermarket
**sur,** *m.*, south; **América del Sur,** *f.*, South America

**tal: ¿qué tal?,** how are things (with you)?, what's new?
**también,** also
**taquígrafa,** *f.*, stenographer
**tarde,** late; *f.*, afternoon; **buenas tardes,** good afternoon; **de la tarde,** in the afternoon, P.M.; **por la tarde,** in (during) the afternoon; **más tarde,** later
**tarea,** *f.*, task, chore, homework
**taxi,** *m.*, taxi
**taza,** *f.*, cup
**te,** you, yourself (*fam.*)
**té,** *m.*, tea
**teatro,** *m.*, theater
**tela,** *f.*, cloth, fabric
**teléfono,** *m.*, telephone
**televisión,** *f.*, television
**templo,** *m.*, temple
**temprano,** early
**tenedor,** *m.*, fork
**tener (ie, go),** to have; **tener . . . años,** to be . . . years old; **tener calor (frío),** to be warm (cold); **tener dolor de cabeza (muelas),** to have a headache (toothache); **tener hambre (sed),** to be hungry (thirsty); **tener que** + *inf.*, to have to; **tener razón,** to be right; **tener sueño,** to be sleepy; **tenga Vd. la bondad de** + *inf.*, please; **¿cuántos años tiene Vd.?,** how old are you?; **¿qué tiene Vd. (él, etc.)?,** what is the matter with you (him, etc.)?; **no tener razón,** to be wrong
**tenis,** *m.*, tennis
**tercero, -a (tercer),** third
**terminar,** to finish, to end
**ti,** you (*fam.*)
**tiempo,** *m.*, time, weather; **a tiempo,** on time; **¿cuánto tiempo?,** how long?, how much time?; **hace buen (mal) tiempo,** the weather is good (bad); **mucho tiempo,** a long time, much time; **¿qué tiempo hace?,** how is the weather?
**tienda,** *f.*, store; **tienda de ropa,** clothing store
**tierra,** *f.*, land, earth
**tigre,** *m.*, tiger
**timbre,** *m.*, bell
**tinta,** *f.*, ink
**tío,** *m.*, uncle; **tía,** *f.*, aunt; **tíos,** uncles, uncle and aunt
**tiza,** *f.*, chalk
**tocadiscos,** *m.*, record player
**tocar,** to play (*a musical instrument*), to touch
**todavía,** still, yet
**todo, -a,** all; **todos, -as,** everyone; **todo el día,** all day; **todo el mundo,** every-

one; **todos los, todas las,** every; **por todas partes,** everywhere
**tomar,** to take, to have (*food or drink*); **tomar el desayuno (el almuerzo, la comida, la cena),** to have breakfast (lunch, dinner, supper)
**Tomás,** Tom, Thomas
**trabajar,** to work
**trabajo,** *m.*, work
**traducir (zco),** to translate
**traer (go),** to bring
**traje,** *m.*, suit
**trece,** thirteen
**treinta,** thirty
**tren,** *m.*, train
**tres,** three; **las tres,** three o'clock
**trescientos, -as,** three hundred
**triste,** sad
**tristemente,** sadly
**tu, tus,** your (*fam*).
**tú,** you (*fam.*)
**turista,** *m.* or *f.*, tourist

**un, una,** a, an, one; **un poco de,** a little (bit of); **una vez,** once; **la una,** one o'clock
**universidad,** *f.*, university
**uno, -a,** one
**unos, -as,** several, some, a few
**usar,** to use
**usted, ustedes,** you

**vaca,** *f.*, cow
**vacaciones,** *f. pl.*, vacation
**vacío, -a,** empty
**valer (go),** to be worth
**vapor,** *m.*, steamship
**varios, -as,** several
**vaso,** *m.*, glass
**vecino, -a,** neighbor
**veinte,** twenty
**vender,** to sell
**venir (ie, go),** to come; **el sábado (domingo,** etc.) **que viene,** next Saturday (Sunday, etc.); **la semana que viene,** next week
**ventana,** *f.*, window
**ver,** to see
**verano,** *m.*, summer; **el verano pasado,** last summer
**verbo,** *m.*, verb
**verdad,** *f.*, truth; **¿verdad?, ¿no es verdad?,** aren't you?, isn't it?, doesn't he?, etc.
**verde,** green
**vestido,** *m.*, dress
**vestirse (i),** to get dressed
**vez,** *f.*, time; **a veces,** at times, sometimes; **alguna vez,** sometime, once; **algunas veces,** sometimes; **¿cuántas veces?,** how many times?, how often?; **dos veces,** twice; **muchas veces,** often; **otra vez,** again; **pocas veces,** rarely; **una vez,** once
**viajar,** to travel
**viaje,** *m.*, trip; **hacer (go) un viaje,** to take a trip
**viajero, -a,** traveler
**vida,** *f.*, life
**viejo, -a,** old
**viento,** *m.*, wind; **hace viento,** it is windy
**viernes,** *m.*, Friday; **el viernes pasado,** last Friday
**vino,** *m.*, wine
**violeta,** *f.*, violet
**violín,** *m.*, violin
**visita,** *f.*, visit; **hacer (go) una visita (a),** to pay a visit (to)
**visitar,** to visit
**vista: hasta la vista,** goodbye (till I see you again)
**vivir,** to live
**vocabulario,** *m.*, vocabulary
**volar (ue),** to fly
**volver (ue),** to return, to go back
**vosotros, -as,** you (*fam. pl.*)
**voz,** *f.*, voice; **en voz alta,** in a loud voice, aloud; **en voz baja,** in a low voice
**vuestro, -a,** your (*fam.*)

**y,** and; **y media,** half past
**ya,** already
**yo,** I

**zapatería,** *f.*, shoe store
**zapatero,** *m.*, shoemaker, shoe dealer
**zapato,** *m.*, shoe

# Part X—English-Spanish Vocabulary

**a, an,** un, una; **a little,** un poco (de); **a long time,** mucho tiempo; **a lot of,** mucho, -a
**able: to be able,** poder (ue)
**accompany,** acompañar
**ache,** el dolor
**admire,** admirar
**afternoon,** la tarde; **in the afternoon,** por la tarde
**again,** otra vez, de nuevo; **till I see you again,** hasta la vista
**against,** contra
**air,** el aire; **in the open air,** al aire libre
**Alfred,** Alfredo
**all,** todo, -a, todos, -as; **all the,** todos los, todas las
**aloud,** en voz alta
**Alphonse,** Alfonso
**always,** siempre
**A.M.,** de la mañana
**America: South America,** (la) América del Sur
**and,** y
**announce,** anunciar
**answer,** la respuesta
**any** (*neg.*), ninguno, -a (ningún)
**anyone** (*neg.*), nadie
**anything** (*neg.*), nada
**appear,** aparecer (zco)
**apple,** la manzana
**April,** abril, *m.*
**Argentina,** la Argentina
**arrive,** llegar
**ask: ask a question,** hacer (go) una pregunta; **ask for,** pedir (i)
**at,** a; **at home,** en casa; **at four** (etc.) **o'clock,** a las cuatro (etc.); **at midnight,** a medianoche; **at night,** por la noche; **at noon,** a mediodía; **at once,** en seguida, inmediatamente; **at times,** a veces; **at what time?,** ¿a qué hora?
**attend,** asistir (a)
**attention: pay attention,** prestar atención
**attentively,** con atención
**August,** agosto, *m.*
**author,** el autor
**automobile,** el automóvil, el coche
**autumn,** el otoño
**avenue,** la avenida
**away: go away,** irse
**back: in back of,** detrás de
**bad,** malo, -a (mal); **the weather is bad,** hace mal tiempo
**badly,** mal
**bath: take a bath,** bañarse
**be,** estar, ser; **be able,** poder (ue); **be cold,** tener (ie, go) frío; **be hungry,** tener hambre; **be right,** tener razón; **be sleepy,** tener sueño; **be sorry,** sentir (ie); **be sunny,** hacer sol; **be thirsty,** tener sed; **be warm,** tener calor; **be windy,** hacer viento; **be wrong,** no tener razón; **be . . . years old,** tener . . . años
**beautiful,** hermoso, -a
**bed: go to bed,** acostarse (ue)
**bedroom,** la alcoba, el dormitorio
**begin,** empezar (ie), comenzar (ie)
**behind,** detrás de
**believe,** creer
**bell,** la campana
**between,** entre
**bicycle,** la bicicleta
**birthday,** el cumpleaños
**blackboard,** la pizarra
**blond,** rubio, -a
**blouse,** la blusa
**blue,** azul
**book,** el libro
**box,** la caja
**boy,** el muchacho
**bread,** el pan
**breakfast,** el desayuno
**bring,** traer (go)
**brother,** el hermano
**brunette,** moreno, -a
**buy,** comprar
**by,** por

**call,** llamar
**can (to be able),** poder (ue)
**candy,** los dulces
**car,** el automóvil, el coche
**cent,** el centavo
**Charles,** Carlos
**chat,** charlar
**cheese,** el queso
**chemistry,** la química
**child,** el niño (la niña), el chico (la chica)
**children,** los niños, los hijos
**church,** la iglesia
**city,** la ciudad
**class,** la clase
**classmate,** el compañero (la compañera) de clase
**classroom,** la sala de clase
**close,** cerrar (ie)
**coat,** el abrigo
**coffee,** el café
**coin,** la moneda
**cold,** frío, -a; (*noun*) el frío; **he is cold,** tiene frío; **it is cold** (*weather*), hace frío
**comb,** peinarse
**come,** venir (ie, go)
**complete,** completar
**confess,** confesar (ie)
**cool: it is cool,** hace fresco
**correctly,** correctamente
**cost,** costar (ue)
**could** (*preterite or imperfect of* poder)
**count,** contar (ue)
**country,** (*nation*) el país; (*contrasted with city*) el campo
**cousin,** el primo, la prima
**cover,** cubrir
**cow,** la vaca
**crime,** el crimen
**cry,** llorar
**cut,** cortar

**dance,** bailar
**date,** la fecha
**day,** el día
**December,** diciembre, *m.*
**decide,** decidir
**defend,** defender (ie)
**depart,** partir
**describe,** describir
**dictation,** el dictado
**die,** morir (ue)
**diligently,** diligentemente
**dinner,** la comida
**disappear,** desaparecer (zco)
**discover,** descubrir
**do,** hacer (go)
**doctor,** el doctor, el médico
**doesn't she?,** ¿verdad?, ¿no es verdad?
**dollar,** el dólar
**don't mention it,** no hay de qué, de nada
**door,** la puerta
**downstairs,** abajo
**dress,** el vestido; **to get dressed,** vestirse (i)
**drink,** beber
**drive,** conducir (zco)

**each,** cada
**early,** temprano
**earn,** ganar
**easily,** fácilmente
**east,** el este
**eat,** comer; **eat breakfast,** desayunarse, tomar el desayuno; **eat lunch,** almorzar, tomar el almuerzo
**eight,** ocho; **eight o'clock,** las ocho
**eight hundred,** ochocientos, -as
**eighteen,** diez y ocho
**eighth,** octavo, -a
**eighty,** ochenta
**either . . . or . . .** (*neg.*), ni . . . ni . . .
**eleven,** once; **eleven o'clock,** las once
**empty,** vacío, -a
**end,** terminar
**enemy,** el enemigo, la enemiga
**English,** inglés, inglesa; **English (language),** el inglés
**enjoy oneself,** divertirse (ie)
**enter,** entrar (en)
**evening,** la noche
**ever** (*neg.*), nunca
**every,** todos los, todas las; **everyone,** todo el mundo, todos, -as; **everywhere,** por todas partes
**excuse me,** con (su) permiso
**exercise,** el ejercicio
**explain,** explicar

**face,** la cara
**fail,** salir (go) mal
**fall,** caer (go)
**family,** la familia
**far from,** lejos de
**farmer,** el campesino, la campesina
**father,** el padre
**February,** febrero, *m.*
**fifteen,** quince
**fifth,** quinto, -a
**fifty,** cincuenta
**finally,** al fin
**find,** encontrar (ue), hallar
**fine: the weather is fine,** hace buen tiempo
**first,** primero, -a (primer)
**five,** cinco; **five o'clock,** las cinco
**five hundred,** quinientos, -as
**floor,** el suelo
**flower,** la flor
**fly,** volar (ue)
**foot: on foot,** a pie
**for,** para, por; **"for a walk,"** de paseo
**forcefully,** fuertemente
**forty,** cuarenta
**found out** (*preterite of* saber)
**four,** cuatro; **four o'clock,** las cuatro
**four hundred,** cuatrocientos, -as
**fourteen,** catorce
**fourth,** cuarto, -a
**free,** libre
**freely,** libremente
**Friday,** el viernes
**friend,** el amigo, la amiga
**from,** de
**front: in front of,** delante de, enfrente de
**fruit,** las frutas
**full,** lleno, -a

**garden,** el jardín
**German,** alemán, alemana; **German (language),** el alemán
**get dressed,** vestirse (i)
**get off (out of)** (*vehicle*), bajar de
**get on (into)** (*vehicle*), subir a
**get up,** levantarse
**gift,** el regalo
**girl,** la muchacha
**give,** dar
**gladly,** con mucho gusto
**glass,** el vaso
**go,** ir; **go away,** irse; **go out,**

salir (go); **go to bed,** acostarse (ue)
**good,** bueno, -a (buen); **good afternoon,** buenas tardes; **goodbye (see you later),** hasta luego; **goodbye (see you tomorrow),** hasta mañana; **good evening,** buenas noches; **good morning,** buenos días; **the weather is good,** hace buen tiempo
**govern,** gobernar (ie)
**grandfather,** el abuelo
**grandson,** el nieto
**green,** verde
**greet,** saludar
**guide,** el guía

**hair,** el pelo
**half past,** y media
**happy,** feliz
**hard,** difícil
**hat,** el sombrero
**have,** tener (ie, go); **have a headache,** tener dolor de cabeza; **have a toothache,** tener dolor de muelas; **have dinner,** tomar la comida; **have to,** tener que + *inf.*
**he,** él
**headache,** dolor de cabeza; **have a headache,** tener dolor de cabeza
**hear,** oír (go)
**help,** la ayuda; **to help,** ayudar
**her** (*possessive*), su, sus; **I see her,** la veo; **I speak to her,** le hablo; *prep.* + **her,** ella
**here,** aquí
**high,** alto, -a
**him: I see him,** le (lo) veo; **I speak to him,** le hablo; *prep.* + **him,** él
**his,** su, sus
**history,** la historia
**home: (at) home,** en casa; **(from) home,** de casa; **(to) home,** a casa
**hope,** esperar
**hot: it is hot** (*weather*), hace calor
**hour,** la hora
**house,** la casa
**how?,** ¿cómo?; **how are things (with you)?,** ¿qué tal?; **how do you say . . .?,** ¿cómo se dice . . .?; **how is the weather?,** ¿qué tiempo hace?; **how many?,** ¿cuántos, -as?; **how much?,** ¿cuánto, -a?; **how old is . . .?,** ¿cuántos años tiene . . .?
**hundred,** ciento (cien)
**hungry: to be hungry,** tener (ie, go) hambre

**I,** yo
**ill,** enfermo, -a
**illness,** la enfermedad
**immediately,** inmediatamente, en seguida
**important,** importante
**impossible,** imposible
**in,** en; **in a loud (low) voice,** en voz alta (baja); **in back of,** detrás de; **in front of,** delante de, en frente de; **in the afternoon,** por la tarde; **in the morning,** por la mañana; **in the open air,** al aire libre
**inhabitant,** el habitante
**instead of,** en lugar de
**intend,** pensar (ie)
**interesting,** interesante
**invite,** invitar
**it** (*direct object*), lo, la; *prep.* + **it,** él, ella; **it is cold** (*weather*), hace frío; **it is cool** (*weather*), hace fresco; **it is hot** (*weather*), hace calor; **it is sunny,** hace sol; **it is windy,** hace viento; **its,** su, sus

**January,** enero, *m.*
**John,** Juan
**July,** julio, *m.*
**June,** junio, *m.*

**king,** el rey
**know,** (*a person*) conocer (zco); (*a fact*) saber (sé); (*how to do something*) saber

**language,** la lengua
**large,** grande
**last: last month,** el mes pasado; **last night,** anoche; **last term,** el semestre pasado; **last Thursday,** el jueves pasado; **last week,** la semana pasada; **last year,** el año pasado
**late,** tarde
**later,** más tarde
**lazily,** perezosamente
**lead,** conducir (zco)
**learn,** aprender
**leave,** salir (go), partir
**lend,** prestar
**less,** menos
**lesson,** la lección
**letter,** la carta
**library,** la biblioteca
**life,** la vida
**like** (*be pleasing to*), gustar
**listen (to),** escuchar
**little: a little,** un poco (de); **little by little,** poco a poco
**live,** vivir
**long: a long time,** mucho tiempo
**lose,** perder (ie)
**lot: a lot of,** mucho, -a
**loud,** alto, -a; **in a loud voice,** en voz alta
**Louis,** Luis
**love,** querer (ie), amar
**low,** bajo, -a; **in a low voice,** en voz baja
**lunch: to eat (have) lunch,** tomar el almuerzo, almorzar (ue)

**make,** hacer (go)
**man,** el hombre
**many,** muchos, -as; **how many?,** ¿cuántos, -as?
**March,** marzo, *m.*
**Mary,** María
**matter: what's the matter with you?,** ¿qué tiene Vd.?
**May,** mayo, *m.*
**me: he sees me,** me ve; **he speaks to me,** me habla; **with me,** conmigo; *prep.* + **me,** mí
**meal,** la comida
**mean,** querer (ie) decir
**mention: don't mention it,** no hay de qué, de nada
**Mexico,** México
**midnight,** la medianoche; **at midnight,** a medianoche
**milk,** la leche
**million,** (un) millón
**minus,** menos
**minute,** el minuto
**Miss,** la señorita (Srta.)
**mistake,** el error, la falta
**money,** el dinero
**month,** el mes; **next month,** el mes próximo, el mes que viene
**more,** más
**morning,** la mañana; **good morning,** buenos días; **in the morning,** por la mañana
**mother,** la madre
**movies,** el cine
**Mr.,** el señor (Sr.); **Mrs.,** la señora (Sra.)
**much,** mucho, -a; **how much?,** ¿cuánto, -a?
**museum,** el museo
**music,** la música
**must,** tener (ie, go) que + *inf.*; **one must,** hay que + *inf.*
**my,** mi, mis

**name,** el nombre; **her name is . . . ,** ella se llama . . .; **what is your name?,** ¿cómo se llama Vd.?
**narrate,** referir (ie)
**nation,** la nación
**near,** cerca de
**need,** necesitar
**neighbor,** el vecino, la vecina
**neither . . . nor . . . ,** ni . . . ni . . .
**never,** nunca
**new,** nuevo, -a; **what's new (with you)?,** ¿qué tal?
**newspaper,** el periódico
**next month (summer, Thursday, year),** el mes (verano, jueves, año) próximo, el mes (verano, jueves, año) que viene; **next week,** la semana próxima, la semana que viene
**night,** la noche; **at night,** por la noche; **last night,** anoche
**nine,** nueve; **nine o'clock,** las nueve
**nine hundred,** novecientos, -as
**nineteen,** diez y nueve
**ninety,** noventa
**ninth,** noveno, -a
**no,** ninguno, -a (ningún); **no one,** nadie
**nobody,** nadie
**noise,** el ruido
**none,** ninguno, -a
**noon,** el mediodía; **at noon,** a mediodía
**not,** no
**nothing,** nada
**notice,** la noticia
**November,** noviembre, *m.*
**now,** ahora

**obey,** obedecer (zco)
**October,** octubre, *m.*
**of,** de; **of course!,** ¡cómo no!
**off: get off** (*vehicle*), bajar de; **take off** (*clothing*), quitarse
**offer,** ofrecer (zco)
**often,** a menudo, muchas veces
**old: to be . . . years old,** tener (ie, go) . . . años; **how old is . . .?,** ¿cuántos años tiene . . .?
**older,** mayor
**on,** en; **on foot,** a pie; **on time,** a tiempo; **get on** (*vehicle*), subir a; **to put on** (*clothing*), ponerse (go)
**once,** una vez; **at once,** en seguida, inmediatamente
**one,** uno, -a (un); **one must,** hay que + *inf.*; **one o'clock,** la una
**open,** abierto, -a; **to open,** abrir; **in the open air,** al aire libre
**opposite,** en frente de (enfrente de)
**orange,** la naranja
**our,** nuestro, -a
**out: found out** (*preterite of* saber); **get out of** (*vehicle*), bajar de; **go out,** salir (go) (de)
**outdoors,** al aire libre
**over,** sobre

**page,** la página
**paint,** pintar
**paper,** el papel
**paragraph,** el párrafo
**parents,** los padres
**park,** el parque
**party,** la fiesta
**pass** (*examination, etc.*), salir (go) bien
**past: half past,** y media
**patio,** el patio

**pay: to pay a visit (to),** hacer (go) una visita (a); **to pay attention (to),** prestar atención (a)
**pen,** la pluma
**pencil,** el lápiz
**picture,** el cuadro
**pie,** el pastel
**plane: by plane,** por avión
**play,** jugar (ue)
**please,** haga(n) Vd(s). el favor de + *inf.*, tenga(n) Vd(s). la bondad de + *inf.*
**P.M.,** de la tarde, de la noche
**pocket,** el bolsillo
**prefer,** preferir (ie)
**prepare,** preparar
**pretty,** bonito, -a
**problem,** el problema
**produce,** producir (zco)
**program,** el programa
**promise,** prometer
**pronounce,** pronunciar
**pupil,** el alumno, la alumna
**put,** poner (go); **put on** (*clothing*), ponerse

**quarter,** cuarto
**question,** la pregunta
**quickly,** rápidamente

**rain,** llover (ue)
**rarely,** pocas veces
**read,** leer
**receive,** recibir
**recognize,** reconocer (zco)
**record player,** el tocadiscos
**regret,** sentir (ie)
**relatives,** los parientes
**remain,** quedarse
**remember,** recordar (ue)
**repeat,** repetir (i)
**reply,** contestar, responder
**resolve,** resolver (ue)
**restaurant,** el restaurante
**return,** regresar, volver (ue)
**ride: take a ride,** dar un paseo en automóvil (coche)
**right: to be right,** tener (ie, go) razón
**ring,** sonar (ue)
**rose,** la rosa
**run,** correr

**sadly,** tristemente
**Saturday,** el sábado
**say,** decir (i, go); **say thanks (to),** dar las gracias (a)
**school,** la escuela
**seat,** el asiento
**second,** segundo, -a
**see,** ver; **see you later,** hasta luego; **see you tomorrow,** hasta mañana; **till I see you again,** hasta la vista
**seem,** parecer (zco)
**sell,** vender
**sentence,** la frase
**September,** septiembre, *m.*
**serve,** servir (i)
**set the table,** poner (go) la mesa
**seven,** siete; **seven o'clock,** las siete
**seven hundred,** setecientos, -as
**seventeen,** diez y siete
**seventh,** séptimo, -a
**seventy,** setenta
**sew,** coser
**"sharp",** en punto
**she,** ella
**shirt,** la camisa
**shoe,** el zapato
**shoe store,** la zapatería
**shout,** gritar
**show,** mostrar (ue)
**silver,** la plata
**sincerely,** sinceramente
**sing,** cantar
**sister,** la hermana
**sit down,** sentarse (ie)
**six,** seis; **six o'clock,** las seis
**six hundred,** seiscientos, -as
**sixteen,** diez y seis
**sixth,** sexto, -a
**sixty,** sesenta
**skate,** patinar
**skirt,** la falda
**sky,** el cielo
**sleep,** dormir (ue)
**sleepy: to be sleepy,** tener (go) sueño
**slowly,** despacio
**small,** pequeño, -a
**soldier,** el soldado
**solve,** resolver (ue)
**some,** alguno, -a (algún)
**someone,** alguien
**something,** algo
**sometimes,** algunas veces, a veces
**son,** el hijo
**song,** la canción
**soon,** pronto
**sorry: to be (very) sorry,** sentir (ie) (mucho)
**sound,** sonar (ue)
**South America,** (la) América del Sur
**Spanish,** español, española; **Spanish (language),** el español
**speak,** hablar
**spoon,** la cuchara
**spring,** la primavera
**stairs,** la escalera
**stay,** quedarse
**stocking,** la media
**story,** el cuento
**street,** la calle
**strong,** fuerte
**study,** estudiar
**summer,** el verano; **next summer,** el verano próximo, el verano que viene
**Sunday,** el domingo
**sunny: it is sunny,** hace sol
**sweetly,** dulcemente

**table,** la mesa; **set the table,** poner (go) la mesa
**take,** tomar; **take a bath,** bañarse; **take a ride,** dar un paseo en automóvil (coche); **take a trip,** hacer (go) un viaje; **take a walk,** dar un paseo; **take off** (*clothing*), quitarse
**tango,** el tango
**teach,** enseñar
**teacher,** el maestro, la maestra; el profesor, la profesora
**tear,** romper
**television,** la televisión
**tell,** decir (i, go)
**ten,** diez
**tennis,** el tenis
**tenth,** décimo, -a
**test,** el examen, la prueba
**thank,** dar las gracias (a); **thanks,** gracias; **thank you very much,** muchas gracias
**that,** ese, esa; aquel, aquella
**the,** el, los, la, las
**their,** su, sus
**them: I see them,** los (las) veo; **I speak to them,** les hablo; *prep.* + **them,** ellos, ellas
**then,** entonces, luego
**there,** allí
**therefore,** por eso
**these,** estos, -as
**they,** ellos, -as
**thief,** el ladrón
**thing,** la cosa; **how are things (with you)?,** ¿qué tal?
**think: I think so,** creo que sí
**third,** tercero, -a (tercer)
**thirsty: be thirsty,** tener (ie, go) sed
**thirteen,** trece
**thirty,** treinta
**this,** este, esta; **this evening,** esta noche
**those,** esos, -as; aquellos, -as
**thousand,** mil
**three,** tres; **three o'clock,** las tres
**three hundred,** trescientos, -as
**through,** por
**Thursday,** el jueves; **last Thursday,** el jueves pasado; **next Thursday,** el jueves próximo, el jueves que viene
**till,** hasta; **till I see you again,** hasta la vista
**time: a long time,** mucho tiempo; **at times,** a veces; **at what time?,** ¿a qué hora?; **on time,** a tiempo
**tired,** cansado, -a
**to,** a
**today,** hoy
**tomorrow,** mañana
**tonight,** esta noche
**tooth,** el diente, la muela
**toothache: have a toothache,** tener (ie, go) dolor de muelas
**toward,** hacia
**train,** el tren
**translate,** traducir (zco)
**travel,** viajar
**traveler,** el viajero, la viajera
**tree,** el árbol
**trip,** el viaje; **take a trip,** hacer (go) un viaje
**truth,** la verdad
**twelve,** doce; **twelve o'clock,** las doce
**twenty,** veinte
**twice,** dos veces
**two,** dos
**two hundred,** doscientos, -as

**ugly,** feo, -a
**uncle,** el tío
**under,** debajo de
**understand,** entender (ie), comprender
**United States,** los Estados Unidos
**upstairs,** arriba
**us: they see us,** nos ven; **they speak to us,** nos hablan; *prep.* + **us,** nosotros, -as
**usual: same as usual,** sin novedad

**vegetable,** la legumbre
**very,** muy
**visit,** visitar; **to pay a visit,** hacer (go) una visita
**voice,** la voz; **in a loud (low) voice,** en voz alta (baja)

**wait,** esperar
**waiter,** el camarero, el mozo
**wake up,** despertarse (ie)
**walk,** caminar, andar; **"for a walk,"** de paseo; **to take a walk,** dar un paseo; **walking,** a pie
**want,** desear, querer (ie)
**warm: I am warm,** tengo calor; **it is warm** (*weather*), hace calor
**watch,** mirar
**water,** el agua, *f.*
**we,** nosotros, -as
**weak,** débil
**wear,** llevar
**weather,** el tiempo; **how is the weather?,** ¿qué tiempo hace?; **the weather is bad (good, fine),** hace mal (buen) tiempo
**Wednesday,** el miércoles
**week,** la semana; **last week,** la semana pasada; **next week,** la semana próxima, la semana que viene
**welcome; you're welcome,** no hay de qué, de nada
**well,** bien
**west,** el oeste
**what?,** ¿qué?, ¿cuál?, ¿cuáles?; **what's the matter with . . .?,** ¿qué tiene . . .?; **what's the name of . . .?,** ¿cómo se llama . . .?;

**what's new?,** ¿qué tal?; **at what time?,** ¿a qué hora?
**when,** cuando; **when?,** ¿cuándo?
**where?,** ¿dónde?
**which?,** ¿cuál?, ¿cuáles?
**while,** mientras
**who?,** ¿quién?, ¿quiénes?
**whole: the whole class,** toda la clase
**whom: to whom?,** ¿a quién?, ¿a quiénes?; **with whom?,** ¿con quién?, ¿con quiénes?
**whose?,** ¿de quién?, ¿de quiénes?
**why?,** ¿por qué?
**win,** ganar
**window,** la ventana
**windy: it is windy,** hace viento
**wish,** desear, querer (ie)
**with,** con; **with me,** conmigo; **with you** (*fam.*), contigo
**without,** sin
**woman,** la mujer
**wooden,** de madera
**word,** la palabra
**work,** el trabajo; **to work,** trabajar
**write,** escribir
**wrong: to be wrong,** no tener (ie, go) razón

**year,** el año; **last year,** el año pasado; **next year,** el año próximo, el año que viene; **to be . . . years old,** tener (ie, go) . . . años
**yes,** sí
**yesterday,** ayer
**you,** (*subject*) tú, Vd., vosotros, -as, Vds.; **I see you,** te (le, la, lo) veo; **I speak to you,** te (le) hablo; **with you** (*fam.*), contigo
**young,** joven
**younger,** menor
**your,** tu, tus; su, sus
**you're welcome,** de nada, no hay de qué